• HISTÓRIA DO MUNDO •

EM 6 COPOS

Tom Standage

•HISTÓRIA DO MUNDO• EM 6 COPOS

Tradução
ANTÔNIO BRAGA

ZAHAR

Título original:
A History of the World in 6 Glasses

Tradução autorizada da primeira edição norte-americana
publicada em 2005 por Walker Publishing Company,
de Nova York, Estados Unidos

Jorge Zahar Editor Ltda.
rua Marquês de S. Vicente 99 – 1º | 22451-041 Rio de Janeiro, RJ
tel. (21) 2529-4750 | fax (21) 2529-4787
editora@zahar.com.br | www.zahar.com.br

Preparação de originais: Rita Jobim
Revisão tipográfica: Maria Helena Torres e Antonio dos Prazeres

Capa: Miriam Lerner

CIP-Brasil. Catalogação-na-fonte
Sindicato Nacional dos Editores de Livros, RJ

Standage, Tom
S789h História do mundo em 6 copos / Tom Standage; tradução Antonio Braga. — Rio de Janeiro: Zahar, 2005.

Tradução de: A history of the world in 6 glasses
Apêndices
Inclui bibliografia
ISBN 978-85-7110-893-6

1. Bebidas – História. 2. Bebidas alcoólicas – História. 3. Chá – História. 4. Café – História. 5. Bebidas destiladas – História. I. Título.

CDD: 394.12
05-3280 CDU: 394.1

Para meus pais

• SUMÁRIO •

• INTRODUÇÃO •
LÍQUIDOS VITAIS

A história da humanidade não existe: há apenas muitas
histórias sobre todos os aspectos da vida dos homens.
Karl Popper, filósofo da ciência (1902-1994)

A sede é mais mortal do que a fome. Sem comida, você poderia sobreviver por algumas semanas, mas sem bebida teria sorte se durasse alguns dias. Somente o ato de respirar é mais importante. Há dezenas de milhares de anos, os primeiros homens, que circulavam em pequenos bandos, tinham de ficar perto de rios, correntes e lagos a fim de garantir um suprimento adequado de água fresca, já que não havia um modo prático de armazenar ou carregar a água. A sua disponibilidade restringiu e determinou o progresso da humanidade. Desde então, as bebidas continuaram a moldar nossa história.

Somente nos últimos dez mil anos outras bebidas surgiram para desafiar a primazia da água. Nenhuma delas está disponível na natureza em qualquer quantidade, e todas têm de ser produzidas deliberadamente. Além de oferecer alternativas mais seguras para suprimentos de água contaminada por doenças em agrupamentos humanos, elas assumiram funções variadas. Muitas têm sido usadas como moeda, em rituais religiosos, como símbolos políticos ou como fonte de inspiração filosófica e artística. Algumas têm servido para ressaltar o poder e o posicionamento da elite ou para subjugar e apaziguar os oprimidos. As bebidas têm sido usadas para celebrar nascimentos, homenagear mortos e estabelecer e fortalecer relacionamentos sociais; para fechar transações comerciais e tratados; para aguçar os sentidos ou entorpecer a mente; para conter remédios salvadores ou venenos mortais.

Assim como as marés da história mostram fluxos e refluxos, bebidas diferentes atingiram alguma proeminência em momentos, lugares e culturas diversos, desde as aldeias da Idade da Pedra até os salões de festas na Grécia antiga ou os cafés públicos no Iluminismo. Cada uma delas tornou-se popular quando atendeu a uma necessidade específica ou se alinhou com alguma tendência histórica. Em alguns casos, a bebida veio mesmo a influenciar o curso da história de formas inesperadas. Assim como os arqueólogos estabelecem períodos históricos com base no uso de materiais diferentes – Idade da Pedra, Idade do Bronze, Idade do Ferro e assim por diante –, também é possível dividir a história do mundo em períodos dominados por certas bebidas. Especificamente, seis bebidas – cerveja, vinho, destilados, café, chá e cola – definem o fluxo da história mundial. Três delas contêm álcool e três contêm cafeína, mas o que todas têm em comum é o fato de que cada uma delas foi a bebida definitiva durante determinado período histórico, desde a Antigüidade até os dias de hoje.

O evento que colocou a humanidade no caminho em direção à modernidade foi o início da atividade agrícola, começando com a produção doméstica de cereais, que ocorreu primeiramente no Oriente Próximo há cerca de dez mil anos e foi acompanhada pelo aparecimento de uma forma rudimentar de cerveja. As primeiras civilizações surgiram cerca de cinco mil anos depois, na Mesopotâmia e no Egito – duas culturas paralelas fundadas a partir de um excedente de cereais produzidos por uma agricultura organizada em larga escala. Isso liberou uma pequena parcela da população da necessidade de trabalhar nos campos e possibilitou o surgimento de padres, administradores, escribas e artesãos especializados. Não só a cerveja alimentava os habitantes das primeiras cidades e os autores dos primeiros documentos escritos, mas também os salários e gratificações eram pagos com pão e cerveja, já que os cereais eram a base da economia.

A próspera cultura que se desenvolveu dentro das cidades-Estados na Grécia antiga no primeiro milênio a.C. gerou avanços em filosofia, política, ciência e literatura que ainda servem de base para o pensamento ocidental moderno. O vinho foi a fonte essencial dessa civilização mediterrânea e a base de um vasto comércio marítimo que ajudou a espalhar as idéias dos gregos por toda parte. A política, a poesia e a filosofia eram discutidas em festas formais com bebidas – os simpósios *(symposia)* –, nas quais os participantes partilhavam uma grande taça de vinho diluído. O costume de beber vinho prosseguiu com os romanos, cuja sociedade hierarquizada tinha uma estrutura que se refletia numa ordenação social de vinhos e estilos de vinhos detalhadamente regulada. Duas das principais religiões do mundo emitiram veredictos opostos sobre a bebida: o ritual cristão da eucaristia tem o vinho como núcleo central, mas, depois do colapso do Império Romano e do crescimento do Islã, o vinho foi banido da própria região em que nasceu.

O renascimento do pensamento ocidental que ocorreu um milênio após a queda de Roma foi estimulado pela redescoberta do conhecimento grego e romano, sendo que boa parte deste tinha sido guardada e ampliada por estudiosos no mundo árabe. Ao mesmo tempo, os exploradores europeus, motivados pelo desejo de driblar o monopólio árabe sobre o comércio com o Oriente, navegaram rumo ao oeste para as Américas e ao leste para a Índia e a China. Foram estabelecidas rotas marítimas globais, e as nações européias rivalizavam umas com as outras no intuito de retalhar o globo. Durante essa era das explorações, um novo grupo de bebidas tomou a frente, o que só foi possível pela destilação, um processo alquímico já conhecido no mundo antigo, mas bastante aperfeiçoado pelos estudiosos árabes. As bebidas destiladas ofereciam o álcool de forma compacta e durável, ideal para o transporte marítimo. Bebidas tais como conhaque, rum e uísque eram usadas como moeda para comprar escravos e tornaram-se particularmente populares nas colônias norte-americanas, nas quais se mostraram tão controversas politicamente que desempenharam um papel importante na criação dos Estados Unidos.

Seguindo-se a essa expansão geográfica veio seu equivalente intelectual à medida que os pensadores ocidentais passaram a olhar além das crenças existentes herdadas dos gregos e desenvolveram novas teorias científicas, políticas e econômicas. A bebida dominante dessa Idade da Razão era o café, uma infusão misteriosa e elegante introduzida na Europa a partir do Oriente Médio. Os estabelecimentos que surgiram para servir café tinham características nitidamente diferentes das tavernas que vendiam bebidas alcoólicas, e tornaram-se centros de permutas comerciais, políticas e intelectuais. O café ajudava a clareza do pensamento, o que o transformava na bebida ideal para cientistas, homens de negócios e filósofos. Discussões em cafés públicos levaram à fundação de sociedades científicas, jornais e instituições financeiras, e propiciaram um terreno fértil para o pensamento revolucionário, sobretudo na França.

Em algumas nações européias, em especial na Grã-Bretanha, o café foi desafiado pelo chá importado da China. A popularidade do chá na Europa ajudou a abrir rotas comerciais lucrativas com o Oriente que serviram como base para o imperialismo e a industrialização numa escala sem precedentes, capacitando a Grã-Bretanha a tornar-se a primeira superpotência global. Uma vez que o chá firmou-se como sua bebida nacional, o desejo de manter seu suprimento teve conseqüências de longo alcance na política externa britânica, contribuindo para a independência dos Estados Unidos, o enfraquecimento da antiga civilização chinesa e o estabelecimento da produção do chá na Índia em escala industrial.

Embora as bebidas artificialmente gaseificadas tenham se originado na Europa no final do século XVIII, o refrigerante ganhou fama com a invenção da Coca-Cola, cem anos mais tarde. Tendo sido originalmente imaginada como um remédio estimulante por um farmacêutico de Atlanta, tornou-se a bebida nacional dos Estados Unidos, um emblema do vibrante capitalismo de consumo que ajudou a transformar esse país numa superpotência. Viajando pelo mundo durante o século XX, junto com os soldados norte-americanos que lutavam nas guerras, a Coca-Cola veio a se tornar o produto mais conhecido e mais distribuído no mundo, e é atualmente um ícone do avanço controverso na direção de um único mercado global.

As bebidas tiveram uma conexão com o fluxo da história bem maior do que geralmente se reconhece – e também uma influência maior no seu destino. Para compreender as ramificações tais como quem bebia o quê e por quê, e de onde vinha a bebida, é necessário fazer um cruzamento de muitos campos diferentes e aparentemente não relacionados: agricultura, filosofia, religião, medicina, tecnologia e negócios. As seis bebidas destacadas neste livro demonstram a complexa interação de civilizações diferentes e a interconexão das culturas do mundo. Elas sobrevivem em nossas casas nos dias de hoje como lembranças vivas de eras passadas, testamentos líquidos das forças que moldaram o mundo moderno. Descubra suas origens, e você talvez nunca mais olhe para sua bebida favorita da mesma maneira.

• A CERVEJA •

NA MESOPOTÂMIA E NO EGITO

• UMA BEBIDA FERMENTADA DA IDADE DA PEDRA •

A fermentação e a civilização são inseparáveis.
John Ciardi, poeta americano (1916-1986)

UM GOLE DE PRÉ-HISTÓRIA

Os seres humanos que começaram a emigrar da África há aproximadamente 50 mil anos viajavam em pequenos bandos nômades e se abrigavam em cavernas, cabanas ou tendas feitas com peles. Caçavam, pescavam e colhiam plantas comestíveis, mudando-se de um acampamento temporário para outro a fim de explorar suprimentos sazonais de alimentos. Seus instrumentos incluíam arcos-e-flechas, anzóis e pedras pontiagudas. Mas então, começando há cerca de 12 mil anos, uma transformação notável ocorreu. Os homens no Oriente Próximo abandonaram o velho estilo de caçar e coletar do período paleolítico (a velha Idade da Pedra) e começaram a se envolver na agricultura, estabelecendo-se em aldeias que no final das contas cresceram e transformaram-se nas primeiras cidades do mundo. Também desenvolveram muitas novas tecnologias, incluindo a cerâmica, os veículos com rodas e a escrita.

Desde o surgimento dos seres humanos "anatomicamente modernos", ou *Homo sapiens sapiens*, há cerca de 150 mil anos na África, a água era a bebida básica da humanidade. Líquido de primordial importância, representa até dois terços do corpo humano, e nenhuma vida na Terra pode existir sem ele. Mas com a mudança do estilo de vida de caça e coleta para um mais sedentário, os homens vieram a contar com uma nova bebida derivada de cevada e trigo, as primeiras plantas intencionalmente cultivadas. Esta tornou-se o núcleo central da vida social, religiosa e econômica, e foi a principal bebida das primeiras civilizações. Foi a primeira a ajudar a humanidade ao longo do caminho para o mundo moderno: a cerveja.

Não se sabe exatamente quando a primeira cerveja foi fermentada. É quase certo que não havia cerveja antes de 10000 a.C., mas ela já estava espalhada pelo Oriente Próximo na altura de 4000 a.C., quando aparece num pictograma da Mesopotâmia – região que atualmente corresponde ao Iraque – que retrata duas pessoas tomando cerveja com canudos de junco num grande jarro de cerâmica. (A cerveja antiga tinha grãos, palhas e outros fragmentos flutuando na sua superfície, daí por que um canudo era necessário para se evitar engoli-los.)

Como os primeiros exemplos de escrita só aparecem por volta de 3400 a.C., os documentos iniciais não podem projetar uma luz direta sobre as origens da cerveja. O que está claro, porém, é que seu surgimento esteve diretamente associado com a domesticação dos cereais de que era feita e a adoção da agricultura. Veio a existir durante um período turbulento da história da humanidade, que testemunhou a mudança de um estilo de vida nômade para um mais fixo, seguida por um repentino aumento da complexidade social, manifestada de forma mais impressionante pelo surgimento das cidades. A cerveja é uma relíquia líquida da pré-história do homem, e suas origens estão fortemente entrelaçadas com as próprias origens da civilização.

Pictograma de um desenho encontrado em Tepe Gawra, na Mesopotâmia, datado de c. 4000 a.C. Mostra duas pessoas bebendo cerveja, com o auxílio de canudos, em um grande jarro de barro.

A DESCOBERTA DA CERVEJA

A cerveja não foi inventada e sim descoberta. Sua descoberta era inevitável já que a coleta de grãos selvagens de cereais tornou-se freqüente após o final da última Idade do Gelo, por volta de 10000 a.C., numa região conhecida como Crescente Fértil. Essa área estende-se desde o Egito dos tempos modernos, subindo a costa mediterrânea, até o canto sudeste da Turquia, e então descendo novamente até a fronteira entre o Iraque e o Irã. É assim chamada por causa de um feliz acidente geográfico. Quando a Era do Gelo acabou, as terras altas da região forneciam um ambiente ideal para carneiros selvagens, bodes, gado e porcos – e, em algumas áreas, para plataformas densas de trigo e cevada selvagens. Isso significava que o Crescente Fértil oferecia certos locais específicos extraordinariamente ricos para bandos ambulantes de caçadores-coletores humanos. Eles não só caçavam animais e colhiam plantas comestíveis, mas também juntavam os cereais abundantes que cresciam de forma selvagem na região.

Esses grãos eram uma fonte alimentar pouco interessante, porém confiável. Embora sejam inadequados para o consumo quando estão crus, podem se tornar comestíveis sendo esmagados ou comprimidos e depois mergulhados na água. Inicialmente, os grãos selvagens eram provavelmente misturados numa sopa. Uma variedade de ingredientes como peixes, castanhas e frutas silvestres seria misturada com água numa cesta emplastrada com betume.

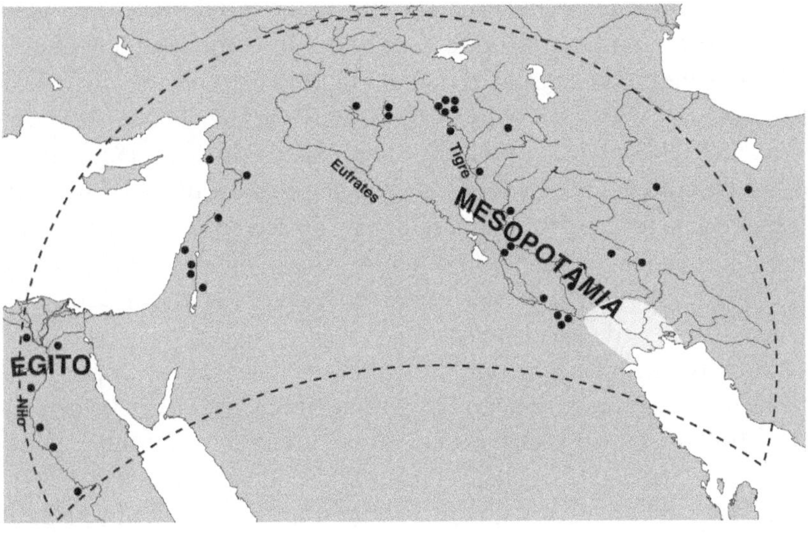

O Crescente Fértil, região do Oriente Próximo onde os seres humanos adotaram a agricultura pela primeira vez e estabeleceram assentamentos de grande escala (mostrados aqui em pontos pretos).

Então, pedras aquecidas pelo fogo eram jogadas lá dentro usando-se uma vareta em forma de garfo. Os cereais contêm pequeninos grãos de amido, e quando são colocados na água quente absorvem a umidade e depois arrebentam, soltando o amido na sopa e engrossando-a consideravelmente.

Logo foi descoberto que os cereais tinham outra propriedade incomum: ao contrário de outros alimentos, podiam ser armazenados para consumo meses ou mesmo anos mais tarde se fossem mantidos secos e em lugar seguro. Quando não havia disponibilidade de outros ingredientes alimentícios para o preparo da sopa, eles podiam ser usados diretamente para se fazer uma papa grossa, um caldo fino ou um mingau. Essa descoberta levou ao desenvolvimento de instrumentos e técnicas para colher, processar e armazenar grãos. Isso exigia muito esforço, mas constituía-se numa maneira de se proteger contra a possibilidade de escassez de alimentos no futuro. Por todo o Crescente Fértil, há evidências arqueológicas datadas de c. 10000 a.C. de foices de pedra laminadas para colher cereais, cestas trançadas para carregá-los, lareiras de pedra para secá-los, buracos na terra para armazená-los e pedras de amolar para processá-los.

Embora os caçadores-coletores já tivessem levado vidas semi-sedentárias em vez de completamente nômades, movendo-se entre um certo número de abrigos temporários ou sazonais, a habilidade em armazenar cereal começou a encorajar as pessoas a permanecerem em um único lugar. Um experimento conduzido na década de 1960 mostra as razões. Um arqueólogo usou uma foice de pedra laminada para ver com que eficiência uma família pré-histórica poderia ter feito a colheita de grãos selvagens, que ainda crescem em algumas partes da Turquia. Em uma hora ele reuniu mais de um quilo de grãos, o que sugeria que uma família que trabalhasse oito horas por dia durante três semanas seria capaz de juntar o suficiente para suprir cada membro da família com meio quilo de grãos por dia durante um ano. Mas isso significaria ficar perto das plataformas de cereais selvagens, para garantir que a família não perdesse o momento mais adequado para fazer a colheita. E, tendo reunido uma grande quantidade de grãos, a família ficaria relutante em deixá-los desprotegidos.

Em conseqüência, surgiram os primeiros assentamentos permanentes, como os que foram estabelecidos na costa oriental do Mediterrâneo a partir do ano 10000 a.C. Consistiam em cabanas simples e redondas com tetos apoiados em estacas de madeira e pisos afundados até quase um metro no terreno. Essas cabanas normalmente tinham uma lareira e um piso calçado com pedras com diâmetro de quatro ou cinco metros. Uma aldeia típica consistia em cerca de 50 cabanas, dando apoio a uma comunidade de 200 ou 300 pessoas. Embora os residentes dessas aldeias continuassem a caçar animais selvagens tais como gazelas, cervos e javalis, a evidência de esqueletos sugere que eles subsistiam com uma alimentação principalmente à base de plantas como carvalhos, lentilhas, grãos-de-bico e cereais, os quais nesse estágio eram ainda coletados na forma selvagem em vez de serem cultivados intencionalmente.

Os cereais, que começaram sendo ingredientes alimentícios relativamente sem importância, tornaram-se mais importantes depois da descoberta de outras duas propriedades incomuns. A primeira é que os grãos embebidos em água começam a brotar com gosto doce. Era difícil fazer locais de armazenamento inteiramente à prova de água, portanto essa propriedade deve ter-se tornado evidente logo que os homens começaram a armazenar grãos. A causa dessa doçura é compreendida hoje em dia: o grão úmido produz a enzima diástase, que converte o amido dentro do grão em açúcar maltado ou malte. (Esse processo ocorre em todos os cereais, mas a cevada é o que de longe produz a maior quantidade de enzimas diástases e conseqüentemente mais açúcar maltado.) Num momento em que as outras fontes disponíveis de açúcar eram poucas, a doçura desse grão "maltado" viria a ser altamente valorizada, estimulando o desenvolvimento de técnicas de preparação deliberada de malte nas quais o grão era primeiro enxaguado e depois então seco.

A segunda descoberta foi ainda mais importante. O mingau que fosse deixado parado por alguns dias passava por uma misteriosa transformação, principalmente se tivesse sido feito com grão maltado: tornava-se ligeiramente efervescente e agradavelmente embriagante à medida que a ação de leveduras selvagens no ar fermentava o açúcar, transformando-o em álcool. Em uma palavra, o mingau virava cerveja.

Mesmo assim, a cerveja não foi necessariamente a primeira forma de álcool a chegar aos lábios humanos. Quando ela foi descoberta, o álcool resultante da fermentação acidental do suco de fruta (para fazer vinho) ou da água com mel (para fazer hidromel) teria acontecido naturalmente em pequenas quantidades à medida que as pessoas tentassem armazenar frutas ou mel. Mas as frutas são sazonais e perecem facilmente, o mel selvagem somente estava disponível em pequenas quantidades – e nem o vinho nem o hidromel podiam ser armazenados por muito tempo sem a cerâmica, que só surge por volta de 6000 a.C. A cerveja, por outro lado, podia ser feita a partir de safras abundantes de cereais facilmente armazenáveis, fazendo com que a bebida pudesse ser preparada de modo confiável e em quantidades razoáveis quando necessário. Bem antes que a cerâmica estivesse disponível, a cerveja podia ser fermentada em cestas com piche, sacos de couro ou estômagos de animais, árvores ocas, grandes conchas ou recipientes de pedra. As conchas eram usadas para cozinhar ainda no século XIX na bacia amazônica e a Sahti, uma cerveja tradicional feita na Finlândia, é feita ainda hoje em árvores ocas.

Depois da descoberta crucial da cerveja, sua qualidade foi sendo melhorada por meio de tentativas e erros. Quanto maior a quantidade de grão maltado existente no mingau original, por exemplo, e quanto mais tempo for deixado para a fermentação, mais forte será a cerveja. Mais malte quer dizer mais açúcar, e uma fermentação mais longa quer dizer que mais do açúcar é transformado em álcool. Cozinhar completamente o mingau também contribui para aumentar o teor alcoólico da cerveja. O processo de preparação do malte converte apenas 15 por cento do amido encontrado nos grãos de cevada em açúcar, mas, quando a cevada maltada é misturada com água e fervida, outras enzimas conversoras de amido – que se tornam ativas a altas temperaturas – contribuem para produzir mais açúcar, resultando em uma maior quantidade desta para a levedura se transformar em álcool.

Antigos cervejeiros também observaram que o uso repetido do mesmo recipiente para fermentação produzia resultados mais confiáveis. Registros históricos posteriores oriundos do Egito e da Mesopotâmia mostram que os produtores da bebida fermentada sempre carregavam consigo suas próprias "tigelas de mistura", e um mito da Mesopotâmia faz referência aos "recipientes que fazem boa cerveja". O uso repetido da mesma tigela de mistura promovia uma fermentação bem-sucedida porque as culturas de levedura passavam a residir nas fendas e rachas do recipiente, e, portanto, não havia mais necessidade de se depender da levedura selvagem, mais inconstante. Finalmente, ao se adicionarem frutas silvestres, mel, temperos, ervas e outros condimentos ao mingau, o sabor da cerveja resultante era alterado de várias maneiras. Ao longo dos milhares de anos seguintes, as pessoas foram descobrindo como fazer uma variedade de cervejas de teores e sabores diferentes para ocasiões distintas.

Registros egípcios posteriores mencionam pelo menos 17 tipos de cerveja, alguns deles com referências em termos poéticos que quase soam aos ouvidos modernos como *slogans* publicitários: as diversas cervejas eram conhecidas como "a boa e bela", "a celestial", "a produtora de alegria", "a companheira da refeição", "a plena", "a fermentada". As que eram usadas em cerimônias religiosas também tinham nomes especiais. De modo semelhante, registros escritos anteriores do terceiro milênio a.C., oriundos da Mesopotâmia, listam mais de 20 tipos diferentes, incluindo cerveja fresca, cerveja escura, cerveja fresca e escura, cerveja forte, cerveja marrom-avermelhada, cerveja leve e cerveja prensada. A marrom-avermelhada era uma cerveja escura feita com um malte especial, ao passo que a cerveja prensada era mais fraca, uma bebida fermentada mais aguada e com menos grãos. Os produtores da Mesopotâmia podiam também controlar o gosto e a cor de sua cerveja, adicionando montantes diferentes de *bappir* ou pão de cerveja. Para se fazer *bappir*, os brotos de cevada eram moldados em torrões – como pequenos bolos, que eram cozidos duas vezes para produzir um pão marrom-escuro, crocante, sem levedura, que podia ser armazenado por anos antes de ser esfarelado no barril do fermentador. Os registros indicam que o *bappir* era guardado em armazéns do governo e só era comido durante períodos de escassez de alimentos; não era bem um ingrediente alimentício, mas antes uma maneira conveniente de se armazenar a matéria-prima para o preparo da cerveja.

O uso de pão no processo de fazer cerveja na Mesopotâmia levou a muitos debates entre os arqueólogos, sendo que alguns sugeriram que o pão deve, por conseguinte, ser um desdobramento da produção de cerveja, ao passo que outros argumentaram que o pão veio primeiro e foi usado subseqüentemente como um ingrediente na cerveja. Todavia, parece mais provável que tanto o pão como a cerveja foram derivados do mingau. Um mingau grosso podia ser cozido ao sol ou numa pedra quente para fazer um tipo de pão; um mingau fino podia ser deixado para fermentar e virar cerveja. Os dois eram lados diferentes da mesma moeda: o pão era cerveja sólida, e a cerveja, pão líquido.

SOB A INFLUÊNCIA DA CERVEJA?

Como a escrita não tinha ainda sido inventada na época, não há registros escritos para atestar a importância social e ritual da cerveja no Crescente Fértil durante a nova Idade da Pedra, ou período neolítico, entre 9000 e 4000 a.C. Porém, muita coisa pode ser inferida a partir de registros posteriores sobre a maneira como a cerveja era usada pelas primeiras civilizações capazes de ler e escrever, os sumérios da Mesopotâmia e os antigos egípcios. Na verdade, as tradições culturais associadas à cerveja são tão duradouras que algumas sobrevivem até os dias de hoje.

Desde seus primórdios, parece que a cerveja tinha uma função importante como bebida social. As descrições sumérias da cerveja no terceiro milênio a.C. geralmente mostram duas pessoas bebendo com o auxílio de canudos em um recipiente partilhado. No período sumério, porém, era possível filtrar os grãos, palhas e outros fragmentos da cerveja, e o advento da cerâmica significava que ela já podia facilmente estar sendo servida em copas individuais. Não obstante, o fato de os bebedores de cerveja serem tão amplamente retratados usando canudos sugere que este era um ritual que persistiu mesmo quando os canudos não eram mais necessários.

A explicação mais provável para essa preferência é que, ao contrário da comida, as bebidas podem ser partilhadas genuinamente. Quando várias pessoas bebem cerveja do mesmo recipiente, estão consumindo o mesmo líquido; ao contrário, quando cortam um pedaço de carne, algumas partes são normalmente consideradas mais desejáveis do que outras. Em conseqüência, partilhar uma bebida com alguém é um símbolo universal de hospitalidade e amizade. Sinaliza que se pode confiar na pessoa que oferece a bebida, pois ela demonstra que não está envenenada ou inadequada para o consumo. O primeiro tipo de cerveja, fermentado num recipiente primitivo numa época que antecedeu o uso de copas individuais, tinha de ser partilhado. Embora não seja mais comum oferecer a visitantes um canudo pelo qual se vá beber em um barril comunitário de cerveja, atualmente o chá ou o café podem ser oferecidos a partir de um pote partilhado, assim como um vinho ou outras bebidas alcoólicas a partir de uma mesma garrafa. Quando se toma alguma bebida alcoólica em uma ocasião social, o tinir dos copos simbolicamente os reúne num único recipiente de líquido a ser compartilhado. Essas tradições têm origens bem antigas.

É antiga também a noção de que as bebidas, particularmente as alcoólicas, têm propriedades sobrenaturais. Para os bebedores neolíticos, a capacidade da cerveja de embriagar e induzir a um estado de consciência alterada parecia algo mágico. O mesmo valia para o misterioso processo de fermentação, que transformava mingau em cerveja. A conclusão comum óbvia era a de que a cerveja era um presente dos deuses. Nessa linha, muitas culturas possuem mitos que explicam como os deuses inventaram a cerveja e então mostraram à humanidade como fazê-la. Os egípcios, por exemplo, acreditavam que ela fora acidentalmente descoberta por Osíris, o deus da agricultura e rei da vida após a morte. Um dia ele preparou uma mistura de água e grão germinado, mas esqueceu-se dela e deixou-a ao sol. Retornou mais tarde e descobriu que o mingau tinha fermentado; decidiu bebê-lo e ficou tão satisfeito com o resultado que passou o conhecimento para a humanidade. (Essa narrativa parece corresponder bem proximamente à forma como a cerveja foi provavelmente descoberta na Idade da Pedra.) Outras culturas consumidoras dessa bebida contam histórias semelhantes.

Como a cerveja era um presente dos deuses, era também lógico apresentá-la como uma oferenda religiosa. A cerveja certamente era usada em cerimônias religiosas, funerais e rituais de fertilidade na agricultura por sumérios e egípcios – portanto, parece provável que seu uso religioso remonte a períodos ainda mais anteriores. De fato, sua significância religiosa parece ser comum a todas as culturas que a consomem, seja nas Américas, na África ou na Eurásia. Os incas ofereciam sua cerveja, chamada chicha, ao sol nascente numa copa dourada e derramavam-na no solo ou cuspiam de volta seu primeiro gole, como uma oferenda para os deuses da Terra; os astecas ofereciam sua pulque a Mayahuel, a deusa da fertilidade. Na China, as cervejas feitas de milho miúdo e arroz eram usadas em funerais e outras cerimônias. A prática de levantar um copo para desejar a alguém boa saúde, um casamento feliz, uma viagem tranqüila para a vida após a morte ou então celebrar a finalização bem-sucedida de um projeto é o eco moderno da antiga idéia de que o álcool tem o poder de invocar forças sobrenaturais.

CERVEJA E AGRICULTURA, AS SEMENTES DA MODERNIDADE

Alguns antropólogos chegaram a sugerir que a cerveja pode ter exercido um papel central na adoção da agricultura, um dos momentos decisivos na história da humanidade. A agricultura preparou o caminho para o surgimento da civilização, ao criar excedentes de alimentos, liberando alguns membros da sociedade da necessidade de produzir comida e permitindo a eles especializarem-se em atividades específicas e trabalhos manuais – e conseqüentemente colocando a humanidade no rumo do mundo moderno. Isso aconteceu primeiro no Crescente Fértil, começando em torno de 9000 a.C., quando as pessoas começaram a cultivar cevada e trigo intencionalmente, em vez de simplesmente coletarem grãos selvagens para consumo e estocagem.

Naturalmente, a troca da caça e coleta para a agricultura foi uma transição gradual ao longo de alguns milhares de anos à medida que as safras intencionalmente cultivadas passavam a representar um papel cada vez mais significativo na alimentação. Mesmo assim, dentro do grande esquema da história da humanidade, isso representa um piscar de olhos. Os seres humanos tinham sido caçadores-coletores desde que a raça humana passou a se diferenciar dos macacos há cerca de sete milhões de anos; e então eles repentinamente deram início à agricultura. O debate a respeito das razões que explicam a mudança para a agricultura e dos motivos pelos quais ela ocorreu naquele instante ainda é acalorado, e há dezenas de teorias distintas. Talvez a quantidade de comida disponível para os caçadores-coletadores no Crescente Fértil tenha diminuído, por exemplo, por causa de mudanças climáticas ou porque algumas espécies animais desapareceram aos poucos ou foram caçadas até a extinção. Outra possibilidade é que um estilo de vida mais sedentário (mas ainda incluindo caça e coleta) tenha aumentado a fertilidade humana, permitindo que as populações crescessem e criassem uma demanda para novas fontes de alimentos. Ou, talvez, como a cerveja tinha sido descoberta – e seu consumo tinha se tornado importante do ponto de vista social e ritual –, tenha havido um maior desejo de assegurar a disponibilidade de grãos para a agricultura em vez de se depender de grãos selvagens. A agricultura era, segundo esta última visão, ao menos em parte adotada a fim de manter a oferta de cerveja.

Embora seja tentador atribuir a adoção da agricultura inteiramente à cerveja, parece mais provável que ela tenha sido apenas um entre muitos fatores que ajudaram a inclinar a balança para longe da caça e da coleta, indo na direção da agricultura e de uma vida sedentária baseada em pequenos assentamentos. Uma vez que essa transição começara, ocorria então um efeito catraca, sempre avançando: quanto mais se dependia da agricultura como o modo de produzir alimentos numa determinada comunidade, e quanto mais sua população crescia, tanto mais difícil retomar o velho estilo de vida nômade baseado na caça e na coleta.

O consumo de cerveja também teria contribuído à transição para a agricultura de uma maneira mais sutil. Como era difícil armazená-la por muito tempo e como a fermentação completa leva até uma semana, grande parte da cerveja pode ter sido bebida muito cedo, enquanto ainda estava fermentando. Nesse estágio, o teor de álcool é relativamente baixo para padrões modernos, mas a bebida teria sido rica em termos de levedura suspensa, o que aumentava significativamente a quantidade de proteínas e vitaminas. O nível elevado de vitamina B, especificamente, teria compensado o declínio no consumo de carne, a fonte regular daquela vitamina, à medida que a caça dava lugar à agricultura.

Mais ainda, como era feita com o uso de água quente, a cerveja era mais segura para beber do que a água, que se contamina rapidamente com os resíduos humanos, mesmo nos menores assentamentos. Embora o vínculo entre água contaminada e pouca saúde não tenha sido compreendido até os tempos modernos, os seres humanos rapidamente aprenderam a desconfiar das fontes pouco conhecidas de água e a beber sempre que possível de águas claras correntes, afastadas das aglomerações humanas. (Os caçadores-coletores não tinham de se preocupar com fontes contaminadas de água, já que viviam em bandos pequenos e móveis e deixavam seus resíduos para trás quando se mudavam.) Em outras palavras, a cerveja ajudava a compensar o declínio na qualidade da alimentação que resultou da adoção da agricultura, fornecendo uma forma segura de nutrição líquida, e oferecia aos grupos de fazendeiros que a bebiam uma vantagem nutricional comparativa sobre aqueles que não a consumiam.

A agricultura espalhou-se por todo o Crescente Fértil entre 7000 a.C. e 5000 a.C., à medida que um número crescente de plantas e animais (começando com carneiros e bodes) era domesticado e novas técnicas de irrigação tornavam a agricultura possível nas terras baixas quentes e secas da Mesopotâmia e do vale do Nilo, no Egito. Uma aldeia agrícola típica do período consistia em cabanas construídas com barro e esteiras de junco, e talvez algumas casas um pouco maiores feitas de tijolos de lama secos ao sol. Em locais próximos da aldeia, haveria campos onde cereais, tâmaras e outras safras eram cultivadas – e também com alguns carneiros e bois amarrados ou encurralados. Aves selvagens, peixes e animais de caça, quando disponíveis, suplementavam a alimentação dos habitantes da aldeia. Era um estilo de vida bem diferente daquele de caça e coleta que prevalecera nos milhares de anos anteriores. E a transição na direção de uma sociedade ainda mais complexa teve início. Os assentamentos desse período tinham, com freqüência, um depósito onde se guardavam itens valiosos, incluindo objetos sagrados e comida excedente. Esses depósitos eram definitivamente comunitários, já que eram bem maiores do que teria sido necessário para qualquer família.

Manter o excedente de comida no depósito era uma maneira de evitar uma futura escassez de alimentos; outra forma era a atividade ritual e religiosa em que os deuses eram convocados para garantir uma boa colheita. À medida que essas duas atividades entrelaçavam-se, as reservas de comida excedente passaram a ser encaradas como oferendas para os deuses, e os depósitos transformaram-se em templos. Para garantir que todos os habitantes da aldeia estavam dando uma contribuição proporcional, foram registradas contribuições para o depósito comum usando-se fichas pequenas de barro, encontradas em todo o Crescente Fértil desde até mesmo 8000 a.C. Essas contribuições eram justificadas como oferendas religiosas por padres administradores, que viviam do excedente de comida e dirigiam as atividades comunitárias – tais como a construção de edificações e a manutenção de sistemas de irrigação. Assim foram disseminadas as sementes da contabilidade, da escrita e da burocracia.

A idéia de que a cerveja contribuiu para o ímpeto dessa dramática mudança na natureza da atividade humana, após milhões de anos de caça e coleta, permanece controversa. Mas a melhor evidência para a importância da cerveja nas épocas pré-históricas é seu extraordinário significado para as pessoas das primeiras grandes civilizações. Pois, embora as origens dessa antiga bebida permaneçam inevitavelmente envoltas em mistérios e conjecturas, não há dúvida de que a vida diária dos egípcios e mesopotâmicos, jovens e velhos, ricos e pobres, era impregnada de cerveja.

• A CERVEJA CIVILIZADA •

Prazer – é cerveja. Desconforto – é uma expedição.
Provérbio mesopotâmico, c. 2000 a.C.

A boca de um homem perfeitamente contente
está repleta de cerveja.
Provérbio egípcio, c. 2200 a.C.

A REVOLUÇÃO URBANA

As primeiras cidades do mundo surgiram na Mesopotâmia, "a terra entre os rios", nome dado a uma área entre os rios Tigre e Eufrates que corresponde basicamente ao Iraque moderno. A maioria dos seus habitantes era formada por fazendeiros que viviam entre os muros da cidade e saíam a cada manhã para tomar conta de seus campos. Administradores e artesãos que não trabalhavam nos campos foram os primeiros seres humanos a levar vidas inteiramente urbanas. Veículos com rodas circulavam pelas ruas, e as pessoas compravam e vendiam mercadorias em mercados movimentados. Cerimônias religiosas e feriados públicos ocorriam num ciclo regular que trazia conforto. Até mesmo os provérbios da época têm uma atitude familiar em relação ao mundo, como mostra este exemplo: "Aquele que possui muita prata pode ser feliz; o que possui muita cevada pode ser feliz; mas o que não tem realmente nada pode dormir."

A razão exata por que as pessoas escolheram viver em cidades grandes em vez de em pequenas aldeias permanece obscura. Foi provavelmente o resultado de vários fatores sobrepostos: as pessoas podem ter desejado ficar perto de centros religiosos ou comerciais importantes, por exemplo, e, no caso da Mesopotâmia, a segurança pode ter sido uma motivação significativa. A falta de fronteiras naturais – a Mesopotâmia é essencialmente uma grande planície aberta – significava que a área estava sujeita a invasões e ataques repetidos. A partir de cerca de 4300 a.C., as aldeias começaram a se reunir, formando vilas cada vez maiores e culminando em cidades, cada uma delas localizada no centro do seu próprio sistema de campos e canais de irrigação. Por volta de 3000 a.C., a cidade de Uruk, a maior naquela época, tinha uma população de cerca de 50 mil pessoas e era rodeada por um círculo de campos com raios da ordem de 16 quilômetros. Em torno de 2000 a.C., quase toda a população no sul da Mesopotâmia estava vivendo em aproximadamente uma dezena de cidades-Estados maiores, incluindo Uruk, Ur, Lagash, Eridu e Nippur. A partir daí, o Egito tomou a liderança, e suas cidades, tais como Mênfis e Tebas, cresceram para se tornar as maiores do mundo antigo.

Esses dois exemplos iniciais de *civilização* – palavra que significa apenas "vivendo nas cidades" – eram diferentes em muitos aspectos. A unificação política permitiu à cultura egípcia permanecer praticamente sem modificações por quase 3.000 anos, por exemplo, ao passo que a Mesopotâmia era cenário de revoltas constantes, políticas e militares. Mas em uma questão vital os casos eram semelhantes: ambas as culturas tornaram-se possíveis por causa de um excedente agrícola, particularmente um excesso de grãos. Esse excedente não só liberou uma pequena elite de administradores e artesãos da necessidade de produzir a sua própria comida, mas também financiou vastas obras públicas, como canais, templos e pirâmides. Assim como eram meios de troca naturais, os grãos eram também a base da alimentação nacional tanto no Egito como na Mesopotâmia. Era uma espécie de dinheiro comestível e consumido tanto em forma líquida como sólida – pão e cerveja.

A BEBIDA DO HOMEM CIVILIZADO

A história registrada da cerveja, e na verdade de tudo o mais, começa na Suméria, uma região no sul da Mesopotâmia na qual a escrita começou a se desenvolver pioneiramente por volta de 3400 a.C. O fato de que beber cerveja era visto como uma marca de civilização pelos mesopotâmicos é especialmente aparente numa passagem da *Epopéia de Gilgamesh*, o primeiro grande trabalho literário do mundo. Gilgamesh era um rei sumério que governou por volta de 2700 a.C., e cuja história de vida foi subseqüentemente aprimorada num mito elaborado pelos sumérios e seus sucessores regionais, os acádios e babilônios. A história narra as aventuras de Gilgamesh com seu amigo Enkidu, que começa como um homem selvagem correndo nu no território descampado e que é introduzido por uma jovem mulher aos modos da civilização. Ela leva Enkidu a uma aldeia de pastores, o primeiro degrau da escada no que diz respeito à alta cultura da cidade, na qual:

> Colocaram comida na sua frente,
> Colocaram cerveja na sua frente;
> Enkidu não sabia comer pão,
> e não lhe haviam ensinado a beber cerveja.
> A jovem mulher disse a Enkidu:
> "Coma os alimentos, Enkidu, pois é como se vive.
> Beba a cerveja, pois é o costume da terra."
> Enkidu comeu até ficar saciado,
> Bebeu a cerveja – sete copas! – e ficou expansivo
> E cantou com alegria.
> Estava exultante e seu rosto brilhava.
> Ele jogou água no seu corpo desordenadamente,
> E esfregou a si mesmo com óleo,
> E tornou-se um ser humano.

A natureza primitiva de Enkidu é demonstrada pela falta de familiaridade com o pão e a cerveja; mas logo que ele acaba de consumi-los e de se lavar, também torna-se um ser humano, pronto para ir a Uruk, a cidade governada por Gilgamesh. Os mesopotâmicos encaravam o consumo de pão e cerveja como uma das coisas que os distinguia dos selvagens e os tornava plenamente humanos. Bastante interessante, essa crença parece refletir a associação da cerveja com um estilo de vida estabelecido e ordenado, em vez de uma existência aleatória de caçadores-coletores nos tempos pré-históricos.

A possibilidade de embriaguez não parece ter contribuído em nada para abalar a relação entre beber cerveja e civilização. A maior parte das referências à bebida em excesso na literatura da Mesopotâmia é divertida e bem-humorada: a iniciação de Enkidu como ser humano, na verdade, inclui ficar bêbado e cantar. De modo semelhante, os mitos sumérios descrevem os deuses como personagens bem humanos e falíveis, que gostam de comer e beber, e com freqüência bebem demais. Seu comportamento volúvel era atribuído à natureza precária e imprevisível da vida suméria, na qual as colheitas podiam falhar e exércitos de saqueadores podiam aparecer no horizonte a qualquer momento. As cerimônias religiosas sumérias incluíam colocar uma refeição à mesa no templo diante de uma imagem divina, seguida de um banquete no qual o consumo de comidas e bebidas pelos sacerdotes e fiéis invocava a presença dos deuses e os espíritos dos mortos.

A cerveja também era importante na antiga cultura egípcia, na qual há referências a ela que remontam a um passado quase tão distante quanto o sumério. É mencionada em documentos da terceira dinastia, que começou em 2650 a.C., e muitas de suas variedades são citadas nos "Textos da Pirâmide", inscrições funerárias feitas nas pirâmides a partir do final da quinta dinastia, em torno de 2350 a.C. (Os egípcios desenvolveram sua própria forma de escrever pouco depois dos sumérios, com o propósito de registrar tanto eventos mundanos como façanhas reais, mas permanece obscuro se esse foi um desenvolvimento independente ou inspirado pela escrita suméria.) Uma análise da literatura egípcia descobriu que a cerveja, cuja palavra correspondente era *hekt*, era mencionada mais vezes do que qualquer outro item alimentar. Como na Mesopotâmia, pensava-se que a cerveja tinha origens antigas e mitológicas, e ela também aparece em orações, mitos e lendas.

Uma narrativa egípcia chega mesmo a dar crédito à cerveja como tendo salvado a humanidade da destruição. Rá, o deus-Sol, soube que os homens estavam tramando contra ele e despachou a deusa Hathor para puni-los. Mas a crueldade da deusa era tanta que Rá temeu que não sobrasse ninguém para venerá-lo e ficou com pena da humanidade. Rá preparou uma vasta quantidade de cerveja – sete mil jarros, segundo algumas versões da história –, aplicou tintura vermelha no líquido para que parecesse sangue e espalhou-o pelos campos, onde brilhou como um grande espelho. Hathor parou para admirar o reflexo de sua imagem e inclinou-se para beber um pouco da mistura. Ficou embriagada, caiu no sono e esqueceu-se de sua missão sangrenta. A humanidade foi salva, e Hathor tornou-se deusa da cerveja e da fermentação. Versões dessa história têm sido encontradas em inscrições nos túmulos de reis egípcios, incluindo Tutancâmon, Seti I e Ramsés o Grande.

Em oposição à atitude relaxada dos mesopotâmicos no que diz respeito à embriaguez, porém, uma forte desaprovação estava expressa nos textos copiados como exercício pelos escribas aprendizes no Egito, encontrados em grandes quantidades em montes de lixo. Uma passagem adverte os jovens escribas: "A cerveja assusta os homens e conduz suas almas à perdição. Tu ficas como um leme quebrado de navio, que não obedece para nenhum dos lados." Outro exemplo, retirado de uma coleção de conselhos chamada "A sabedoria de Ani, o escriba", oferece um alerta semelhante: "Não leva ninguém para beber um caneco de cerveja. Tu falarás e sairá de tua boca um discurso incompreensível." Esses textos de treinamento dos escribas, porém, não são representativos dos valores egípcios em geral. Eles desaprovam quase tudo exceto o próprio estudo sem fim para prosseguir na carreira de escriba. Outros textos têm títulos como "Não seja soldado, padre ou padeiro", "Não seja lavrador" e "Não seja cocheiro de carruagem".

Tanto os mesopotâmicos como os egípcios encaravam a cerveja como uma bebida antiga e divina que dava base à sua existência, formava parte de sua identidade cultural e religiosa, e tinha grande importância social. "Fazer uma festa da cerveja" e "sentar na festa da cerveja" eram expressões populares egípcias que significavam "aproveitar um bom momento" ou "festejar", ao passo que a expressão suméria "derramamento de cerveja" referia-se a uma festa ou banquete de celebração; e as visitas formais do rei às casas de altos funcionários eram registradas como "quando o rei bebeu cerveja na casa de fulano de tal". Em ambas as culturas, a cerveja era o ingrediente básico sem o qual nenhuma refeição parecia completa. Consumida por todos, ricos e pobres, homens e mulheres, adultos e crianças, desde o topo da pirâmide social até a base, era verdadeiramente a bebida definitiva dessas primeiras grandes civilizações.

AS ORIGENS DA ESCRITA

Os primeiros documentos escritos são listas salariais e recibos de impostos sumérios nos quais o símbolo para a cerveja, um recipiente de barro com marcas lineares diagonais desenhadas dentro dele, é uma das palavras mais comuns, bem como os símbolos para grãos, têxteis e animais vivos. Isso se explica porque a escrita foi originalmente inventada para registrar a coleta e a distribuição de grãos, cerveja, pão e outras mercadorias. Surgiu como uma extensão natural do costume neolítico de usar fichas a fim de contabilizar as contribuições para o armazém comunitário. Na verdade, a sociedade suméria era uma continuação lógica das estruturas sociais neolíticas, embora numa escala bem maior – o apogeu de milhares de anos de complexidade econômica e cultural crescente. Assim como o líder de uma aldeia neolítica coletava o excedente alimentar, os sacerdotes das cidades sumérias coletavam os excessos de cevada, trigo, carneiros e tecidos. Oficialmente, essas mercadorias eram oferendas para os deuses, mas na prática eram impostos compulsórios consumidos pela burocracia dos templos ou trocados por outros bens e serviços. Os sacerdotes podiam, por exemplo, pagar pela manutenção dos sistemas de irrigação e pela construção de edificações públicas entregando provisões de pão e cerveja.

Esse sistema elaborado dava ao templo controle direto sobre uma boa parte da economia. É difícil dizer se isso resultou num nirvana redistributivo – uma forma de socialismo antigo na qual o Estado era o provedor de todos – ou num regime explorador de quase-escravidão. Mas parece ter surgido em resposta à natureza imprevisível do ambiente da Mesopotâmia. Chovia pouco, e o fluxo do Tigre e do Eufrates era errático. Assim, a agricultura dependia do uso de sistemas comunitários de irrigação cuidadosamente mantidos – e também, acreditavam os sumérios, de oferendas apropriadas feitas aos deuses locais. Ambas as tarefas eram realizadas pelo grupo de sacerdotes, e, à medida que as aldeias cresciam para se transformar em vilas e depois em cidades, cada vez mais o poder ficava concentrado em suas mãos. Os armazéns simples do período neolítico tornaram-se templos elaborados – ou zigurates – construídos em plataformas elevadas. Numerosas cidades-Estados surgiram, cada uma com o seu deus residente e cada uma governada por sacerdotes de elite que mantinham a economia agrícola e viviam do excedente que esta produzia. Obras entalhadas descrevem essas pessoas de barbas, usando longas saias e toucas redondas, e bebendo cerveja em grandes potes, com o auxílio de longos canudos.

Para tudo isso funcionar, os sacerdotes e seus súditos tinham de ser capazes de registrar o que tinham trazido e recebido. Recibos de impostos foram inicialmente mantidos na forma de fichas dentro de "envelopes" de barro – conchas ocas de barro, chamadas *bullae*, com várias fichas chacoalhando lá dentro. Fichas de formatos diferentes eram usadas para representar quantidades padronizadas de grãos, tecidos ou cabeças de gado. Quando as mercadorias eram apresentadas no templo, as fichas correspondentes eram colocadas num envelope de barro, e tanto o coletor como o pagador dos impostos colocavam os selos de suas assinaturas pessoais, como uma impressão, no barro molhado do envelope, o que significava que seu conteúdo correspondia adequadamente ao imposto pago. O envelope era então guardado no arquivo do templo.

Logo tornou-se evidente, porém, que uma maneira mais fácil de se atingir o mesmo resultado era usar uma tabuleta de barro molhado e pressionar as fichas em sua superfície para fazer impressões com formatos diferentes significando cevada, gado e assim por diante. Os selos de assinaturas podiam então ser aplicados a essa tabuleta, a qual era cozida ao sol para tornar as impressões permanentes. As fichas não eram mais necessárias; em vez delas, as impressões seriam suficientes. Gradualmente, elas foram sendo abandonadas em favor de pictogramas rascunhados no barro, derivados dos formatos das fichas ou dos objetos que elas representavam. Assim, alguns pictogramas vieram a aparecer como representações diretas de mercadorias físicas, ao passo que outras combinações de reentrâncias funcionaram para conceitos abstratos, como os números.

Os documentos escritos mais antigos, que datam de cerca de 3400 a.C., da cidade de Uruk, são tabuletas pequenas e lisas de barro que cabem confortavelmente na palma da mão. São comumente divididas em colunas e subdivididas em retângulos por linhas retas. Cada compartimento contém um grupo de símbolos, alguns obtidos pela pressão das fichas no barro e outros rabiscados usando-se um estilete. Embora esses símbolos sejam lidos da esquerda para a direita e de cima para baixo, em todos os outros aspectos esse texto inicial é absolutamente diferente da escrita moderna e só pode ser lido por especialistas. Mas quando se olha com mais atenção, o pictograma para a cerveja – um jarro com marcas lineares diagonais – é fácil de ser identificado. Aparece em listas de pagamentos, em documentos administrativos e em listas de palavras escritas pelos escribas em treinamento, o que inclui dezenas de termos acerca do processo de preparo da cerveja. Muitas tabuletas consistem em listas de nomes, sendo que a indicação "cerveja e pão para um dia" está próxima a cada um deles – um padrão de pagamento emitido pelo templo.

Uma das primeiras tabuletas em escrita cuneiforme, datada de c. 3200 a.C., registra a distribuição da cerveja.

Uma análise moderna dos textos da Mesopotâmia sobre os lotes racionados de comida descobriu que a distribuição padronizada de pão, cerveja, tâmaras e cebolas, por vezes suplementada com carne ou peixe e com verduras e legumes adicionais – tais como grãos-de-bico, lentilhas, nabos e feijões – correspondia a uma alimentação nutritiva e balanceada. As tâmaras forneciam vitamina A, a cerveja supria vitamina B, as cebolas ofereciam vitamina C, e o lote como um todo fornecia 3.500 a 4.000 calorias, de acordo com as recomendações modernas para o consumo de um adulto. Isso sugere que os lotes do Estado não eram apenas doações ocasionais, mas sim a fonte primária de alimentação para muitas pessoas.

Tendo começado como um meio de registrar recibos de impostos e pagamentos de lotes de comida, a escrita logo evoluiu para um meio mais flexível, expressivo e abstrato. Por volta de 3000 a.C., alguns símbolos surgiram para representar sons específicos. Ao mesmo tempo, pictogramas feitos de impressões profundas com formato de cunha tomaram o lugar daqueles compostos por rabiscos superficiais. Isso tornou a escrita mais rápida, porém reduziu a qualidade pictográfica dos símbolos, de tal modo que a escrita começou a parecer mais abstrata. O resultado final foi uma primeira forma de escrever com propósitos gerais, baseada em reentrâncias no formato de cunha – ou "cuneiformes" – feitas em tabuletas de barro usando-se juncos. É o ancestral dos alfabetos ocidentais modernos, que foram seus descendentes por intermédio dos alfabetos ugaríticos e fenícios desenvolvidos durante o segundo milênio a.C.

Quando comparado aos pictogramas iniciais, o símbolo na escrita cuneiforme para a cerveja quase não é reconhecível como um formato de jarro. Mas pode ser visto, por exemplo, em tabuletas que narram a história de Enki, o esperto e astuto deus da agricultura, no momento em que ele prepara uma festa para seu pai, Enlil. Deve-se admitir que a descrição do processo

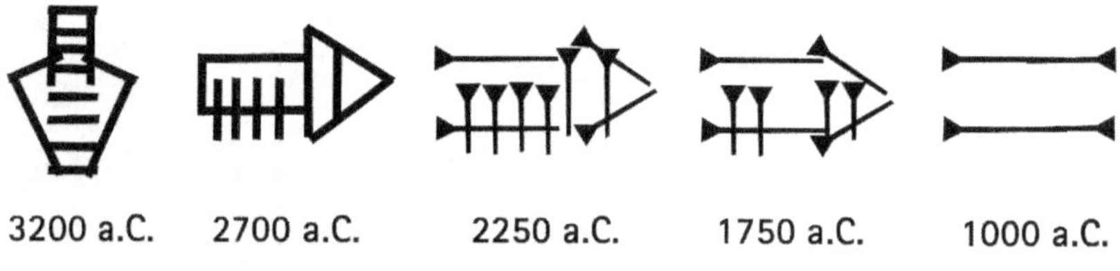

Evolução do símbolo para a cerveja na escrita cuneiforme. Ao longo dos anos, o jarro de cerveja tornou-se gradualmente mais abstrato.

de preparo da cerveja é algo obscuro. Mas os passos são reconhecíveis, o que significa que a mais antiga receita escrita do mundo é para a cerveja.

RIQUEZA LÍQUIDA E SAÚDE

No Egito, como na Mesopotâmia, os impostos na forma de grãos e outras mercadorias eram entregues ao templo e depois redistribuídos com o propósito de financiar obras públicas. Isso significa que em ambas as civilizações a cevada e o trigo, e suas formas processadas sólida e líquida – pão e cerveja – tornaram-se mais do que apenas itens alimentícios básicos: eram meios convenientes e freqüentes de pagamento e moeda. Na Mesopotâmia, registros em escrita cuneiforme indicam que os membros de posição inferior na força de trabalho do templo sumério recebiam um *sila* de cerveja por dia – aproximadamente equivalente a um litro – como parte de sua ração. Funcionários iniciantes recebiam dois *sila*; funcionários mais elevados e senhoras da corte, três *sila*; e os funcionários principais, cinco *sila*. Grandes quantidades de tigelas de tamanho idêntico, com molduras chanfradas, encontradas em sítios sumérios, parecem ter sido usadas como unidades padronizadas de medida. Os funcionários importantes recebiam mais cerveja não porque bebessem mais: tendo bebido sua quantidade regular, ficavam com sobras para gratificar mensageiros e escribas e pagar outros trabalhadores. Os líquidos, facilmente divisíveis, representavam formas ideais de dinheiro.

Documentos posteriores, do reino de Sargão – um de uma série de reis da região vizinha de Acad que uniram e governaram as cidades-Estados rivais da Suméria a partir de 2350 a.C. –, referem-se à cerveja como parte do "preço da noiva" (um pagamento feito pela família do noivo para a da noiva por ocasião do casamento). Outros registros indicam que a cerveja era dada em pagamento a mulheres e crianças, por alguns dias de trabalho no templo: as mulheres recebiam dois *sila*, e as crianças, um *sila*. De modo semelhante, documentos revelam que mulheres e crianças refugiadas, que podem ter sido escravos ou prisioneiros de guerra, recebiam rações mensais de cerveja de 20 *sila* para as mulheres e de 10 *sila* para as crianças. Soldados, policiais e escribas também recebiam pagamentos especiais em cerveja em ocasiões específicas, e mensageiros a recebiam como gratificações. Um documento de 2035 a.C. é uma lista de provisões pagas a mensageiros oficiais na cidade de Umma. Vários montantes de cerveja "excelente", cerveja "comum", alho, óleo de cozinha e temperos foram entregues a mensageiros cujos nomes incluíam: Shu-Dumuzi, Nur-

Ishtar, Esur-ili, Ur-Ningirsu e Bazimu. Naquele momento, o Estado sumério empregava 300 mil pessoas, sendo que todas recebiam lotes racionados mensais de cevada e lotes anuais de lã, ou o montante equivalente de outras mercadorias: pão ou cerveja em vez de cevada, e panos ou roupas em vez de lã. E cada transação era anotada metodicamente nas indestrutíveis tabuletas de escrita cuneiforme pelos contadores da Mesopotâmia.

O que é sem dúvida alguma o exemplo mais espetacular do uso da cerveja como forma de pagamento pode ser visto no planalto de Gizé, no Egito. Os trabalhadores que construíram as pirâmides eram pagos assim, de acordo com registros encontrados numa vila próxima aos locais onde os operários comiam e dormiam. Os registros indicam que, no momento da construção das pirâmides, em torno de 2500 a.C., o lote padronizado para um trabalhador era de três ou quatro bolos de pão e duas canecas contendo cerca de quatro litros de cerveja. Gerentes e funcionários recebiam maiores quantidades das duas coisas. Não é de espantar que, segundo alguns antigos desenhos grafitados, uma equipe de trabalhadores da terceira pirâmide de Gizé, construída para o rei Miquerinos, tenha intitulado a si mesma como "os beberrões de Miquerinos". Registros escritos de pagamentos para os trabalhadores na construção mostram que as pirâmides foram construídas por empregados do Estado, em vez de um exército de escravos, como já se pensou. Uma teoria é a de que as pirâmides tenham sido erguidas por fazendeiros durante a estação das cheias, quando seus campos ficavam debaixo d'água. O Estado coletava grãos como impostos e então os redistribuía como pagamentos; o trabalho de construção infundia um sentido de unidade na-

Impressão de um desenho cilíndrico, representando uma cena de banquete que reúne figuras sentadas bebendo cerveja em um grande jarro com o auxílio de canudos.

cional, demonstrava a riqueza e o poder do Estado e dava uma justificativa para a taxação.

O uso do pão e da cerveja como meios de pagamento ou moeda significava que tinham se tornado sinônimo de prosperidade e bem-estar. Os antigos egípcios identificavam-nos tão proximamente com as necessidades da vida que a expressão "pão e cerveja" queria dizer sustento em geral; os seus hieróglifos combinados formavam o símbolo para alimentação. "Pão e cerveja" era também usado como um cumprimento diário, como desejando a alguém boa sorte ou boa saúde. Uma inscrição egípcia encoraja as mulheres a fornecerem a seus filhos em idade escolar duas jarras de cerveja e três pequenos pedaços de pão diariamente, a fim de assegurar seu desenvolvimento saudável. Analogamente, a expressão "pão e cerveja" era usada pelos mesopotâmicos em lugar de "comida e bebida", e uma palavra suméria para banquete significa literalmente "o lugar da cerveja e do pão".

A cerveja também tinha um vínculo mais direto com a saúde, pois tanto mesopotâmicos como egípcios usavam-na medicinalmente. Uma tabuleta de escrita cuneiforme da cidade suméria de Nippur, datada de cerca de 2100 a.C., contém uma farmacopéia ou lista de receitas médicas baseadas na cerveja. É o registro mais antigo que ainda sobrevive do emprego do álcool na medicina. No Egito, o uso da cerveja como sedativo moderado foi reconhecido, e foi também a base para várias preparações medicinais de ervas e especiarias. Naturalmente, a cerveja era menos sujeita a ser contaminada do que a água, por ser feita com água fervida, e havia também a vantagem de que alguns ingredientes se dissolviam nela mais facilmente. O "Papiro de Ebers", um texto médico egípcio datado de cerca de 1550 a.C., mas evidentemente baseado em documentos bem mais antigos, contém centenas de receitas para remédios à base de ervas, muitas das quais envolvem a cerveja. Por exemplo: dizia-se que metade de uma cebola misturada com cerveja espumada curava prisão de ventre, enquanto azeitonas salpicadas misturadas com cerveja curavam indigestão; uma mistura de açafrão e cerveja massageada na barriga de uma mulher era a prescrição para dores do parto.

Os egípcios também acreditavam que seu bem-estar na vida após a morte dependia de ter uma oferta adequada de cerveja e pão. A oferenda funerária padronizada consistia em pão, cerveja, bois, gansos, tecido e natrão, um agente purificador. Em alguns textos funerários egípcios, promete-se ao falecido uma "cerveja que não venha a azedar" – assinalando tanto o desejo de se continuar bebendo cerveja eternamente quanto a dificuldade de armazená-la. Cenas e modelos de preparo de cerveja e de pão têm sido encontrados em túmulos egípcios junto com jarros da bebida (há muito evaporada) e com equipamento para prepará-la. Peneiras especiais para se fazer cerveja foram encontradas no túmulo de Tutancâmon, que morreu em torno de 1335 a.C. Cidadãos comuns colocados em sepulturas simples e rasas também eram enterrados com pequenas jarras da bebida.

UMA BEBIDA DA AURORA DA CIVILIZAÇÃO

A cerveja freqüentava as vidas dos egípcios e mesopotâmicos desde o berço até a sepultura. O entusiasmo pela bebida era quase inevitável, uma vez que o surgimento das sociedades complexas, a necessidade de manter registros escritos e a popularidade da cerveja, tudo resultou do excedente de grãos. Como o Crescente Fértil tinha as melhores condições climáticas para o cultivo de grãos, foi lá que a agricultura começou, as primeiras civilizações despontaram, a escrita surgiu, e era lá que a cerveja era mais abundante.

Embora nem a cerveja mesopotâmica nem a egípcia contivessem o lúpulo, que só se tornou um ingrediente padronizado nos tempos medievais, tanto a bebida quanto alguns dos hábitos a ela relacionados seriam ainda reconhecíveis hoje em dia para os apreciadores de cerveja, milhares de anos mais tarde. Embora ela não seja mais usada como forma de pagamento e as pessoas não mais se cumprimentem umas às outras com a expressão "pão e cerveja", na maior parte do mundo a cerveja é considerada a bebida básica do homem trabalhador. Brindar à saúde de alguém antes de tomar cerveja é um vestígio da crença antiga em suas propriedades mágicas. E sua forte associação com uma interação social amigável e despretensiosa permanece imutável: é uma bebida feita para ser compartilhada. Seja em aldeias da Idade da Pedra, salas de banquete da Mesopotâmia ou bares e restaurantes modernos, a cerveja vem congregando e reunindo as pessoas desde a aurora da civilização.

• O VINHO •

NA GRÉCIA E EM ROMA

• O PRAZER DO VINHO •

Rápido, me traga uma taça de vinho para eu poder molhar
minha mente e dizer algo inteligente.
Aristófanes, poeta cômico grego (c. 450-385 a.C.)

UMA GRANDE FESTA

Uma das maiores festas na história foi dada pelo rei Assurnasirpal II, da Assíria, por volta de 870 a.C., com o propósito de registrar a inauguração de sua nova capital em Nimrud. No centro da nova cidade situava-se um grande palácio, construído numa plataforma elevada feita com tijolos de barro, da maneira tradicional mesopotâmica. Seus sete salões magníficos tinham portas ornadas de madeira e bronze e tetos feitos de cedro, cipreste e junípero. Murais elaborados celebravam as façanhas militares do rei em terras estrangeiras. O palácio era rodeado por canais e quedas-d'água e por pomares e jardins repletos de plantas locais e outras reunidas durante as vastas campanhas militares: palmeiras, cedros, ciprestes, oliveiras, ameixeiras, figueiras e videiras, sendo que todas elas "rivalizavam umas com as outras em fragrância", de acordo com uma inscrição da época em escrita cuneiforme. Assurnasirpal povoou sua nova capital com pessoas que vinham de todo o seu império, o qual cobria boa parte do norte da Mesopotâmia. Com essas populações cosmopolitas de plantas e pessoas, a capital representava um microcosmo do império. Quando a construção terminou, Assurnasirpal orquestrou um enorme banquete para a celebração.

A festança prosseguiu por dez dias. O registro oficial atesta que foi assistida por 69.574 pessoas: 47.074 homens e mulheres de todo o império,

16.000 dos novos habitantes de Nimrud, 5.000 dignitários de outros Estados e 1.500 funcionários do palácio. O objetivo era exibir o poder e a riqueza do rei tanto para seu próprio povo como para os representantes estrangeiros. Os que compareceram foram servidos coletivamente: mil bois gordos, mil bezerros, dez mil carneiros, 15 mil ovelhas, mil carneirinhos, 500 gazelas, mil patos, mil gansos, 20 mil pombos, 12 mil pássaros pequenos, dez mil peixes, dez mil gerbos (uma espécie de pequeno roedor) e dez mil ovos. Não houve muitos legumes ou verduras: apenas mil cestas foram servidas. Mesmo levando em conta algum exagero real, foi certamente uma festa em escala épica. O rei vangloriou-se para seus convidados afirmando que lhes "prestava as honras devidas e os mandava de volta saudáveis e felizes para seus próprios países".

Ainda assim, o mais impressionante e mais significativo foi a escolha do rei quanto à bebida. A despeito de sua herança mesopotâmica, Assurnasirpal não deu lugar de honra em sua festa à bebida comum dos mesopotâmicos. Os relevos esculpidos em pedra do palácio não o mostram tomando cerveja com o auxílio de um canudo; em vez disso, ele é retratado equilibrando elegantemente uma tigela rasa, provavelmente feita de ouro, nas pontas dos dedos de sua mão direta, de tal modo que está no mesmo nível de seu rosto. Essa tigela continha vinho.

A cerveja não tinha sido banida: Assurnasirpal serviu dez mil jarros de cerveja na festa. Mas também serviu dez mil odres de vinho – uma quantidade igual, mas uma demonstração bem mais impressionante de riqueza. Anteriormente, o vinho só estivera disponível na Mesopotâmia em quantidades bem pequenas, já que tinha de ser importado das terras montanhosas em que as videiras cresciam para o nordeste. O custo de transportar vinho das montanhas para as planícies fazia com que fosse dez vezes mais caro do que a cerveja e, por conseguinte, fosse visto como uma bebida estrangeira exótica na cultura mesopotâmica. Desta maneira, somente a elite podia se dar ao luxo de bebê-lo, e seu uso principal era o religioso; sua escassez e alto preço o tornavam digno, quando disponível, para consumo pelos deuses. A maioria das pessoas sequer provava o vinho.

Portanto, a capacidade de Assurnasirpal de colocar vinho e cerveja à disposição de seus 70 mil convidados com a mesma abundância era uma ilustração viva de sua riqueza. Além disso, servir vinho proveniente de regiões distantes de seu império salientava a extensão de seu poder. Mais impressionante ainda era o fato de que parte da bebida tinha vindo de videiras de seu próprio jardim. Essas videiras eram mescladas com árvores, como era costumeiro naqueles tempos, e irrigadas por um elaborado sistema de canais.

Assurnasirpal II sentado, segurando uma tigela rasa de vinho. Criados dos dois lados usam mata-moscas para manter os insetos longe do rei e de seu vinho.

Assurnasirpal não era apenas incrivelmente rico: sua riqueza literalmente crescia em árvores. A inauguração da nova cidade foi formalmente marcada por um ritual de oferendas aos deuses desse vinho local.

Cenas subseqüentes do banquete de Nimrud mostram as pessoas tomando vinho em taças rasas, sentadas em sofás de madeira e cercadas por criados, alguns dos quais seguram jarras de vinho enquanto outros usam leques ou talvez mata-moscas para manter os insetos longe do líquido precioso. Algumas vezes são também retratados grandes recipientes de armazenagem nos quais os criados tornam a encher suas jarras de servir.

Com os assírios, o ato de tomar vinho desenvolveu-se e transformou-se num ritual social incrivelmente elaborado e formal. Um obelisco de cerca de 825 a.C. mostra o filho de Assurnasirpal, Shalmaneser III, de pé sob um guarda-sol. Ele segura uma taça de vinho na mão direita, sua mão esquerda descansa no punho de sua espada, e um pedinte está ajoelhado a seus pés. Graças a esse tipo de disseminação, o vinho e a parafernália associada ao processo de bebê-lo tornaram-se emblemas de poder, prosperidade e privilégio.

"A EXCELENTE 'CERVEJA' DAS MONTANHAS"

O vinho era uma novidade elegante, mas era tudo menos novo. Como no caso da cerveja, suas origens estão perdidas na pré-história: sua invenção ou descoberta é tão antiga que está registrada apenas indiretamente no mito ou na lenda. Mas a evidência arqueológica sugere que o vinho foi primeiramente produzido durante o período neolítico, entre 9000 e 4000 a.C., nas montanhas de Zagros, na região que corresponde aproximadamente à Armênia e ao norte do Irã. A convergência de três fatores tornou possível a produção de vinho nessa área: a presença da videira selvagem eurasiana, *Vitis vinifera sylvestris*; a disponibilidade de safras de cereais para suprir reservas de alimentos para um ano inteiro nas comunidades produtoras do vinho; e, em torno de 6000 a.C., a invenção da cerâmica, útil para se fazer, guardar e servir vinho.

O vinho consiste simplesmente no suco fermentado de uvas amassadas. Leveduras naturais que estão presentes nas cascas das uvas convertem os açúcares do suco em álcool. Tentativas de guardar uvas ou sucos de uva por períodos longos em recipientes de cerâmica teriam conseqüentemente resultado em vinho. A evidência física mais antiga disso, na forma de um resíduo avermelhado dentro de um jarro de cerâmica, vem de Hajji Firuz Tepe, uma aldeia neolítica nas montanhas de Zagros. O jarro data de 5400 a.C. A provável origem do vinho nessa região está refletida na história bíblica de Noé, que dizem ter plantado o primeiro vinhedo nas encostas próximas ao monte Ararat depois de se salvar do dilúvio.

Desse local de nascimento, o conhecimento do preparo do vinho espalhou-se na direção oeste para a Grécia e a Anatólia (atual Turquia) e para o sul através do Levante (atual Síria, Líbano e Israel) até o Egito. Em torno de 3150 a.C., um dos primeiros governantes do Egito, o rei Escorpião I, foi enterrado com 700 jarros de vinho, trazidos a um alto custo do sul do Levante, importante área produtora de vinho daquela época. Tendo os faraós adquirido o gosto pelo vinho, estabeleceram suas próprias vinhas no delta do Nilo, e uma produção doméstica limitada começou a avançar por volta de 3000 a.C. Como na Mesopotâmia, porém, o consumo era restrito à elite, pois o clima não era adequado para produção em larga escala. Cenas de preparação de vinho aparecem em pinturas nos túmulos, mas dão uma impressão desproporcional de sua prevalência na sociedade egípcia, pois apenas os ricos apreciadores de vinho podiam dar-se ao luxo de ter túmulos extravagantes. As massas bebiam cerveja.

Uma situação semelhante prevaleceu no leste do Mediterrâneo, onde as videiras estavam sendo cultivadas em torno de 2500 a.C. em Creta e possivelmente também na Grécia continental. O fato de que a videira foi introduzida na Grécia, em vez de ter estado sempre presente, foi reconhecido nos mitos gregos posteriores, segundo os quais os deuses bebiam néctar (presumivelmente hidromel) e o vinho foi introduzido depois para consumo humano. Videiras cresciam ao lado de azeitonas, trigo e cevada, e eram freqüentemente entrelaçadas com oliveiras ou figueiras. Nas culturas micênicas e minóicas do segundo milênio a.C., respectivamente na Grécia continental e em Creta, o vinho permaneceu, porém, como bebida da elite. Não está listado em tabuletas de lotes racionados para trabalhadores escravos ou para funcionários religiosos de baixo escalão. O acesso ao vinho era marca de posição social.

Os reinados de Assurnasirpal e seu filho Shalmaneser, portanto, marcaram um momento decisivo. O vinho passou a ser visto como uma bebida social bem como religiosa e começou a tornar-se cada vez mais um elemento da moda em todo o Oriente Próximo e no lado leste do Mediterrâneo. Sua disponibilidade cresceu em dois sentidos. Primeiramente, a produção de vinho cresceu, assim como o volume negociado por mar, fazendo com que ficasse disponível em uma área geográfica bem mais ampla. O estabelecimento de Estados e impérios cada vez maiores impulsionou a disponibilidade de vinho, pois quanto menor o número de fronteiras a atravessar, menor a quantidade de impostos e taxas a pagar, e mais barato ficava o transporte por longas distâncias. Os governantes com mais sorte, como os reis assírios, tinham impérios que abrangiam regiões produtoras de vinho. Em segundo lugar, à medida que os volumes aumentavam e os preços caíam, o vinho tornava-se acessível a um segmento mais amplo da sociedade. Sua crescente disponibilidade fica evidente nos registros que listam as homenagens apresentadas à corte assíria. Durante os reinados de Assurnasirpal e Shalmaneser, o vinho começou a ser mencionado como uma oferenda desejável, junto com ouro, prata, cavalos, gado e outros itens valiosos. Dois séculos depois, porém, tinha desaparecido dessas listas porque se disseminara tanto, pelo menos na Assíria, que não era mais considerado caro ou exótico o bastante para ser usado como oferenda.

Tabuletas de escrita cuneiforme de Nimrud, com datas em torno de 785 a.C., mostram que lotes racionados de vinho eram fornecidos a cerca de seis mil pessoas na casa real da Assíria. Um *qa* de vinho por dia era distribuído a dez homens para ser partilhado entre eles; acredita-se que esse montante correspondesse a aproximadamente um litro, e portanto cada homem teria recebido cerca de uma taça moderna de vinho por dia. Trabalhadores qualificados recebiam mais, com um *qa* sendo dividido entre seis deles. Mas todos na residência real, dos funcionários de cargos mais elevados aos humildes meninos pastores e aos assistentes de cozinha, recebiam um determinado lote.

Como o entusiasmo pelo vinho espalhou-se ao sul para a Mesopotâmia, onde a produção local não era viável, o comércio da bebida ao longo dos rios Tigre e Eufrates se expandiu muito. Dada a natureza perecível e pesada do vinho, era difícil transportá-lo por terra. O comércio de longa distância era feito pela água, usando-se balsas ou barcos feitos de madeira e juncos. O historiador grego Heródoto, que visitou a região por volta de 430 a.C., descreveu os barcos usados para carregar mercadorias pelo rio até a Babilônia e notou que "o frete principal era o vinho". Heródoto explicou que depois que chegavam ao final de sua viagem e descarregavam, os barcos ficavam quase sem valor, tendo em vista a dificuldade de transportá-los de volta rio acima. Em vez disso, eram desmanchados e vendidos, embora normalmente apenas por um décimo do seu valor original. Esse custo era refletido no alto preço do vinho.

Assim, embora o vinho tenha se tornado moda na sociedade mesopotâmica, nunca se tornou amplamente acessível do ponto de vista financeiro fora das áreas produtoras. O custo exorbitante para muitas pessoas é demonstrado pela ostentação feita por Nabonido, o último governante do Império neobabilônio antes de cair nas mãos dos persas em 539 a.C. Nabonido alardeou que o vinho, ao qual se referia como "a excelente 'cerveja' das montanhas que não existem no meu país", tinha se tornado tão abundante durante seu reinado que um jarro importado contendo 18 *sila* (em torno de 18 litros ou 24 garrafas modernas de vinho) podia ser obtido com um siclo de prata. Naquele momento, um siclo de prata por mês era considerado um salário mínimo; portanto, o vinho só podia ter se tornado uma bebida diária entre os muito ricos. Para todos os outros, uma bebida substituta tornou-se popular: vinho de tamareira, uma bebida alcoólica feita de xarope fermentado de tâmaras. As tamareiras eram amplamente cultivadas no sul da Mesopotâmia, portanto o "vinho" resultante era apenas um pouco mais caro do que a cerveja. Durante o primeiro milênio a.C., até mesmo os mesopotâmicos amantes da cerveja viraram-lhe as costas, e ela foi destronada de posição de mais culta e mais civilizada das bebidas; iniciava-se a era do vinho.

O BERÇO DO PENSAMENTO OCIDENTAL

As origens do pensamento ocidental contemporâneo remontam à idade dourada da antiga Grécia, nos séculos VI e V a.C., quando os pensadores gregos introduziram os fundamentos da política, filosofia, ciência e das leis ocidentais modernas. A novidade de seu enfoque foi a de buscar a investigação racional por meio de debates entre adversários: decidiram que a melhor maneira de se avaliar um conjunto de idéias era testá-lo contra outro conjunto de idéias. Na esfera política, o resultado foi a democracia, na qual os defensores de propostas rivais disputavam pela supremacia retórica; na filosofia, levou a argumentos equilibrados e a diálogos sobre a natureza do mundo; na ciência, inspirou a construção de teorias competitivas para tentar explicar os fenômenos naturais; no campo das leis, originou foi o sistema legal de adversários. (Outra forma de competição institucionalizada que os gregos particularmente adoravam era o atletismo.) Esse enfoque serve de base para a maneira ocidental moderna de viver, na qual a política, o comércio, a ciência e as leis são todos enraizados na competição organizada.

A idéia de distinção entre o mundo ocidental e o mundo oriental também é de origem grega. A antiga Grécia não era uma nação unificada, mas uma aglomeração livre de cidades-Estados, assentamentos e colônias cujas alianças e rivalidades mudavam constantemente. Porém, bem cedo, ainda no século VIII a.C., uma distinção já estava sendo feita entre os povos de língua grega e os estrangeiros, que eram conhecidos como *barbaroi* porque seu idioma soava como um balbuciar incompreensível para os ouvidos gregos. Com destaque dentre esses bárbaros encontravam-se os persas, na direção leste, cujo vasto império englobava a Mesopotâmia, a Síria, o Egito e a Ásia Menor (atual Turquia). Inicialmente, as principais cidades-Estados gregas, Atenas e Esparta, uniram-se para se defender dos persas, mas estes mais tarde viriam a apoiar, alternadamente, tanto Esparta como Atenas quando elas lutaram entre si. Finalmente, Alexandre o Grande uniu os gregos e derrotou a Pérsia no século IV a.C. Os gregos se definiam em oposição aos persas acreditando serem fundamentalmente diferentes dos povos asiáticos (e na verdade superiores).

O entusiasmo pela competição civilizada e a superioridade presumida da Grécia sobre os estrangeiros eram visíveis no amor do grego pelo vinho. Ele era tomado em festas formais de bebida, ou *symposia*, que eram situações para debates divertidos, porém competitivos, durante as quais os bebedores tentavam superar um ao outro em inteligência, poesia ou retórica. A atmosfera formal e intelectual dos simpósios também lembrava aos gregos como eles eram civilizados, em oposição aos bárbaros, os quais ou bebiam a modesta e pouco sofisticada cerveja ou – até pior – bebiam vinho, mas não conseguiam fazer isso de uma maneira que fosse aprovada pelos gregos.

Nas palavras de Tucídides, um escritor grego do século V a.C. que foi um dos maiores historiadores do mundo antigo, "os povos do Mediterrâneo começaram a emergir do barbarismo quando aprenderam a cultivar a oliveira e a videira". De acordo com uma lenda, Dioniso, o deus do vinho, fugiu para a Grécia a fim de escapar da Mesopotâmia, que era amante da cerveja. Uma tradição grega mais gentil, mas ainda assim bem arrogante, relata que Dioniso criou a cerveja em benefício das pessoas de países onde a videira não pudesse ser cultivada. Na Grécia, entretanto, Dioniso tinha colocado o vinho à disposição de todos, e não apenas da elite. Como o autor teatral Eurípides registra em *As bacantes*: "Tanto para os ricos como para os pobres, ele concedeu o desfrute do vinho que faz toda dor cessar."

O vinho era suficientemente abundante para ser muito acessível do ponto de vista de preço, porque o clima e o terreno das ilhas gregas e do continente eram ideais para a viticultura. O cultivo das vinhas espalhou-se rapidamente pela Grécia a partir do século VII a.C., começando em Arcádia e Esparta, na península do Peloponeso, e depois espalhando-se para a Ática, a região em torno de Atenas. Os gregos foram os primeiros a produzir vinho em grande escala comercial, e adotaram um enfoque metódico, até mesmo científico, com relação à viticultura. Os textos gregos sobre o tema começam com *Trabalhos e dias*, de Hesíodo, escrito no século VIII a.C., que incorpora conselhos sobre como e quando desbastar, colher e espremer uvas. Os especialistas gregos em vinho aperfeiçoaram a prensa de lagar e adotaram a prática de manter videiras em fileiras perfeitas, com treliças e estacas em vez de árvores. Isso permitiu que mais vinhas pudessem ser comprimidas num determinado espaço, aumentando os rendimentos e permitindo acesso mais fácil para se fazer a colheita.

Gradualmente, a agricultura de grãos foi superada pelo cultivo de videiras e oliveiras, e a produção de vinho foi elevada de agricultura de subsistência a um nível industrial. Em vez de ser consumido pelo fazendeiro e seus dependentes, o vinho era produzido especificamente como um produto comercial. Não é de espantar: um fazendeiro podia ganhar até 20 vezes mais cultivando videiras do que plantando grãos. O vinho tornou-se um dos principais produtos de exportação da Grécia e passou a ser comercializado pelo mar em troca de outras mercadorias. Na Ática, a mudança de produção de grãos para a viticultura foi tão dramática que os grãos tiveram de ser importados a fim de se manter uma oferta adequada. Vinho era riqueza. Por volta do século VI a.C., as classes de proprietários em Atenas eram categorizadas de acordo com suas propriedades de vinhedos: a categoria mais baixa tinha sete acres, e as três classes imediatamente superiores possuíam, respectivamente, dez, 15 e 25 acres.

A produção de vinho foi também estabelecida nas remotas ilhas gregas, incluindo Quios, Thasos e Lesbos, na costa ocidental da atual Turquia, cujos vinhos especiais tornaram-se altamente apreciados. A importância econômica do vinho foi realçada pelo aparecimento de imagens a ele relacionadas nas moedas gregas: as de Quios retratavam o perfil diferenciado de seus jarros, e o deus do vinho, Dioniso, reclinado num asno, era presença comum tanto nas moedas como nas alças das ânforas da cidade de Mende, na Trácia. A importância comercial do vinho também significou que as videiras tornaram-se os principais alvos na Guerra do Peloponeso, entre Atenas e Esparta, e foram com freqüência pisoteadas e queimadas. Em certa ocasião, em 424 a.C., as tropas espartanas chegaram pouco antes da época da colheita a Acanto, uma cidade produtora de vinho na Macedônia que era aliada de Atenas. Temendo por suas uvas e influenciados pela oratória de Brasidas, líder espartano, os moradores locais fizeram uma votação e decidiram mudar de aliança. Foi possível então prosseguir a colheita sem qualquer interferência.

À medida que o vinho tornava-se mais amplamente disponível – tão disponível que até mesmo os escravos o bebiam –, a diferença não era mais entre quem o tomava ou não, mas sim que tipo de vinho se tomava. Pois, embora a disponibilidade de vinho fosse realmente mais democrática na sociedade grega do que em outras culturas, ele ainda podia ser usado para delinear distinções sociais. Os gregos apreciadores de vinho logo estariam fazendo distinções sutis entre os vários tipos cultivados localmente e os estrangeiros. Enquanto os estilos individuais tornavam-se mais conhecidos, as diferentes regiões produtoras começaram a despachar seus produtos em ânforas com formatos diferenciados, de modo que os clientes que preferiam um tipo específico pudessem ter certeza de que estavam recebendo a coisa certa. Arquestrato, um *gourmet* grego que vivia na Sicília no século IV a.C. e é lembrado como o autor de *Gastronomia*, um dos primeiros livros de cozinha no mundo, preferia o vinho de Lesbos. Referências nas peças cômicas gregas dos séculos V e IV a.C. indicam que os vinhos de Quios e Thasos também eram tidos em altíssima conta.

Depois do local de origem de um vinho, os gregos se interessavam principalmente por sua idade, e não por sua safra exata. Eles faziam pouca distinção entre uma safra e a seguinte, provavelmente porque as variações causadas pela estocagem e pelo manuseio superavam amplamente as diferenças entre safras. Vinho antigo era um distintivo de status social: quanto mais velho fosse, tanto melhor. A *Odisséia*, de Homero, escrita no século VIII a.C., descreve a casa-forte do herói mítico Ulisses, "onde ouro e bronze estavam empilhados e havia roupas em arcas e bastante óleo perfumado, e também havia jarros de um vinho antigo de gosto adocicado, contendo a bebida divina, enfileirados contra a parede".

Para os gregos, tomar vinho era sinônimo de civilização e refinamento: o tipo e a idade do vinho indicavam o quanto se era culto. Preferiam o vinho à cerveja, os vinhos finos aos comuns, e os mais antigos aos mais recentes. Mais importante, porém, do que a escolha do vinho era como a pessoa se comportava quando o tomava, o que era realmente revelador de sua natureza íntima. Como Ésquilo, um poeta grego, disse no século VI a.C.: "bronze é o espelho da forma exterior; o vinho é o espelho da mente."

BEBER COMO UM GREGO

Aquilo que mais diferenciava os costumes gregos relacionados ao vinho dos de outras culturas era a prática de misturá-lo com água. O auge da sofisticação social era o consumo da mistura numa festa privada, ou *symposion*, ritual aristocrático exclusivamente masculino que acontecia numa "sala para homens", ou *andron*. Suas paredes freqüentemente decoradas com murais ou alguma parafernália relacionada à bebida e o uso de uma sala especial enfatizava a separação entre a vida cotidiana e o *symposion*, durante o qual regras diferentes eram postas em prática. O *andron*, às vezes o único aposento da casa, tinha chão de pedra que se inclinava para o centro a fim de facilitar a limpeza. Sua importância era tanta que freqüentemente se projetavam as casas em torno dele.

Os homens sentavam-se em sofás especiais com uma almofada debaixo de um braço, moda importada do Oriente Próximo no século VIII a.C. Normalmente, 12 indivíduos compareciam a um *symposion*, e certamente nunca mais de 30. Embora não fosse permitido às mulheres sentarem-se com os homens, criadas, dançarinas e artistas musicais do sexo feminino participavam com freqüência. A comida era servida em primeiro lugar, com pouco ou nada para se beber. Então as mesas eram esvaziadas, e o vinho, trazido. A tradição ateniense preparava três libações: uma para os deuses, uma para os heróis arruinados, particularmente ancestrais das pessoas presentes, e uma para Zeus, rei dos deuses. Uma jovem podia tocar flauta durante essa cerimônia, e um hino seria então cantado. Guirlandas de flores ou folhas de videiras eram distribuídas, e em alguns casos borrifava-se um perfume. Aí então o consumo de bebida podia começar.

O vinho era primeiramente misturado com água num vaso grande em forma de urna, chamado *krater*. Adicionava-se sempre a água de um recipiente com três alças – a *hydria* – ao vinho, e não o contrário. O montante de água adicionado determinava com que rapidez cada um ficaria embriagado. Combinações típicas da mistura da água no vinho parecem ter sido de duas partes para uma, cinco para duas, três para uma e quatro para uma. A mistura de partes iguais de água e vinho era encarada como "vinho forte"; alguns vinhos concentrados, reduzidos por fervura para a metade ou um terço de seu volume original antes de serem comercializados, tinham de ser misturados com oito ou até 20 vezes o mesmo volume de água. Em tempos de calor, refrescava-se o vinho dentro de um poço ou misturando-o com neve, pelo menos aqueles que podiam se dar ao luxo dessas extravagâncias. A neve era coletada durante o inverno e mantida em buracos debaixo do solo, empacotada com palha, para evitar que derretesse.

Beber até mesmo um vinho fino sem antes misturá-lo com água era considerado primitivo pelos gregos, particularmente pelos atenienses. Apenas Dioniso, segundo acreditavam, podia beber vinho não misturado sem riscos. Ele é freqüentemente representado bebendo num tipo especial de jarra cujo uso sugere que nenhuma água foi adicionada. Os simples mortais, por outro lado, só podiam beber o vinho cuja força tivesse sido abrandada com a água, caso contrário ficariam extremamente violentos ou mesmo enlouqueceriam. Heródoto disse que isso aconteceu com o rei Cleómenes de Esparta, que pegou o hábito bárbaro de tomar vinho não misturado dos citienses, um povo nômade da região norte do mar Negro. Tanto eles como seus vizinhos da Trácia foram apontados pelo filósofo ateniense Platão como sendo tolos e sem cultura no uso do vinho: "Os habitantes da Cítia e da Trácia, homens e mulheres, tomam vinho sem misturar, o qual derramam em suas roupas, e acham tudo isso uma instituição gloriosa e feliz." Os macedônios eram também notórios por sua preferência pelo vinho não misturado. Alexandre o Grande e seu pai Felipe II tinham a reputação de grandes bebedores. Alexandre matou seu amigo Cleito numa briga de bêbados, e existem evidências de que o vinho consumido em excesso contribuiu para sua própria morte em decorrência de uma doença misteriosa, em 323 a.C. Mas é difícil avaliar a credibilidade dessas alegações, tendo em vista que a equação da virtude com a bebida moderada e da corrupção com o vício excessivo é por demais generalizada nas fontes da Antigüidade.

Consumidores de vinho num *symposion* grego. Os homens sentados bebem vinho diluído com água em tigelas rasas, enquanto um flautista toca e um escravo pega mais um pouco da bebida no *krater* comunitário.

A água tornava o vinho seguro, mas o contrário também acontecia. Como é livre de elementos patogênicos, o vinho contém agentes naturais antibacterianos liberados durante o processo de fermentação. Os gregos não estavam cientes disso, embora estivessem familiarizados com os perigos de se beber água contaminada; eles preferiam água corrente e poços profundos ou água de chuva coletada em cisternas. A observação de que feridas tratadas com vinho tinham menor probabilidade de infectar do que aquelas tratadas com água (de novo, por causa da falta de elementos patogênicos e da presença de agentes antibacterianos) pode também ter indicado que o vinho tinha o poder de limpar e purificar.

Não beber vinho algum era considerado tão ruim quanto bebê-lo sem mistura. A prática grega de misturá-lo com água representava assim uma posição intermediária entre os bárbaros, com vícios em excesso, e os que não bebiam nada. Plutarco, um escritor grego do período romano posterior, colocou desta maneira: "O beberrão é insolente e rude. ... Por outro lado, o abstêmio completo é desagradável e mais bem preparado para cuidar de crianças do que para presidir uma festa com bebidas." Nenhum dos dois, segundo acreditavam os gregos, era capaz de fazer uso adequado do presente de Dioniso. O ideal grego estava em algum ponto entre os dois. Garantir que isso fosse o caso era a tarefa do *symposiarch*, o rei do *symposion* – o anfitrião ou alguém do grupo de bebedores escolhido por votação ou pelo jogo de dados. O segredo consistia na moderação: o objetivo do *symposiarch* era manter o grupo reunido no limiar entre a sobriedade e a embriaguez, de tal modo que pudessem desfrutar de uma certa liberdade do discurso e ausência de preocupação, mas sem ficar violentos como os bárbaros.

O vinho era mais freqüentemente tomado em uma taça rasa com duas alças de hastes curtas chamada *cylix*, mas também algumas vezes num recipiente maior e mais profundo, o *cantharos*, ou num chifre especial denominado *rhyton*. Um caneco de vinho – ou *oinochoë* – que, em alguns casos, parecia uma concha de sopa com uma alça longa, servia para os criados, segundo as orientações do *symposiarch*, transferirem vinho do *krater* para os vasilhames de bebida. Quando um *krater* era esvaziado, logo preparavam outro.

Os vasilhames de bebida eram decorados de modo elaborado, freqüentemente com imagens de Dioniso, e tornaram-se cada vez mais ornados. Para recipientes de cerâmica, usava-se técnica clássica de "figuras pretas", na qual objetos e personagens eram representados por áreas de tinta preta com detalhes destacados por linhas entalhadas antes de se levar o barro ao fogo. Essa técnica, utilizada de forma pioneira em Corinto no século VII a.C., espalhou-se rapidamente em Atenas. A partir do século VI a.C., foi progressivamente substituída pela técnica de "figuras vermelhas", que retratava as figuras deixando a cor vermelha natural do barro sem pintura e acrescentando detalhes em preto. Porém, a sobrevivência até os dias de hoje de tanta cerâmica com figuras pretas e vermelhas, inclusive de recipientes de bebida, é enganadora. Os ricos bebiam em recipientes de prata ou de ouro, e não de cerâmica. Mas foram os vasilhames de cerâmica que sobreviveram porque eram usados nos enterros.

A aceitação das regras e rituais do ato de tomar vinho, e o uso do equipamento, da mobília e da roupa apropriada, tudo servia para enfatizar a sofisticação dos bebedores. Mas o que realmente acontecia enquanto o vinho estava sendo consumido? Não há uma resposta única: o *symposion* era tão variado quanto a própria vida, um espelho da sociedade grega. Algumas vezes havia entretenimento formal, com músicos e dançarinas contratados. Em alguns *symposia*, os próprios convidados competiam para improvisar canções inteligentes, poesia e conversação engenhosa; algumas vezes, o *symposion* configurava uma ocasião formal para o debate de filosofia ou literatura, na qual jovens rapazes eram admitidos por propósitos educacionais.

No entanto, nem todos os *symposia* eram assim tão sérios. Particularmente popular, um jogo ligado à bebida chamado *kottabos* consistia em dar alguns petelecos com os dedos nos últimos goles restantes de vinho de uma taça em direção a um alvo específico, como, por exemplo, uma outra pessoa, um alvo de bronze em forma de disco ou mesmo uma taça flutuando numa tigela de água, com o propósito de afundá-la. A mania pelo *kottabos* era tanta que alguns entusiastas chegaram a construir até mesmo salas circulares nas quais podiam realizar o jogo. Os tradicionalistas mostraram preocupação, porque os jovens rapazes estavam se concentrando em melhorar seu *kottabos* em vez de no arremesso de dardo, um esporte que pelo menos tinha algum uso prático na caça e na guerra.

À medida que um *krater* ia sucedendo o outro, alguns *symposia* desandavam e transformavam-se em orgias, e outros caminhavam para a violência, quando os bebedores faziam desafios uns aos outros no intuito de demonstrar lealdade ao seu grupo ou *hetaireia*. O *symposion* era algumas vezes seguido do *komos*, uma forma de ritual de exibicionismo em que os membros da *hetaireia* iam caminhar pelas ruas em celebração noturna para enfatizar a força e a unidade do grupo. O *komos* podia ser de boa índole, mas também podia conduzir à violência ou ao vandalismo, dependendo do estado dos participantes. Como demonstra o fragmento de uma peça de Eubulo: "Para homens sensatos, preparo somente três *kraters*: um para a saúde, que é o primeiro a ser bebido, outro para o amor e o prazer e o terceiro para dormir. Depois que o terceiro é tomado, homens inteligentes vão para casa. O quarto *krater* não é mais meu – pertence ao mau comportamento; o quinto é para gritar; o sexto é para a grosseria e os insultos; o sétimo é para as lutas; o oitavo é para quebrar a mobília; o nono é para a depressão; o décimo é para a loucura e inconsciência."

Em sua essência, o *symposion* dedicava-se à busca do prazer, fosse ele intelectual, social ou sexual. Era também uma válvula de escape, uma maneira de lidar com paixões ingovernáveis de todos os tipos. Resumia os melhores e os piores elementos da cultura que o produzia. A mistura de água e vinho consumida no *symposion* fornecia um terreno metafórico fértil para os filósofos gregos, que o comparavam à mistura do bom e do mal na natureza humana, tanto dentro de um indivíduo como na sociedade como um todo. O *symposion*, com suas regras para evitar que uma mistura perigosa saísse de controle, tornou-se assim uma lente através da qual Platão e outros filósofos analisaram a sociedade grega.

A FILOSOFIA DO ATO DE BEBER

A filosofia é a busca da sabedoria – e que outro lugar seria melhor para descobrir a verdade do que o *symposion*, onde o vinho manda embora as inibições para expor verdades tanto agradáveis como desagradáveis? "O vinho revela o que está escondido", declarou Erastóstenes, um filósofo grego que viveu no século III a.C. O fato de que o *symposion* era considerado um local adequado para se obter a verdade é enfatizado pelo seu repetido uso como forma literária, na qual vários personagens discutem um tópico específico enquanto bebem vinho. O exemplo mais famoso é *O Banquete* de Platão, no qual os participantes – incluindo o mentor de Platão, Sócrates – debatem o amor. Após uma noite inteira de bebidas, todos caíram no sono, exceto Sócrates, que permaneceu aparentemente inalterado pelo vinho que bebera e iniciou os assuntos de seu dia. Platão descreve-o como o bebedor ideal: usa o vinho na busca da verdade, mas permanece em total controle de si mesmo e não sofre efeitos ruins. Sócrates também aparece num trabalho semelhante escrito por outro de seus pupilos. *O Banquete*, de Xenofonte, escrito por volta de 360 a.C., é outro relato ficcional da festa ateniense de bebidas, em que as conversas são bem mais brilhantes e inteligentes, e os personagens bem mais humanos que na obra mais séria de Platão. O tema principal mais uma vez é o amor, e as conversas são estimuladas pelo excelente vinho de Thasos.

Esses simpósios filosóficos desenrolaram-se mais na imaginação literária do que na vida real. Mas em pelo menos um aspecto o vinho podia ser usado no cotidiano para revelar a verdade: expunha a verdadeira natureza daqueles que o bebiam. Embora fizesse objeção à realidade hedonista dos simpósios verdadeiros, Platão não via nenhuma razão pela qual essa prática não pudesse ser bem usada teoricamente como um teste de personalidade. Falando por intermédio de um de seus personagens no livro *Leis*, Platão argumenta que beber com alguém num *symposion* é de fato o teste mais sim-

O filósofo grego Platão, que acreditava que o vinho fornecia um bom método para se testar o caráter de um homem.

ples, mais rápido e mais confiável para o caráter de alguém. Ele retrata Sócrates admitindo a possibilidade de uma "poção de temor" que induza medo naqueles que a bebem. Essa bebida imaginária pode então ser usada para infundir destemor e coragem, à medida que os bebedores aumentem gradualmente a dose e aprendam a vencer seu medo. Essa poção não existe, é claro, porém Platão (falando como Sócrates para um interlocutor de Creta) desenha uma analogia com o vinho, o qual sugere ser idealmente adequado para infundir o autocontrole:

> Para testar em primeiro lugar e depois treinar o caráter de um homem, o que há de melhor do que o uso festivo do vinho, se for tomado um certo cuidado no seu uso? O que é mais barato ou mais inocente? Pois considere o que é mais arriscado: você preferiria testar um homem de natureza selvagem e intratável, que seja a fonte de dez mil atos de injustiça, fazendo negócios com ele colocando a si mesmo em risco, ou tendo este homem como companhia no festival de Dioniso? Ou, se você quisesse adotar um critério para um homem que gosta de namorar, você iria confiar sua mulher ou seus filhos ou filhas a ele arriscando seus interesses mais caros a fim de obter uma imagem da condição de sua alma? ... Não acredito que um habitante de Creta ou qualquer outro homem irá duvidar de que este é um teste justo e mais seguro, mais barato e mais rápido do que qualquer outro.

De modo semelhante, Platão via a bebida como uma maneira de testar a si mesmo, submetendo-se às paixões despertadas pela bebida: raiva, amor, orgulho, ignorância, ambição e covardia. Ele chega mesmo a propor regras para a condução adequada de um *symposion*, que idealmente deveria permitir aos homens desenvolver resistência a seus impulsos irracionais e triunfar sobre seus demônios interiores. Platão declarou que o vinho "era dado [ao homem] como um bálsamo, a fim de implantar modéstia na alma e saúde e força no corpo".

O *symposion* também se prestava para analogias políticas. Para os olhos modernos, uma reunião em que todo mundo bebia de modo igual a partir de uma única tigela partilhada parece incorporar a idéia de democracia. O *symposion* era de fato democrático, embora não no sentido moderno da palavra – estritamente para homens privilegiados, mas a mesma coisa era verdade, na forma ateniense de democracia, para o direito de voto, só estendido aos homens livres, ou cerca de um quinto da população. A democracia grega dependia da escravidão. Sem escravos para fazer o trabalho pesado, os homens não teriam tido bastante tempo de lazer para participar da política.

Platão suspeitava da democracia. Basicamente porque interferia com a ordem natural das coisas. Por que um homem deveria obedecer a seu pai ou um aluno a seu professor se todos fossem tecnicamente iguais? Platão argumentou em seu livro *A república* que uma situação de muito poder nas mãos de pessoas comuns levava inevitavelmente à anarquia – a um tal ponto que a ordem só podia ser restaurada por intermédio da tirania. Em *A república*, descreveu Sócrates denunciando os proponentes da democracia como maus distribuidores de vinho, que incentivavam as pessoas sedentas a se excederem no "vinho forte da liberdade". O poder, em outras palavras, é como o vinho, e pode embriagar quando consumido em grandes quantidades por pessoas que não estão acostumadas a ele. O resultado em ambos os casos é o caos. Essa é uma das muitas alusões ao *symposion* em *A república*, sendo que todas são depreciativas. (Em vez disso, Platão acreditava que a sociedade ideal deveria ser governada por um grupo de elite de guardiões comandado por reis filósofos.)

Em resumo, o *symposion* refletia a natureza humana e tinha tanto bons como maus aspectos. Mas Platão concluía que, desde que certas regras fossem seguidas, o lado bom do *symposion* poderia superar o lado ruim. Na verdade, quando ele organizou sua academia nas cercanias de Atenas, onde ensinou filosofia por cerca de 40 anos e escreveu a maioria de suas obras, o *symposion* forneceu o modelo para seu estilo de ensinar. Segundo anotou um cronista, após cada dia de aulas e debates, ele e seus estudantes comiam e bebiam em conjunto a fim de "desfrutarem da companhia em comum e principalmente se renovarem em debates sobre o que fora estudado". Segundo as orientações de Platão, o vinho era servido em quantidades moderadas, para assegurar que a principal forma de renovação fosse intelectual. Um contemporâneo observou que aqueles que jantavam com Platão se sentiam perfeitamente bem no dia seguinte. Não havia músicos ou dançarinas, porque Platão acreditava que homens instruídos deveriam ser capazes de se entreter perfeitamente somente "falando e ouvindo cada um à sua vez e de maneira organizada". Hoje em dia, o mesmo formato sobrevive como um arcabouço para o intercâmbio acadêmico, na forma de seminários eruditos, ou simpósios, onde os participantes revezam-se para falar e, dentro de limites prescritos, o debate e a argumentação são incentivados.

UMA ÂNFORA DE CULTURA

Tendo em mente as divisões sociais cuidadosamente reguladas, a reputação por uma sofisticação cultural sem paralelos e o incentivo ao hedonismo e à investigação filosófica, o vinho representava a própria cultura grega. Esses valores acompanhavam o vinho grego quando ele era exportado para longe. A distribuição dos jarros – ou ânforas – fornece evidência arqueológica a respeito de sua popularidade generalizada e da influência de longo alcance dos costumes e valores da Grécia. Na altura do século V a.C., o vinho grego já estava sendo exportado para bem longe, como o sul da França, na direção oeste, o Egito, na direção sul, a península da Criméia, para o leste, e a região do Danúbio, na direção norte. Era comercializado numa escala imensa: um simples navio afundado encontrado diante da costa sul da França continha surpreendentemente dez mil ânforas equivalentes a 250 mil litros ou 333 mil garrafas modernas. Assim como espalhavam o vinho pelo mundo, os comerciantes e colonos gregos espalhavam o conhecimento sobre seu cultivo, introduzindo o processo de preparo do vinho na Sicília, sul da Itália, e no sul da França. Só não é claro se a viticultura foi introduzida na Espanha e em Portugal pelos gregos ou pelos fenícios (uma cultura relacionada ao comércio marítimo e baseada numa região correspondente hoje à Síria e ao Líbano).

Um conjunto de túmulos célticos encontrados na França central datado do século VI a.C. continha o corpo de um jovem nobre deitado na estrutura de uma carruagem cujas rodas tinham sido removidas e deixadas ao lado. Entre os bens de valor encontrados no túmulo estava um conjunto completo de recipientes gregos importados, inclusive um enorme *krater* com decoração elaborada. Recipientes semelhantes foram encontrados em outras sepulturas célticas. Grande quantidade de vinho grego e de vasilhames para beber também foi exportada para a Itália, onde os etruscos entusiasticamente abraçaram o hábito do *symposion* com o propósito de demonstrar sua própria sofisticação.

Hábitos gregos tais como beber vinho eram vistos como merecedores de imitação por outras culturas. Assim, os navios que carregavam essa bebida estavam de fato carregando a civilização grega, distribuindo-a pelo Mediterrâneo e para além dele, uma ânfora de cada vez. O vinho tomou o lugar da cerveja, tornando-se a mais civilizada e sofisticada das bebidas – uma posição que vem se mantendo desde então, graças à sua associação com as realizações intelectuais da Grécia antiga.

• A VIDEIRA IMPERIAL •

Termas, vinho e sexo arruínam nossos corpos. Mas de que vale
a vida senão por causa de termas, vinho e sexo?
Corpus Inscriptionis VI, 15.258

ROMA *VERSUS* GRÉCIA

Em meados do século II a.C., os romanos, um povo da Itália central, tinham tomado o lugar dos gregos como o poder dominante na bacia do Mediterrâneo. Contudo, era uma forma estranha de vitória, já que os romanos, como muitos outros povos europeus, gostavam de mostrar como eram sofisticados apropriando-se de aspectos da cultura grega. Tomaram emprestados os deuses e mitos a eles associados, imitaram a arquitetura e adotaram uma forma modificada do alfabeto grego. A Constituição romana foi modelada a partir das bases gregas. Os romanos instruídos estudavam a literatura e falavam a língua grega. Tudo isso levou alguns romanos a argumentar que a suposta vitória de Roma sobre a Grécia era em realidade uma derrota. Quando belas estátuas gregas foram triunfantemente trazidas para Roma, após a pilhagem da colônia grega de Siracusa em 212 a.C., Catão o Velho, um romano mal-humorado que achava que os gregos representavam má influência, observou que "os vencidos nos conquistaram, e não o contrário". Ele tinha alguma razão.

Catão e outros céticos faziam comparações entre o que consideravam a natureza fraca, pouco confiável e permissiva dos gregos e o estilo prático e direto dos romanos. Argumentavam que, embora a cultura grega tivesse tido alguma vez muitas qualidades admiráveis, tinha-se degenerado desde então:

os gregos tinham ficado extasiados por sua história gloriosa e excessivamente apreciadores de jogos de palavras e de intelectualizações. Apesar de todas essas críticas, não se podia negar a dívida dos romanos para com a cultura grega. O resultado paradoxal era que, embora muitos adotassem uma postura cautelosa em tornar-se demasiado parecidos com os gregos, os romanos estenderam a herança intelectual e artística dos gregos para ainda mais longe, à medida que sua esfera de influência expandia-se em torno do Mediterrâneo e para além dele.

O vinho oferecia possibilidade de resolver esse paradoxo, pois seu cultivo e consumo representavam uma maneira de se fazer a ponte entre valores gregos e romanos. Os romanos tinham orgulho de suas origens e se viam como uma nação de fazendeiros despretensiosos que se transformaram em soldados e administradores. Após campanhas bem-sucedidas, os soldados romanos eram freqüentemente premiados com extensões de terra no setor rural. A cultura de mais prestígio para se cuidar eram as vinhas; ao fazer isso, os fazendeiros cavalheiros romanos podiam ficar convencidos de que estavam se mantendo fiéis às suas raízes, mesmo quando desfrutavam de banquetes extravagantes e comemorações com bebidas em grandes casas construídas ao estilo grego.

O próprio Catão concordou que a viticultura representava uma maneira de reconciliar os tradicionais valores romanos de frugalidade e simplicidade com a sofisticação grega. Cultivar vinhas era prático e correto, mas o vinho que resultava era um símbolo da civilização. Para os romanos, o vinho, portanto, incorporava tanto o lugar de onde tinham vindo como aquilo em que haviam se transformado. O poderio militar de uma cultura fundada por agricultores que trabalhavam arduamente era simbolizado pelo distintivo indicador do posto do centurião romano: uma vara cortada de madeira retirada de uma videira nova.

TODAS AS VIDEIRAS LEVAM A ROMA

No início do século II a.C., o vinho grego ainda dominava o comércio de vinhos no Mediterrâneo e era o único produto exportado em quantidades significativas para a península italiana. Mas os romanos estavam se igualando rapidamente, à medida que sua produção espalhava-se para o norte a partir das antigas colônias gregas no sul – a região conhecida pelos gregos como "Enotria" ou "terra das videiras treinadas", que estava sob domínio romano naquela época. A península italiana tornou-se a principal região produtora de vinhos do mundo por volta de 146 a.C., exatamente quando Roma se transformava-se na principal potência mediterrânea com a queda de Cartago, no norte da África, e a pilhagem da cidade grega de Corinto.

Assim como assimilaram e depois disseminaram tantos outros aspectos da cultura grega, os romanos adotaram os vinhos mais finos e as técnicas de preparo da Grécia. As videiras foram transplantadas das ilhas gregas, permitindo por exemplo que o vinho de Quios fosse cultivado na Itália. Os produtores começaram a fazer imitações dos mais populares vinhos gregos, notadamente aquele com sabor de água salgada de Cós, de tal modo que o vinho de Cós tornou-se um estilo em vez de uma marca de origem. Importantes produtores mudaram-se da Grécia para a Itália, o novo centro comercial. Em torno de 70 d.C., o escritor romano Plínio o Velho estimou que havia 80 vinhos notáveis no mundo romano, dois terços dos quais eram cultivados na Itália.

A popularidade do vinho era tal que a agricultura de subsistência não podia atender à demanda, e o ideal do agricultor nobre deu lugar a um enfoque mais comercial, baseado em grandes chácaras operadas por escravos. A produção de vinho expandiu-se à custa da produção de grãos, de modo que Roma teve de importar estes últimos de suas colônias africanas, tornando-se dependente delas. A expansão das chácaras também desalojou a população rural, à medida que pequenos agricultores vendiam suas propriedades e mudavam-se para a cidade. A população de Roma aumentou de cerca de cem mil em 300 a.C. para aproximadamente um milhão no ano do nascimento de Cristo, tornando-se a metrópole mais populosa do mundo. Enquanto isso, com a produção de vinho intensificando-se no coração do mundo romano, o consumo espalhava-se por suas bordas. As pessoas adotavam o hábito de beber vinho, assim como outros costumes romanos, em qualquer lugar por onde o governo de Roma se estendesse – e até além. Bretões ricos deixaram de lado cerveja e hidromel em favor de vinhos importados de lugares longínquos como o mar Egeu; o vinho italiano era embarcado para tão longe como o sul do Nilo e o norte da Índia. No século I d.C., a produção nas províncias romanas do sul da Gália e da Espanha foi acelerada para atender ao ritmo da demanda, muito embora os vinhos italianos ainda fossem considerados os melhores.

O vinho era embarcado de uma parte do Mediterrâneo para outra em navios de carga normalmente capazes de levar entre duas e três mil ânforas de barro, junto com cargas secundárias de escravos, castanhas, artigos de vidro, perfumes e outros itens de luxo. Alguns produtores despachavam seu próprio vinho; foram encontrados navios afundados em que o nome do produtor nas ânforas é igual ao nome na âncora. As ânforas em que o vinho era despachado eram consideradas em geral descartáveis, recipientes sem retorno, e costumavam ser destruídas após servir a seu propósito. Milhares de alças de ânforas com selos indicando lugar de origem, conteúdo e outras informações foram encontrados em montes de entulho em Marselha, Atenas, Alexandria, outros portos mediterrâneos e na própria Roma. A análise desses selos torna possível mapear padrões de comércio e constatar a influência da política romana no negócio do vinho. As alças de ânforas do século II d.C. encontradas em uma montanha de entulho com 50 metros de altura no Graneiro de Galba, um enorme armazém em Roma, eram em sua maioria espanholas, evidenciando um misterioso declínio na produção italiana possivelmente causado por uma praga. No início do século III d.C., os vinhos do norte da África começam a dominar após Septímio Severo subir ao poder em 193 d.C. Os comerciantes da Espanha romana tinham apoiado seu rival, Clódio Albino, e conseqüentemente Septímio Severo incentivou o investimento na região em torno de sua cidade natal, Leptis Magna (atual Trípoli), e favoreceu os vinhos provenientes de lá em detrimento dos espanhóis.

A maior parte do melhor vinho acabava na própria cidade de Roma. Ao chegar ao porto de Óstia, situado alguns quilômetros a sudoeste de Roma, um navio de vinho era descarregado por um enxame de estivadores, hábeis em manipular as pesadas e desajeitadas ânforas cruzando rampas precárias. Mergulhadores ficavam prontos para salvar quaisquer ânforas que caíssem no mar. Uma vez transferido para barcos menores, o vinho continuava sua jornada rio Tibre acima, na direção de Roma. Era então conduzido para dentro das adegas escuras dos armazéns atacadistas e transferido para grandes jarros enterrados no solo a fim de manter o conteúdo fresco. Dali era vendido para varejistas e transportado em ânforas menores pelas estreitas vielas da cidade em carrinhos de mão. Juvenal, um satírico romano do início do século II d.C., transmite a seguinte impressão do tumulto nas ruas de Roma:

> Ficamos bloqueados
> Em nossa pressa por uma massa crescente na nossa frente
> Enquanto a grande multidão
> Pressiona nossas costas atrás,
> Um cotovelo ou uma vareta lhe atinge e
> Uma viga ou jarra de vinho o acerta na cabeça
> Minha perna é cozida na lama que salta de todos os lados
> Sou atropelado por sapatos
> E um soldado fura meu pé
> Com seus sapatos com pregos.

Tendo transitado pelas ruas caóticas, o vinho era vendido em cântaros nas lojas da vizinhança, ou em ânforas quando maiores quantidades eram necessárias. As famílias romanas mandavam escravos com jarros vazios comprar vinho ou combinavam entregas regulares; vendedores levavam suas mercadorias de casa em casa em carrinhos de mão. Assim, o vinho das províncias longínquas do mundo romano chegava às mesas e, como destino final, aos lábios dos cidadãos romanos.

UMA BEBIDA PARA TODOS?

Não é sempre que a escolha de um vinho em vez de outro torna-se uma questão de vida ou morte. Mesmo assim, foi isso que determinou o destino de Marco Antônio, político romano e renomado orador. Em 87 a.C., ele se viu do lado errado de uma das muitas intermináveis lutas de poder. Caio Mário, um general mais velho, tomara o poder e estava caçando impiedosamente os defensores de seu rival, Sula. Marco Antônio procurou refúgio na casa de um conhecido de posição social bem inferior, acreditando que ninguém pensaria em procurá-lo na casa de um homem tão pobre. Seu anfitrião, porém, inadvertidamente o entregou, ao mandar seu criado comprar um vinho digno de um convidado tão ilustre. O criado foi à loja da vizinhança e, após experimentar o que estava sendo oferecido, pediu um vinho muito melhor e muito mais caro do que o normal. Quando o vendedor perguntou por que, o criado revelou a identidade do convidado de seu patrão. O vendedor foi direto a Mário, que despachou um grupo de soldados para matar Marco Antônio. Não obstante, ao entrarem em seu quarto, os soldados resolveram não matá-lo tal era o poder de sua oratória. Finalmente, o oficial comandante que esperava do lado de fora entrou para ver o que estava acontecendo. Chamando os homens de covardes, ele sacou sua espada e decapitou Marco Antônio.

Assim como os gregos antes deles, os romanos consideravam o vinho um artigo universal. Era bebido da mesma forma pelos césares e pelos escravos. Mas os romanos elevaram o grau de conhecimento dos gregos a novas alturas. O anfitrião de Marco Antônio jamais sonharia em lhe servir o vinho de qualidade inferior que ele próprio bebia. O vinho tornou-se um símbolo de diferenciação social, uma marca de riqueza e posição social. A disparidade entre os membros mais pobres e mais ricos da sociedade romana refletia-se nos conteúdos de suas taças. Para os romanos mais abastados, a capacidade de reconhecer e nomear os vinhos mais finos era uma forma importante de consumo conspícuo: mostrava que eram suficientemente ricos para se dar ao luxo de ter os vinhos mais finos e que tinham usado seu tempo aprendendo sobre cada um deles.

O melhor vinho de todos, por concordância universal, era o falerno, um vinho italiano cultivado na região da Campanha. Seu nome tornou-se um sinônimo de luxo e ainda é lembrado hoje em dia. O falerno tinha de ser feito a partir de vinhas cultivadas em regiões estritamente definidas nas encostas do monte Falerno, uma montanha ao sul da cidade de Neápolis (atual Nápoles). O falerno caucino era cultivado nas encostas mais elevadas, e o falerno fausto, considerado o melhor dos melhores, no meio da montanha, na propriedade de Fausto, filho do ditador Sula; o vinho cultivado nas inclinações mais baixas conhecia-se simplesmente como falerno. O melhor falerno era um vinho branco, em geral envelhecido por pelo menos dez anos, e idealmente por muito mais tempo, até que passasse a ter a cor dourada. A área limitada de produção e a moda de vinhos muito envelhecidos faziam com que o falerno fosse extremamente caro, portanto ele naturalmente se tornou o vinho da elite. Dizia-se até mesmo que tinha origens divinas: o errante deus do vinho, Baco (versão romana do deus grego Dioniso), supostamente cobrira o monte Falerno com vinhas como mostra de gratidão a um fazendeiro nobre que, sem saber a identidade do deus, oferecera a ele abrigo durante a noite. A história segue dizendo que Baco também transformou todo o leite da casa do homem em vinho.

De longe, a safra falerna mais famosa foi a de 121 a.C., conhecida como safra do falerno opimiano em homenagem a Opímio, que manteve o posto de cônsul naquele ano. Esse vinho foi tomado por Júlio César durante o século I a.C., e um falerno opimiano de 160 anos foi servido ao imperador Calígula em 39 d.C. Marcial, um poeta romano do século I d.C., descreveu o falerno como "imortal", muito embora a safra do opimiano provavelmente não pudesse mais ser bebida em sua época. Outros vinhos romanos de alto nível eram o cecuba, o sorrentino e o setino, que se tornava popular no verão, misturado com neve trazida das montanhas. Alguns escritores romanos, inclusive Plínio o Velho, denunciaram a moda de bebidas geladas preparadas dessa maneira como mais um exemplo da decadência dos tempos, queixando-se de que não era natural, pois entrava em conflito com as estações. E enquanto os tradicionalistas clamavam por um retorno à frugalidade conservadora romana, outros se preocupavam que a ostentação em despesas com comida e bebida pudesse provocar a ira dos pobres.

Dessa maneira, numerosas "leis sobre despesas supérfluas" foram aprovadas para tentar restringir os gostos de luxo dos cidadãos mais ricos de

Roma. O fato de que tantas leis tenham sido aprovadas demonstra que eram raramente obedecidas ou impostas. Uma lei, aprovada em 161 a.C., especificava o montante que podia ser gasto em comida e entretenimento a cada dia do mês. Leis posteriores introduziram regras especiais para casamentos e funerais, regulamentaram os tipos de carne que podiam ser servidos, ou simplesmente proibiram algumas comidas. Outras regras estipulavam que os homens não usassem roupas de seda, que os vasos de ouro fossem reservados às cerimônias religiosas e que as salas de jantar tinham de ser construídas com janelas abertas para fora de tal modo que funcionários pudessem verificar se as regras estavam sendo quebradas. No tempo de Júlio César, os inspetores algumas vezes visitavam mercados ou apareciam em banquetes para confiscar comidas proibidas, e os cardápios tinham de ser submetidos previamente à análise por parte dos funcionários do Estado.

Enquanto os romanos mais ricos bebiam os melhores vinhos, os cidadãos mais pobres bebiam as safras de qualidade inferior, e assim por diante na pirâmide social. O ajuste da posição social com o vinho era tão preciso que aos bebedores num banquete romano – ou *convivium* – eram servidos vinhos diferenciados, dependendo de suas posições na sociedade. Essa era apenas uma das várias maneiras em que o *convivium* diferenciava-se de seu protótipo grego, o *symposion*. Enquanto o *symposion* era, ao menos em teoria, um fórum no qual os participantes bebiam como iguais em um *krater* partilhado por todos, buscando prazer e talvez esclarecimentos filosóficos, o *convivium* era uma oportunidade para se ressaltarem divisões sociais, e não para deixá-las de lado num atordoamento temporário por conta do álcool.

Assim como os gregos, os romanos bebiam seu vinho da maneira "civilizada", ou seja, misturado com água, a qual era trazida para dentro das cidades por meio de aquedutos elaborados. Cada apreciador, porém, normalmente fazia ele mesmo a mistura de vinho e água, e parece que o uso do *krater* comunitário era raro. A disposição dos assentos era também menos igualitária do que no *symposion*, já que alguns assentos associavam-se a níveis sociais mais elevados do que outros. O *convivium* refletia o sistema de classes de Roma, que era baseado na noção de patrono e clientes. Cidadãos clientes dependiam de patronos que por sua vez dependiam de seus próprios patronos, e cada patrono concedia benefícios (como mesada financeira, conselhos legais e influência política) a clientes em troca de tarefas específicas. Esperava-se que, por exemplo, os clientes acompanhassem seus patronos ao fórum cada manhã. O tamanho de cada séqüito sinalizava o poder do patrono. Se um cliente fosse convidado para um *convivium*, porém, freqüentemente se veria na situação de ser servido com comida e vinho inferiores aos dos outros con-

Apreciadores de vinho numa elaborada festa romana.

vidados, e podia tornar-se o alvo das brincadeiras. Plínio o Moço, escrevendo no final do século I d.C., descreveu um jantar em que o melhor vinho foi servido ao anfitrião e seus amigos, o vinho de segunda classe aos outros convidados, e o vinho de terceira classe aos homens libertados (ex-escravos).

Esses vinhos mais baratos e inferiores costumavam ser adulterados com vários aditivos, fosse para servir como conservantes fosse para esconder o fato de que haviam estragado. O piche, algumas vezes usado para lacrar ânforas, era ocasionalmente acrescentado ao vinho como um conservante, assim como pequenas quantidades de sal ou de água do mar, uma prática herdada dos gregos. Columela, escritor rural romano do século I d.C., alega que esses conservantes podiam ser adicionados ao vinho sem afetar seu gosto se fossem usados cuidadosamente. Podiam até mesmo melhorá-lo. Uma de suas receitas para um vinho branco fermentado com água salgada e feno-grego produzia um vinho picante e com sabor de nozes, bem semelhante ao moderno xerez seco. O *mulsum*, uma mistura de vinho e mel, surgiu como um aperitivo elegante durante o reinado de Tibério, no início do século I, ao passo que o *rosatum* era um vinho semelhante, porém aromatizado com rosas. Contudo, ervas, mel e outros aditivos em geral eram mais acrescentados aos vinhos de qualidade inferior no intuito de esconder suas imperfeições. Alguns romanos chegavam a carregar ervas e outros aromatizantes quando viajavam a fim de melhorar o gosto do mau vinho. Embora os apreciadores modernos possam torcer seus narizes para o uso de aditivos por parte de gregos e romanos, isso não é muito diferente do uso moderno de carvalho como um agente aromatizante destinado com freqüência a tornar mais palatáveis alguns vinhos nada notáveis.

Abaixo desses vinhos adulterados havia a *posca*, uma bebida feita da mistura de água com o vinho que já se tornara azedo e transformara-se numa espécie de vinagre. A *posca* era comumente dada para soldados romanos quando os vinhos melhores não estavam disponíveis, por exemplo, durante longas campanhas militares. Era, de fato, uma forma de tecnologia portátil de purificação da água para o exército romano. Quando um soldado romano ofereceu a Jesus Cristo uma esponja mergulhada em vinagre durante a crucificação, o líquido em questão teria sido a *posca*. Por fim, na base da escala romana de vinhos encontrava-se o *lora*, bebida normalmente servida a escravos que dificilmente seria qualificada como vinho. Molhando-se e espremendo-se as cascas, sementes e caules que sobravam do processo de produção de vinho, dava-se origem a um vinho fino, fraco e amargo. Do legendário falerno até o baixo *lora*, havia vinho para cada degrau da pirâmide social.

VINHO E MEDICINA

Uma das maiores degustações de vinho na história ocorreu por volta de 170 d.C. nas adegas imperiais de Roma. Ali, no centro do mundo conhecido, estava disponível a melhor coleção de vinhos do mundo, reunida por imperadores sucessivos para os quais o custo não era problema. Nessas frescas e úmidas adegas, penetradas por feixes de luz do sol, descia Galeno, médico pessoal do imperador Marco Aurélio, com uma missão única: descobrir o melhor vinho do mundo.

Galeno nasceu em Pergamon (hoje Bérgamo na atual Turquia), uma cidade de língua grega na parte oriental do Império Romano. Ainda jovem, estudou medicina em Alexandria e então viajou para o Egito, onde aprendeu sobre remédios da Índia e da África. Baseando-se nas idéias iniciais de Hipócrates, Galeno acreditava que a doença era o resultado de algum desequilíbrio nos quatro "humores" do corpo: sangue, fleuma, bile amarela e bile negra. Excedentes de humores podiam acumular-se em partes específicas do corpo e eram associados a temperamentos específicos: um acúmulo de bile negra no baço, por exemplo, tornava alguém melancólico, insone e irritável. Os humores podiam ser trazidos de volta ao equilíbrio com o uso de técnicas como a sangria. Alimentos diferentes, considerados quentes ou frios, molhados ou secos, também influenciariam os humores: acreditava-se que comidas frias e molhadas produziam fleuma, e as quentes e secas, a bile amarelada. Esse enfoque sistemático, fomentado pelos escritos volumosos de Galeno, foi altamente influente e serviu como base da medicina ocidental por mais de mil anos. O fato de que era completamente sem sentido só se tornou evidente no século XIX.

O interesse de Galeno pelo vinho era principalmente profissional, embora não totalmente. Como jovem médico, ele tinha tratado de gladiadores usando o vinho para desinfetar suas feridas, prática comum naquela época. Como outros ingredientes na alimentação, o vinho também podia ser usado para regular os humores. Galeno o prescrevia regularmente para o imperador, assim como remédios dele derivados. Dentro do arcabouço da teoria dos humores, o vinho era considerado quente e seco, e portanto estimulava a bile amarela e reduzia a fleuma. Isso significava que ele devia ser evitado por qualquer um que estivesse com febre (uma doença quente e seca), mas podia ser tomado como remédio para um resfriado (doença fria e molhada). Galeno acreditava que quanto melhor o vinho, tanto mais eficaz seria do ponto de vista médico. Aconselhava em seus escritos: "Sempre tente conseguir o melhor." Como estava tratando do imperador, Galeno queria assegurar-se de que prescrevia a melhor safra possível. Assim, acompanhado por um funcionário da adega encarregado de abrir e fechar novamente a ânfora, ele foi diretamente para o falerno.

Galeno escreveu: "Como tudo o que é melhor de todas as partes do mundo descobre o caminho para os grandes homens da Terra, a partir da excelência devem ser escolhidos aqueles que realmente se destacam para o maior de todos os homens. Assim, exercendo meu dever, interpretei as marcas das safras nas ânforas de cada vinho falerno e submeti à minha prova todos os vinhos com mais de 20 anos. Continuei até encontrar um vinho sem nenhum traço de amargor. Um vinho antigo que não perdeu sua doçura é o melhor de todos." Pena que Galeno não tenha registrado o ano da safra do falerno fausto que finalmente considerou o mais adequado para uso médico pelo imperador. Todavia, tendo identificado o melhor, ele insistiu para que Marco Aurélio tomasse apenas aquele, e nenhum outro, para propósitos médicos. Isso incluía o consumo para ajudar a ingerir seu remédio diário, um antídoto universal destinado a proteger o imperador contra doenças em geral e envenenamento em particular.

A noção de tal antídoto tinha sido iniciada no século I a.C. por Mitridates, rei de Ponto, região onde hoje localiza-se o norte da Turquia. Ele conduziu uma série de experimentos em que dezenas de prisioneiros recebiam venenos mortais variados, a fim de determinar os antídotos mais eficientes em cada caso. No final das contas, decidiu-se por uma mistura de 41 ingredientes para compor o antídoto a ser tomado diariamente. A mistura tinha um gosto repugnante (um dos ingredientes era carne de víbora em cubos), mas significava que Mitridates não precisava mais se preocupar com o risco de ser envenenado. Ele acabou sendo derrubado por seu filho. Segundo relatos, o rei – isolado numa torre – tentou se matar, mas ironicamente descobriu que nenhum veneno fazia efeito. No final das contas, ele pediu que um dos guardas o esfaqueasse até a morte.

Galeno ampliou a receita de Mitridates consideravelmente. Sua receita para teriaga – um antídoto universal contra venenos e um remédio do tipo que cura tudo – continha 71 ingredientes, incluindo lagartos triturados, suco de papoula, condimentos, incenso, bagas de junípero, gengibre, sementes de cicuta, erva-doce, sementes de anis e alcaçuz. É difícil imaginar que Marco Aurélio fosse capaz de apreciar o gosto do vinho falerno depois de engolir uma mistura assim, mas ele fazia como o seu eminente médico lhe dizia e botava goela abaixo o remédio junto com o melhor vinho do mundo.

POR QUE OS CRISTÃOS TOMAM VINHO E OS MUÇULMANOS NÃO?

Marco Aurélio morreu no ano de 180 d.C. não de envenenamento, mas em decorrência de uma doença. Em sua última semana de vida, consumia apenas a teriaga e o vinho falerno. O final de seu reinado, um período de relativa paz, estabilidade e prosperidade, é freqüentemente considerado o marco do final da idade dourada de Roma. A partir daí, seguiu-se uma sucessão de imperadores de vida curta que se esforçaram para defender o Império do ataque de bárbaros de todos os lados, sendo que praticamente nenhum deles morreu de causas naturais. Em seu leito de morte no ano de 395 d.C., o imperador Teodósio I dividiu o Império em uma metade ocidental e uma oriental, cada uma delas a ser governada por um de seus filhos, numa tentativa de facilitar a defesa. Mas o Império ocidental logo sucumbiu: os visigodos, uma tribo germânica, saquearam Roma em 410 d.C. e estabeleceram um reino cobrindo a maior parte da Espanha e o oeste da Gália. Roma foi pilhada de novo em 455 d.C. pelos vândalos, e em pouco tempo o Império ocidental foi sendo retalhado numa multiplicidade de reinos separados.

De acordo com os preconceitos seculares gregos e romanos, o influxo das tribos do norte deveria ter substituído a cultura civilizada apreciadora de vinhos em benefício do barbarismo consumidor de cerveja. Contudo, a despeito de sua reputação como amantes vulgares da cerveja, as tribos do norte da Europa – onde o clima era menos adequado para a viticultura – não tinham nada contra o vinho. É verdade que muitos aspectos da vida romana foram abolidos, o comércio foi desintegrado e a disponibilidade do vinho em algumas regiões diminuiu – à medida que o Império desmoronava, parece que os bretões romanizados deixaram o vinho e voltaram para a cerveja. Mas houve também fusão cultural entre as tradições romanas, cristãs e germânicas, à medida que os novos governantes substituíam os romanos. Um exemplo de continuidade foi justamente a sobrevivência generalizada da cultura mediterrânea apreciadora de vinhos, que estava suficientemente enraizada a ponto de sobreviver a essa transição de seus antepassados gregos e romanos. O código legal dos visigodos, por exemplo, elaborado entre os séculos V e VI d.C., especificava punições detalhadas para qualquer um que danificasse um vinhedo – o que dificilmente se poderia esperar de bárbaros.

Outro fator para manter a cultura apreciadora de vinhos era a sua forte associação com o Cristianismo, cuja ascensão durante o primeiro milênio elevou o vinho à posição máxima de significação simbólica. Segundo a Bíblia, o primeiro milagre de Cristo, bem no começo de sua missão, foi transformar seis jarros de água em vinho num casamento perto do mar da Galiléia. Cristo contou várias parábolas sobre o vinho e com freqüência comparava-se a uma videira, dizendo a seus seguidores: “Sou a videira, vocês são os galhos.” A oferenda feita por Cristo a seus discípulos na Última Ceia conduziu o vinho a seu papel na eucaristia, o principal ritual cristão, em que o pão e o vinho simbolizam respectivamente o corpo e o sangue de Cristo. Isso foi, de várias maneiras, uma continuação da tradição estabelecida pelos participantes dos cultos a Dioniso e a sua encarnação romana, Baco. Os deuses do vinho da Grécia e de Roma, assim como Cristo, eram associados a milagres relativos à produção dessa bebida e à ressurreição após a morte. Como os cristãos, seus adoradores consideravam o ato de beber vinho uma forma sagrada de comunhão. Não obstante, há diferenças marcantes. O ritual cristão não se parece em nada com seu equivalente dionisíaco: o primeiro envolve porções bem reduzidas de vinho, ao passo que o outro requer grandes quantidades, que sejam consumidas em excesso.

Tem-se sugerido que a necessidade de vinho para a comunhão por parte da tradição cristã exerceu um papel importante, mantendo a produção de vinho durante a era sombria que se seguiu à queda de Roma. Todavia, isso é um exagero, apesar dos laços estreitos entre o vinho e o Cristianismo. A quantidade de bebida necessária para a eucaristia era mínima; por volta do ano 1100 era cada vez mais comum a situação em que somente o padre celebrante bebia do cálice, enquanto a congregação recebia apenas o pão. A maior parte do vinho produzido por vinhedos de terras da Igreja ou nas proximidades de mosteiros era para o consumo diário daqueles que faziam parte das ordens religiosas. Monges beneditinos, por exemplo, recebiam uma provisão diária de cerca de meio litro. Em alguns casos, a venda do vinho feito nas terras da Igreja era uma fonte valiosa de renda.

Embora a cultura do vinho tenha permanecido razoavelmente intacta na Europa cristã, os padrões de bebida transformaram-se dramaticamente em outras partes do antigo mundo romano, como conseqüência do crescimento do Islã. Seu fundador, o profeta Maomé, nasceu em torno de 570 d.C. Ao 40 anos, sentiu-se convocado para tornar-se profeta, tendo uma série de visões durante as quais o Corão lhe foi revelado por Alá. Os novos ensinamentos de Maomé tornaram-no malquisto em Meca, uma cidade cuja prosperidade dependia da tradicional religião árabe, portanto ele fugiu para Medina, onde seu grupo de seguidores veio a crescer. Na época da morte de Maomé, em 632 d.C., o Islã tinha se tornado o credo dominante na maior parte da Arábia. Um século mais tarde, seus partidários tinham conquistado toda a Pérsia, a Mesopotâmia, a Palestina, a Síria, o Egito e o restante da costa norte da África, e a maior parte da Espanha. Os deveres dos muçulmanos incluíam reza freqüente, caridade e abstenção de bebidas alcoólicas.

A tradição indica que a proibição do álcool feita por Maomé seguiu-se a uma briga entre dois de seus discípulos durante uma festa com bebidas. Quando o profeta procurou orientação divina a respeito de como evitar tais incidentes, a resposta de Alá foi inflexível: "O vinho e os jogos de azar ... são coisas abomináveis inventadas por Satã. Evite-os a fim de que você possa prosperar. Satã busca provocar inimizade e ódio entre vocês, por intermédio do vinho e dos jogos, para mantê-los longe da lembrança de Alá e de suas orações. Você não vai se abster deles?" A punição para qualquer um que quebrasse essa regra era devidamente fixada em 40 chicotadas. Parece provável, porém, que o banimento muçulmano do álcool tenha também resultado de forças culturais mais amplas. Com o crescimento do Islã, o poder transferiu-se dos povos da costa mediterrânea para as tribos do deserto da Arábia. Estas tribos expressavam sua superioridade sobre as elites anteriores substituindo veículos com rodas por camelos, cadeiras e mesas por almofadas, e banindo o consumo de vinho, o símbolo mais potente de sofisticação. Ao fazer isso, os muçulmanos manifestaram sua rejeição das antigas noções de civilização. O papel central do vinho no credo rival, o Cristianismo, também os predispôs contra a bebida – até mesmo seu uso médico foi banido. Após muita argumentação, a proibição também foi estendida a outras bebidas alcoólicas. E, à medida que o Islã se espalhava, o mesmo acontecia com a proibição de álcool.

O banimento do álcool, porém, foi imposto de modo mais rigoroso em alguns lugares do que em outros. O vinho foi celebrado no trabalho de Abu Nouwas e de outros poetas árabes, e a produção continuou na Espanha e em Portugal, por exemplo, muito embora fosse tecnicamente ilegal. E o fato de que se dizia que o próprio Maomé tinha desfrutado de um vinho de tâmaras levemente fermentado levou alguns muçulmanos espanhóis a argumentar que sua objeção não era tanto assim com relação ao próprio vinho, e sim com respeito ao consumo em excesso. Apenas o vinho feito de uvas tinha sido explicitamente banido, presumivelmente por causa de seu teor; logo, o vinho de uvas poderia ser permitido, desde que fosse diluído de tal modo que seu teor não excedesse o do vinho de tâmaras. Essa capacidade interpretativa exagerada era controversa, mas acabou oferecendo certa tolerância. Na verdade, parece que festas com vinhos semelhantes aos simpósios gregos foram populares em algumas partes do mundo muçulmano. Afinal de contas, a mistura do vinho com a água reduzia consideravelmente sua intensidade e parecia adequar-se à visão do paraíso de Maomé: um jardim em que os corretos "irão beber o vinho puro temperado com a água de Tasnim, uma nascente na qual os favorecidos irão se refrescar".

O avanço do Islã na Europa foi impedido em 732 d.C. com a batalha de Tours, na França central, onde as tropas árabes foram derrotadas por Charles Martel, o mais carismático dos príncipes do reino frâncico, que basicamente corresponde à França moderna. Essa batalha, um dos momentos decisivos da história mundial, registrou o ponto culminante da influência árabe na Europa. A subseqüente coroação do neto de Martel, Carlos Magno, como imperador sagrado romano em 800 d.C. anunciou o começo de um período de consolidação e depois de renascimento da cultura européia.

O REI DAS BEBIDAS

"O infortúnio sou eu!", escreveu Alcuin, um acadêmico que era um dos assessores de Carlos Magno, para um amigo durante uma visita à Inglaterra no início do século IX d.C. "O vinho desapareceu de nossos odres, e a cerveja amarga fica enraivecida em nossas barrigas. E como nós não o temos, beba em nosso nome e tenha um dia agradável." O lamento de Alcuin mostra que o vinho estava escasso na Inglaterra, assim como em outros locais no norte da Europa. Naqueles lugares onde o vinho não podia ser produzido localmente e tinha de ser importado, a cerveja e o hidromel (e mais uma bebida híbrida para a qual os grãos de cereais eram fermentados com mel) predominavam. A distinção entre a cerveja no norte da Europa e o vinho no sul persiste até os dias de hoje. Os padrões modernos europeus de bebida cristalizaram-se durante meados do primeiro milênio e foram basicamente determinados pelo alcance da influência dos gregos e romanos.

O ato de beber vinho, normalmente com moderação e acompanhando as refeições, ainda predomina no sul da Europa, dentro das antigas fronteiras do Império Romano. Ao norte, além do alcance do domínio romano, tomar cerveja, tipicamente sem o acompanhamento de comida, é mais comum. Atualmente, os principais produtores de vinho no mundo são França, Itália e Espanha, e os povos de Luxemburgo, da França e da Itália são seus principais consumidores, bebendo uma média de cerca de 55 litros por pessoa por ano. Os países onde a cerveja é mais consumida, ao contrário, seriam em sua maioria considerados território bárbaro pelos romanos: Alemanha, Áustria, Bélgica, Dinamarca, República Tcheca, Grã-Bretanha e Irlanda.

As atitudes dos gregos e romanos para com o vinho, elas mesmas baseadas nas tradições anteriores do Oriente Próximo, também sobreviveram de muitas maneiras e espalharam-se por todo o mundo. Em quaisquer lugares onde se bebe álcool, o vinho é sempre visto como a mais civilizada e a mais culta das bebidas. Nesses países, o vinho, e não a cerveja, é servido em banquetes governamentais e reuniões políticas – um exemplo da duradoura associação do vinho com status, poder e riqueza.

O vinho também oferece maior espaço para a diferenciação social e para o conhecimento específico. A apreciação dos vinhos de diferentes lugares começou com os gregos, mas o vínculo entre o tipo de vinho e a posição social de quem o toma foi fortalecido pelos romanos. O *symposion* e o *convivium* sobrevivem no jantar urbano moderno, em que o vinho alimenta um debate quase ritual de certos tópicos (política, negócios, avanço profissional, preços de imóveis), numa atmosfera ligeiramente formal com regras específicas sobre a ordem em que os alimentos são consumidos, a colocação dos talheres e assim por diante. O anfitrião é responsável pela escolha do vinho, e espera-se que sua seleção reflita a importância da ocasião e a posição social tanto do anfitrião como dos convidados. Um antigo romano viajando no tempo em direção ao futuro reconheceria essa cena imediatamente.

• DESTILADOS •

NO PERÍODO COLONIAL

• ALTAS BEBIDAS, ALTOS-MARES •

Pode-se destilar vinho em banho-maria
e vai resultar em algo como água-de-rosas na cor.
Abu Yusuf Yaqub ibn Ishaq al-Sabbah al-Kindi, cientista e filósofo árabe (c. 801-873 d.C.) em O livro da química do perfume e das destilações

UM PRESENTE DOS ÁRABES

Ao final do primeiro milênio após o nascimento de Cristo, a maior e mais culta cidade da Europa ocidental não era Roma, Bizâncio ou Londres. Era Córdoba, a capital da Andaluzia árabe, localizada no que atualmente corresponde ao sul da Espanha. Havia parques, palácios, estradas pavimentadas, lamparinas a óleo para iluminar as ruas, 700 mesquitas, 300 banhos públicos ou termas e sistemas extensos de drenagem e esgoto. Talvez o mais impressionante de tudo fosse a biblioteca pública completada por volta de 970 d.C., contendo aproximadamente meio milhão de livros – mais livros do que qualquer outra biblioteca européia ou de fato do que na maioria dos países europeus. E era apenas a maior das 70 bibliotecas da cidade. Não surpreende que Hroswitha, um cronista alemão do século X d.C., tenha descrito Córdoba como "a jóia do mundo".

Córdoba era apenas um dos grandes centros de conhecimento dentro do mundo árabe, um vasto domínio que se estendia, no seu apogeu, dos Pireneus na França até as montanhas Pamir na Ásia central, e na direção sul para tão longe quanto o vale do Indo, na Índia. Num momento em que a sabedoria dos gregos perdera-se na maior parte da Europa, os acadêmicos árabes em Córdoba, Damasco e Bagdá baseavam-se no conhecimento adquirido em fontes gregas, indianas e persas para fazer avanços adicionais em campos como astronomia, matemática, medicina e filosofia. Desenvolveram o astrolábio, a álgebra e o moderno sistema numérico, foram pioneiros no uso de ervas como anestésicos e inventaram novas técnicas de navegação apoiadas na bússola magnética (introduzida pela China), na trigonometria e em cartas náuticas. Entre suas muitas realizações, eles também refinaram e popularizaram uma técnica que deu origem a uma nova categoria de bebidas: a destilação.

Esse processo, que envolve vaporizar e depois condensar de novo um líquido a fim de separar e purificar suas partes constituintes, tem origens antigas. Um equipamento de destilação simples foi encontrado ao norte da Mesopotâmia por volta do quarto milênio a.C. A se julgar por inscrições posteriores em escrita cuneiforme, era usado para fazer perfumes. Os gregos e os romanos também possuíam familiaridade com a técnica. Aristóteles, por exemplo, notou que o vapor condensado pela fervura da água salgada não era salgado. Mas somente depois, começando no mundo árabe, a destilação foi rotineiramente aplicada ao vinho, notadamente pelo acadêmico árabe Jabir ibn Hayyan, do século VIII d.C., o qual é lembrado como um dos pais da química. Ele inventou uma forma aprimorada para o aparato da destilação – ou alambique – com o qual ele e outros alquimistas árabes destilaram vinho e outras substâncias para uso em seus experimentos.

A destilação do vinho faz com que este fique muito mais forte, porque o ponto de fervura do álcool (78°C) é mais baixo do que o da água (100°C). Quando o vinho é aquecido lentamente, o vapor começa a subir de sua superfície muito antes de o líquido começar a ferver. Devido a esse ponto mais baixo de fervura, o vapor contém proporcionalmente mais álcool e menos água do que o líquido original. Ao se decantar e condensar, torna-se um líquido de teor alcoólico bem mais alto do que o vinho, embora esteja longe de ser puro álcool, já que certa quantidade de água e outras impurezas evaporam mesmo a temperaturas abaixo de 100°C. Porém, o conteúdo de álcool pode ser aumentado pela redestilação repetida, que é também conhecida como purificação.

O conhecimento da destilação foi um dos muitos aspectos da sabedoria antiga preservado e aprimorado por acadêmicos árabes e, tendo sido traduzido do arábico para o latim, ajudou a reacender o espírito do conhecimento na Europa ocidental. A palavra *alambique*, que se refere a um tipo de destilaria, resume bem esta combinação do conhecimento antigo com a inovação árabe. É derivada do arábico *al-ambiq*, que por sua vez descende da palavra grega *ambix*, referente ao vaso especialmente modelado para ser usado na destilação. De modo semelhante, a palavra moderna *álcool* ilumina as origens das bebidas destiladas nos laboratórios dos alquimistas árabes. Ela é descendente de *al-koh'l*, nome dado ao pó preto do antimônio purificado usado como cosmético para pintar ou colorir as pálpebras. O termo era empregado com mais generalidade pelos alquimistas para se referir a outras substâncias altamente purificadas, inclusive líquidas, de tal modo que o vinho destilado mais tarde veio a ser conhecido em inglês como "álcool do vinho".

Equipamento de destilação num laboratório medieval. A produção de destilados começou como uma obscura técnica de alquimia, conhecida apenas por alguns poucos interessados.

A partir dessas obscuras origens em laboratórios de alquimistas, as novas bebidas possibilitadas pela destilação tornaram-se dominantes durante a era das explorações, quando os exploradores europeus estabeleceram colônias e depois impérios pelo mundo inteiro. Os destilados representaram uma forma compacta e durável de álcool para transporte a bordo de navios e encontraram uma série de outros usos. Essas bebidas transformaram-se em mercadorias de tal importância econômica que sua taxação e seu controle tornaram-se assuntos de grande relevância política e ajudaram a determinar o curso da história. Os acadêmicos abstêmios da Arábia, que destilaram o vinho em primeiro lugar, encaravam o resultado como ingredientes de alquimia ou remédio, e jamais como uma bebida cotidiana. Foi apenas quando o conhecimento da destilação espalhou-se pela Europa cristã que as bebidas destiladas passaram a ser mais amplamente consumidas.

CURA MILAGROSA?

Numa noite de inverno de 1386, os médicos da realeza foram convocados ao quarto de dormir de Carlos II de Navarro, governante de um pequeno reino localizado na região que atualmente corresponde ao norte da Espanha. O rei era conhecido como "Carlos o Mau", apelido que ganhou no início de seu reinado quando suprimiu uma revolta com crueldade e ferocidade exageradas. Seu passatempo favorito era tramar contra seu sogro, o rei da França. Naquela noite, após uma orgia, Carlos foi acometido por febre e paralisia. Seus médicos decidiram administrar um remédio com reputação de ter poderes milagrosos de cura, feito por um processo quase mágico: a destilação do vinho.

Um dos primeiros europeus a fazer experiências com esse desconhecido processo fora o alquimista italiano do século XII Michael Salerno, que tomou conhecimento dele em textos árabes e registrou: "Uma mistura de vinho puro e bem forte, com três partes de sal, destilado no recipiente comum, produz um líquido que irá inflamar-se quando for incendiado." Evidentemente, esse processo só era conhecido por algumas poucas pessoas interessadas na época, sendo que Salerno escreveu várias das palavras-chave dessa frase (incluindo *vinho* e *sal*) num código secreto. Como o vinho destilado podia ser incendiado, era chamado *aqua ardens*, "água ardente".

Naturalmente, a palavra "ardente" também descrevia a sensação desagradável produzida na garganta depois que se engolia o vinho destilado. Mesmo assim, aqueles que tentaram tomar pequenas quantidades de *aqua ardens* descobriram que o desconforto inicial – algumas vezes disfarçado pelo uso de ervas – era mais do que compensado pela sensação de animação e bem-estar que logo sobrevinha. O vinho era amplamente usado como remédio, portanto parecia realmente lógico que, concentrado e purificado, deveria ter poderes de cura ainda maiores. Ao final do século XIII, quando as universidades e escolas de medicina floresciam por toda a Europa, o vinho destilado era aclamado em tratados de medicina em latim como um novo remédio milagroso – *aqua vitae* ou "água da vida".

Um dos que mais acreditavam no poder terapêutico do vinho destilado era Arnaldo de Villanova, professor da escola francesa de medicina em Montpellier, que produziu instruções para se destilar vinho por volta de 1300. Ele escreveu: "A verdadeira água da vida irá juntar-se em pingos preciosos, os quais, sendo purificados por três ou quatro sucessivas destilações, irão proporcionar a maravilhosa quintessência do vinho. Nós chamamos isso de *aqua vitae*, e esse nome é notavelmente adequado, pois é realmente uma água da imortalidade. Prolonga a vida, elimina o mau humor, renova o coração e mantém a juventude."

A *aqua vitae* parecia sobrenatural, e de certa maneira o era, pois o vinho destilado tem um componente de álcool muito mais elevado do que qualquer bebida que possa ser produzida pela fermentação natural. Mesmo as leveduras mais resistentes não toleram teor de álcool superior a 15%, o que determina um limite natural para a força das bebidas fermentadas. A destilação permitiu aos alquimistas ultrapassar esse limite, que prevalecera desde a descoberta da fermentação milhares de anos antes. O pupilo de Arnaldo, Raymond Lully, declarou o seguinte sobre a *aqua vitae*: "É um elemento recém-revelado ao homem, mas escondido desde a Antigüidade, porque a raça humana estava ainda muito jovem para precisar desta bebida, que é destinada a renovar as energias da decrepitude moderna." Os dois homens viveram por mais de 70 anos, idade avançada bastante incomum para aquela época, o que pode ter sido considerado uma evidência do poder da *aqua vitae* de prolongar a duração da vida.

Esse novo remédio maravilhoso podia ser administrado como uma bebida ou ter uma aplicação externa na parte afetada do corpo. Os defensores da *aqua vitae* acreditavam que ela poderia preservar a juventude, melhorar a memória, tratar doenças do cérebro, nervos e articulações, renovar o coração, abrandar a dor de dente, curar cegueira, defeitos de fala e paralisia, e até proteger contra a praga. Era, em suma, vista como uma panacéia, e foi por isso que os médicos de Carlos o Mau decidiram administrá-la a seu paciente. Trabalhando à luz de velas, os médicos envolveram o rei em lençóis ensopados com *aqua vitae*, na esperança de que o contato com o fluido mágico curasse sua paralisia. Mas o tratamento foi um completo desastre: os lençóis foram acidentalmente incendiados por um criado descuidado com a vela, e o rei instantaneamente pegou fogo. Conta-se que seus súditos viram essa inflamável e agonizante morte como um julgamento divino, pois um dos últimos atos do rei tinha sido mandar aumentar consideravelmente os impostos.

Durante o século XV, a *aqua vitae* começou a passar de bebida medicinal para algo recreativo, à medida que o conhecimento da destilação espalhava-se. Esse processo foi ajudado por uma nova invenção, a imprensa, desenvolvida por Johannes Gutenberg durante a década de 1430. (Era nova pelo menos para os europeus, embora a mesma idéia tivesse ocorrido aos chineses alguns séculos antes.) O primeiro livro impresso sobre a destilação foi escrito por Michael Puff von Schrick, um médico austríaco, e publicado em Augsburg em 1478. Tornou-se tão popular que, por volta de 1500, 14 edições do livro já tinham aparecido. Entre as alegações feitas por Von Schrick, constava que quem bebesse metade de uma colher de *aqua vitae* a cada manhã poderia evitar doenças, e que um pouco desse líquido derramado na boca de uma pessoa à beira da morte lhe daria a força para falar por uma última vez.

No entanto, para muitas pessoas, o apelo da *aqua vitae* veio não pelos seus supostos benefícios médicos, mas por seu poder de embriagar rápida e facilmente. As bebidas destiladas mostraram-se particularmente populares nos climas mais frios do norte da Europa, onde o vinho era escasso e caro. Ao se destilar a cerveja, era possível pela primeira vez fazer bebidas alcoólicas poderosas com ingredientes locais. A expressão gaélica para *aqua vitae* – *uisge beatha* – é a origem da palavra moderna *uísque*. Essa nova bebida rapidamente tornou-se parte do estilo de vida irlandês. Um cronista registrou, em 1405, que Richard MacRaghnaill, filho de um líder irlandês, morreu "depois de beber água da vida em excesso – e foi água da morte para Richard".

Em outros lugares na Europa, a *aqua vitae* era chamada de "*burnt wine*" ("vinho queimado"), traduzido em alemão como *Branntwein* e em inglês como *brandywine* ou simplesmente *brandy*. As pessoas começaram a destilar vinho em suas próprias casas e a colocá-lo à venda em dias de festa, uma prática que se espalhou e se tornou suficientemente preocupante a ponto de ser explicitamente banida na cidade alemã de Nuremberg em 1496. Um médico local observou: "Tendo em vista o fato de que todo mundo no momento adquiriu o hábito de beber *aqua vitae*, é necessário lembrar-se da quantidade que cada homem pode se permitir beber – e aprender a beber de acordo com sua capacidade – se deseja comportar-se como um cavalheiro."

DESTILADOS, AÇÚCAR E ESCRAVOS

O surgimento dessas novas bebidas destiladas ocorreu exatamente quando os exploradores europeus estavam começando a abrir os caminhos marítimos do mundo, fazendo a travessia pelo extremo sul da África na direção oriental e atravessando o Atlântico para estabelecer os primeiros contatos com o Novo Mundo na direção ocidental. O processo começou com a exploração, pelos navegadores portugueses, da costa ocidental da África e a descoberta e colonização das ilhas atlânticas mais próximas – os primeiros passos fundamentais no caminho para as Américas. Essas expedições foram organizadas e financiadas pelo príncipe Henrique de Portugal, também conhecido como Henrique o Navegador. A despeito de seu nome, o príncipe Henrique permaneceu em Portugal pela maior parte de sua vida. Ele viajou para o exterior apenas três vezes – e mesmo assim somente até o norte da África –, em três excursões militares que, respectivamente, fizeram, destruíram e restauraram sua reputação como comandante. Mas de sua base em Sagres ele organizou um ambicioso programa de exploração naval para os portugueses. O príncipe Henrique financiava expedições e verificava os relatórios, observações e mapas resultantes. Também incentivava seus capitães a adotar os avanços da navegação tais como a bússola magnética, a trigonometria e o astrolábio, invenções que tinham sido introduzidas pelos árabes na Europa ocidental, assim como a destilação. A principal motivação para os portugueses, espanhóis e outros exploradores da época era encontrar um caminho alternativo para se chegar às Índias Orientais, a fim de driblar o monopólio árabe no comércio das especiarias. Ironicamente, seu sucesso ao final foi devido em parte ao uso da tecnologia fornecida pelos árabes.

As ilhas atlânticas – Madeira, Açores e Canárias – demonstraram ser locais ideais para se produzir açúcar, outra introdução árabe. Mas o cultivo da cana-de-açúcar exigia grandes quantidades de água e de mão-de-obra. Os árabes tinham reunido um conjunto de técnicas de irrigação e de mecanismos poupadores de trabalho durante a expansão para o Ocidente, incluindo o parafuso hidráulico, a inovação persa dos aquedutos abaixo da superfície e os engenhos movidos a água para processar a cana. Mesmo assim, a produção era dependente de escravos, em sua maioria trazidos da África oriental. Os europeus tomaram muitas das plantações árabes durante as guerras religiosas das Cruzadas, mas não tinham experiência para cultivar a cana-de-açúcar e precisavam de ainda mais mão-de-obra para manter a produção. Durante a década de 1440, os portugueses começaram a embarcar escravos negros de seus postos comerciais na costa ocidental da África. Inicialmente, esses escravos eram raptados, mas logo os portugueses acertaram com negociantes africanos sua troca por mercadorias européias.

A escravidão em massa era algo que não se via na Europa desde os tempos romanos, em parte por razões religiosas, pois a doutrina proibia a escravização de um cristão por outro. Essas objeções teológicas foram negligenciadas ou evitadas, usando-se um bom número de argumentos duvidosos. Primeiramente, sugeriu-se que, ao comprar escravos e convertê-los ao cristianismo, os europeus os estavam resgatando da doutrina falsa do Islã. Depois surgiu outro argumento: os negros africanos, segundo alguns teólogos, não se qualificavam inteiramente como seres humanos – conseqüentemente, não podiam se tornar cristãos, e portanto podiam ser escravizados. Eram, segundo outra teoria, "crianças camíticas" (descendentes de Cam, filho de Noé), e assim sua escravização era sancionada pela Bíblia. Essa lógica insidiosa não foi amplamente aceita, pelo menos no início. Mas a distância das ilhas atlânticas fez com que o uso de trabalho escravo pudesse ser mantido convenientemente disfarçado. Por volta de 1500, sua introdução tinha transformado a ilha da Madeira no maior exportador de açúcar do mundo, com vários engenhos e dois mil escravos.

O uso de escravos na produção de açúcar expandiu-se dramaticamente após a descoberta do Novo Mundo por Cristóvão Colombo em 1492. Ele estava procurando uma passagem ocidental para as Índias Orientais, mas em vez disso descobriu as ilhas do Caribe. Não havia ouro, especiarias ou seda para levar de volta aos seus patrões da realeza na Espanha, mas Colombo declarou confiantemente que as ilhas eram ideais para se cultivar o açúcar, uma atividade que ele conhecia bem. Em sua segunda viagem para o Novo Mundo em 1493, ele levou cana-de-açúcar das ilhas Canárias. Logo a produção estava em andamento nas ilhas espanholas do Caribe e no continente sul-americano sob o comando dos portugueses, onde atualmente localiza-se o Brasil. Tentativas de se escravizar a população indígena falharam porque os índios inexoravelmente sucumbiam às doenças do Velho Mundo. Assim, os colonos começaram a importar escravos diretamente da África. Ao longo de quatro séculos, cerca de 11 milhões de escravos foram transportados da África para o Novo Mundo, embora esse número subestime a escala completa do sofrimento, já que pelo menos a metade daqueles capturados no interior da África morreu a caminho da costa. As bebidas destiladas exerceram um papel central nesse comércio maldito, que se intensificou quando os britânicos, os franceses e os holandeses estabeleceram plantações de açúcar no Caribe durante o século XVII.

Os traficantes africanos que supriam os europeus com escravos aceitavam uma lista de produtos em troca, incluindo têxteis, conchas, vasos de metal, jarras e placas de cobre. Mas de longe os produtos mais solicitados eram as fortes bebidas alcoólicas. Os africanos de diferentes regiões já tomavam bebidas alcoólicas como vinho de palmas, hidromel e vários tipos de cerveja, todos os quais já existiam na Antigüidade. Mas o álcool importado da Europa era, nas palavras de um comerciante, "procurado em todos os lugares", até mesmo nas partes muçulmanas da África. Nos primórdios do comércio de escravos, quando este era dominado por Portugal, os traficantes africanos adquiriram um certo gosto pelos vinhos portugueses fortes. Em 1510, o viajante português Valentim Fernandes escreveu sobre os Wolof, um povo da região do Senegal: "São beberrões que têm grande prazer com o nosso vinho."

O vinho era uma forma conveniente de moeda, mas os comerciantes europeus de escravos rapidamente perceberam que o conhaque era melhor ainda. Permitia que mais álcool fosse comprimido num menor espaço dentro do casco de um navio, e o teor mais elevado de álcool agia como um conservante, fazendo-o menos estragável do que o vinho durante a travessia. Os africanos valorizavam bebidas destiladas porque eram bem mais concentradas, ou mais "quentes", do que seus próprios vinhos de palmas e cervejas à base de grãos. Beber álcool importado tornou-se uma marca de distinção para os traficantes africanos. Os têxteis eram com freqüência os mais valiosos componentes do pacote de mercadorias trocadas por escravos, mas o álcool, particularmente o conhaque, era o item de maior prestígio.

Logo tornou-se um hábito para os europeus apresentar grandes quantidades de álcool – conhecidas como *dashee* ou *bizy* – como um presente antes de começar transações com os negociantes africanos. Europeus e africanos conversavam numa língua *pidgin* derivada do português, da qual um comerciante francês transcreveu muitos exemplos, tais como *qua qua* (linho) e *singo me miombo* (dê-me algum líquido alcoólico forte). De acordo com John Atkins, um cirurgião naval britânico que fez a crônica do comércio de escravos, o traficante africano "nunca se interessa em negociar com lábios secos". William Bosman, um comerciante holandês, recomendava que os capitães dos navios negreiros presenteassem diariamente com conhaque os líderes locais e os principais comerciantes. Ele alertou, por exemplo, que os africanos de Whydah não fariam nenhum negócio a não ser que fossem antes presenteados com *dashee* suficiente. E escreveu: "Aquele que pretende fazer comércio aqui precisa trazer mimos para eles."

O conhaque azeitava as rodas do comércio de escravos de outras maneiras também. Segundo um relato, os canoeiros que transportavam mercadorias de e para navios europeus recebiam uma garrafa de conhaque por dia em garantia e mais duas a quatro garrafas extras nos dias em que trabalhavam, além de uma garrafa de bônus aos domingos. Os guardas que acompanhavam os escravos das áreas cercadas na costa até a margem da praia também eram pagos em conhaque. As conexões entre destilados, escravos e açúcar foram ainda mais fortalecidas depois da invenção de uma nova bebida poderosa, feita a partir dos resíduos do processo de produção de açúcar. Essa bebida era o rum.

A PRIMEIRA BEBIDA GLOBALIZADA

Num dia de setembro de 1647, um inglês chamado Richard Ligon teve sua primeira visão da ilha caribenha de Barbados do convés do navio *Achilles*. Num relato de sua viagem, escreveu: "Estando agora com esta ilha feliz bem à vista, quanto mais perto chegávamos, mais bonita ela aparecia aos nossos olhos." As aparências, porém, se mostraram enganadoras, pois, quando Ligon e seus companheiros de viagem desembarcaram, descobriram que Barbados estava em meio a uma epidemia de alguma praga. Isso perturbou os planos dos viajantes de tal modo que, embora pretendesse ficar só por alguns dias, Ligon acabou permanecendo na ilha por três anos. Durante sua estada, compilou um relato detalhado das várias plantas e animais do lugar, dos hábitos de seu povo e do funcionamento das plantações de açúcar.

Os primeiros colonizadores ingleses tinham chegado a Barbados em 1627, e encontraram a ilha sem habitantes. Eles se concentraram em tentar cultivar o fumo, que tinha se tornado popular em sua terra natal e se mostrara uma produção lucrativa para fazendeiros na nova colônia norte-americana da Virgínia. Mas o fumo de Barbados era, segundo observou Ligon, "o pior ... que cresce no mundo inteiro". Então, os colonizadores trouxeram cana-de-açúcar, equipamentos e conhecimento específico do Brasil. Durante a estada de Ligon, o açúcar estabeleceu-se como a atividade mais importante da ilha. A indústria era pesadamente dependente do trabalho escravo. Ligon esbarrou com a lógica religiosa que justificava a escravidão quando um escravo negro, a quem ele tinha explicado o funcionamento de uma bússola, perguntou se poderia se converter ao cristianismo, "pois achou que ser um cristão era ser dotado de todos os conhecimentos que ele queria". Ligon transmitiu essa solicitação ao patrão do escravo e foi informado de que a conversão não era permitida, já que "pelas leis da Inglaterra ... não podíamos fazer de um escravo um cristão", uma vez que todos os escravos que fossem convertidos teriam de ser libertados. E isso era impensável, pois teria paralisado o lucrativo negócio do açúcar. Em uma década, Barbados passou a dominar o comércio desse ramo, fazendo com que os barões do açúcar ficassem entre os homens mais ricos do Novo Mundo.

Os plantadores de Barbados ganharam mais do que cana-de-açúcar e equipamentos do Brasil – eles também aprenderam a fermentar os subprodutos do processo de feitura do açúcar e depois a destilar o resultado de modo a obter uma poderosa bebida alcoólica. Os portugueses chamavam-na de aguardente de cana, e a faziam a partir do suco da cana ou da espuma retirada de sua fervura. Esse processo foi aprimorado ainda mais em Barbados, onde a aguardente de cana era feita a partir do melaço, com os resíduos inúteis do processo de produção do açúcar. Isso tornou possível fazer aguardente de cana bem mais barato e sem nenhuma redução na produção de açúcar. Os plantadores de Barbados podiam literalmente ter o seu próprio açúcar e bebê-lo também.

Segundo Ligon, a bebida resultante – conhecida como "mata-diabo" – era "infinitamente forte, mas de gosto não muito agradável. ... O povo a bebia muito, na verdade demais, pois ela freqüentemente deixava as pessoas dormindo no chão." O vinho e a cerveja eram caros para importar e estavam sujeitos a se estragar no trajeto desde a Europa, mas o mata-diabo podia ser feito localmente em grandes quantidades. Ligon observou que ele era vendido na própria ilha "para plantadores que não têm equipamentos próprios e mesmo assim bebem excessivamente, pois o compram a preços baixos", e também para navios que passavam, "sendo transportado para regiões estrangeiras e bebido no caminho". Somente depois da partida de Ligon é que o mata-diabo recebeu o nome pelo qual é conhecido hoje. Um viajante que visitou Barbados em 1651 observou que a bebida preferida dos residentes da ilha ou a "principal bebedeira" era "rumbulião, aliás mata-diabo, feito de cana-de-açúcar destilada, uma bebida alcoólica quente, endiabrada e terrível". Rumbulião, gíria do sul da Inglaterra que queria dizer "briga ou comoção violenta", pode ter sido escolhido como o apelido da bebida porque esse era freqüentemente o resultado quando as pessoas a bebiam em demasia.

O rumbulião, logo encurtado para rum, espalhou-se pelo Caribe e depois para além dele. Era dado aos novos escravos que chegavam como parte do processo de "amadurecimento", que removia os fracos e subjugava os rebeldes. Os escravos eram encorajados a se tornar dependentes de provisões regulares de rum, tanto para suportar as demandas colocadas sobre eles como para apagar o sofrimento associado a isso. Era também usado como um incentivo. Os escravos eram recompensados com rum adicional para pegar ratos ou executar tarefas particularmente desagradáveis. Registros de fazendas sugerem que tipicamente oito ou 12 litros de rum por ano (mas em alguns casos até 50 litros) eram dados para cada escravo, podendo ser bebidos ou trocados por comida. Em conseqüência, o rum tornou-se um instrumento importante de controle social. Ligon observou que era também usado como remédio e que, quando os escravos não estavam bem, o médico lhes dava "um gole dessa bebida e isso era uma cura imediata".

O rum também tornou-se popular entre marinheiros e a partir de 1655 foi adotado como substituto da tradicional provisão de cerveja nos navios da marinha real no Caribe. Ao longo do século, tornou-se a bebida preferida da marinha durante longas viagens. A substituição de um litro normal da fraca e perecível cerveja por meio litro de rum tinha, porém, conseqüências previsíveis para a disciplina e a eficiência, e isso levou o almirante Edward Vernon a emitir uma ordem para que o rum fosse misturado com um litro de água. A diluição do rum não tinha nenhum efeito na quantidade total de álcool consumida, embora tornasse os marinheiros mais propensos a beber a água disponível a bordo, que de outro modo seria desagradável ao paladar. O que acabou sendo bem mais importante foi a idéia de Vernon de acrescentar açúcar e suco de limão à mistura, para torná-la ainda mais palatável. Ele tinha inventado um coquetel primitivo, que foi imediatamente batizado em sua homenagem. O apelido de Vernon era "velho gorgorão", porque ele usava um casaco à prova d'água feito de *grogram*, ou gorgorão, tecido grosso endurecido com goma. Sua nova bebida tornou-se conhecida como grogue.

Restava o problema de que a intensidade do rum variava amplamente, e os marinheiros que viam seu rum ser aguado para se fazer o grogue sentiam-se enganados. Antes da invenção de um hidrômetro de precisão no século XIX, não havia maneira fácil de se medir a concentração de uma bebida alcoólica. Assim, os comissários da marinha responsáveis pela distribuição da quota de rum mediam sua intensidade usando uma regra básica que diziam ter sido inventada no Arsenal Real. Eles misturavam o rum com um pouco de água e algumas partículas de pólvora preta, depois esquentavam a mistura usando uma lente de aumento para concentrar os raios do sol. Se a pólvora deixasse de acender, a mistura estava muito fraca e mais rum tinha de ser adicionado. Apenas quando a pólvora praticamente acendia é que a mistura era considerada como tendo a concentração correta, o que corresponde a 48% de álcool. (Se a mistura estivesse muito forte, podia seguir-se uma explosão, e a tradição mandava que os marinheiros tivessem direito a desfrutar da bebida enquanto o comissário estivesse incapacitado.)

O uso do grogue no lugar da cerveja exerceu um papel imprevisto e invisível, durante o século XVIII, no estabelecimento da supremacia britânica nos mares. Uma das principais causas de morte dos marinheiros na época era o escorbuto, doença devastadora que atualmente é conhecida como sendo causada pela falta de vitamina C. A melhor maneira de evitá-la, descoberta e esquecida muitas vezes durante o século XVIII, era administrar doses regulares de limão ou suco de lima. Portanto, a inclusão do limão ou suco de lima no grogue, que se tornou compulsória em 1795, reduziu dramaticamente a incidência de escorbuto. E como a cerveja não contém nenhuma vitamina C, a mudança para o grogue fez com que as tripulações britânicas ficassem mais saudáveis de modo geral. O oposto era verdade no caso dos equivalentes franceses, para os quais a provisão padronizada de bebida não era a cerveja e sim três quartos de litro de vinho (o equivalente a uma garrafa moderna). Em viagens longas, essa quota era substituída por 3/16 de litro de *eau-de-vie* ou *aqua vitae*. Como o vinho contém pequenas quantidades de vitamina C, e a *eau-de-vie* não, o efeito era reduzir a resistência da marinha francesa ao escorbuto, justamente no momento em que a resistência da marinha britânica estava aumentando. A habilidade única da marinha real para combater o escorbuto, segundo um médico naval, dobrou a capacidade operacional e contribuiu diretamente para a vitória da Inglaterra e a derrota das frotas da França e da Espanha em Trafalgar em 1805. (Também significou que os marinheiros britânicos tornaram-se conhecidos como "*limeys*".)

Quando o rum foi inventado, porém, tudo isso ainda estava muito distante no futuro. Sua importância imediata foi como moeda, fechando o triângulo que ligava destilados, escravos e açúcar. O rum podia ser usado para comprar escravos, com os quais se produzia açúcar, cujos resíduos podiam ser transformados em rum para comprar mais escravos, e assim por diante. Jean Barbot, um comerciante francês, observou ao visitar a costa ocidental da África em 1679 que se deparava com "uma grande modificação: O conhaque francês, que eu sempre encontrava em boa quantidade no exterior, estava sendo bem menos demandado ali, pelo motivo de que uma grande quantidade de destilados e rum tinha sido comprada naquela costa". Em 1721, um comerciante inglês relatava que o rum tinha se tornado o "principal meio de troca" na costa da África, até mesmo para a troca por ouro. O rum também dominou o conhaque como a moeda com que os canoeiros e guardas eram pagos. O conhaque ajudou a deslanchar o comércio transatlântico de açúcar e escravos, mas o rum tornou-o realimentador e bem mais lucrativo.

Ao contrário da cerveja, em geral produzida e consumida localmente, e do vinho, que costumava ser feito e comercializado dentro de uma região específica, o rum era resultado da convergência de materiais, pessoas e tecnologias do mundo inteiro e produto do cruzamento de várias forças históricas. O açúcar, que se originara na Polinésia, tinha sido introduzido na Europa pelos árabes, levado para as Américas por Colombo e cultivado pelos escravos da África. O rum, destilado dos produtos residuais do açúcar, era consumido tanto pelos colonos europeus como por seus escravos no Novo Mundo. O rum – uma bebida que devia sua existência ao espírito empresarial bucaneiro da era das explorações, mas não teria existido sem a crueldade do comércio de escravos, que os europeus deliberadamente evitaram encarar por tanto tempo – era a personificação líquida tanto do triunfo como da opressão da primeira era da globalização.

• AS BEBIDAS QUE FIZERAM OS ESTADOS UNIDOS •

A partir do melaço barato das ilhas francesas, a Nova Inglaterra
fazia o rum, que era a principal fonte de sua riqueza –
o rum com que comprava escravos para Maryland e para as
Carolinas e pagava as dívidas aos mercadores ingleses.
Woodrow Wilson, presidente dos EUA (1856-1924)

A BEBIDA FAVORITA DOS ESTADOS UNIDOS

O plano da Inglaterra de estabelecer colônias na América do Norte, começando ao final do século XVI, foi baseado numa falácia. De modo geral, partia-se da suposição de que a região do continente norte-americano que a Inglaterra reivindicava – as terras entre 34 e 38 graus norte chamadas de Virgínia em homenagem à rainha Elizabeth I, a rainha virgem – teria o mesmo clima que a região mediterrânea da Europa, já que se situava em latitudes semelhantes. Conseqüentemente, os ingleses esperavam que as colônias norte-americanas, depois de estabelecidas, fossem capazes de fornecer mercadorias mediterrâneas tais como azeitonas e frutas e reduzir assim a dependência da Inglaterra em relação às importações da Europa continental. Um folheto alegava que as colônias iriam prover "os vinhos, a fruta e o sal da França e da Espanha ... as sedas da Pérsia e da Itália". De modo semelhante, a madeira abundante iria acabar com a necessidade de importar esse material da Escandinávia. Os colonos e seus financiadores em Londres também esperavam encontrar metais e pedras preciosas e minerais. Em suma, esperava-se que os EUA fossem uma terra de fartura que iria rapidamente gerar lucro.

A realidade acabou sendo bem diferente. O clima mais rigoroso do que o esperado significou que as culturas mediterrâneas e outras importações tais como açúcar e bananas não iriam prosperar. Nem havia quaisquer metais, pedras ou minerais preciosos para serem encontrados, e as tentativas de se fazer seda falharam. Nas décadas que se seguiram ao estabelecimento da primeira colônia inglesa permanente, em 1607, os colonos enfrentaram muitas dificuldades inesperadas, à medida que lutavam para ganhar a vida com os produtos da terra. Tiveram de lidar com doenças, escassez de comida, brigas entre si e batalhas constantes com os índios locais, cujas terras eles haviam desapropriado.

Em meio a tanta dificuldade, assegurar uma fonte confiável de álcool assumiu grande importância. Quando dois dos três navios que tinham trazido os primeiros colonizadores permanentes para a Virgínia partiram de volta para a Inglaterra, Thomas Studly, um dos habitantes da nova colônia de Jamestown, queixou-se de que "não havia restado nem taverna, nem cervejaria, nem casas de diversão". O primeiro navio de suprimentos que chegou naquele inverno trouxe um pouco de cerveja, embora a maior parte dela tivesse sido tomada pela tripulação. Remessas adicionais eram freqüentemente de baixa qualidade ou estragavam-se durante a viagem. Em 1613, um observador espanhol relatou que os 300 colonos tinham nada mais que água para beber, "o que é contrário à natureza do inglês – por conta disso todos desejam retornar e fariam isso se tivessem liberdade". Pouco tinha mudado por volta de 1620: a população tinha crescido para 3.000, mas, segundo notou um observador, "a maior necessidade de que eles se queixam é uma boa bebida" – em outras palavras, algo que não fosse água.

Naquele mesmo ano, uma escassez de cerveja determinou a localização da segunda colônia inglesa, estabelecida pelos separatistas puritanos conhecidos como peregrinos. O navio *Mayflower* partiu em 1620 visando ao rio Hudson, mas acabou aproximando-se do continente mais ao norte, no cabo Cod. O tempo ruim impediu que o navio fosse na direção sul, e assim o capitão deixou seus passageiros na praia. William Bradford, um líder peregrino que se tornou governador da colônia, anotou em seu diário: "Nós não podíamos perder tempo em buscas ou discussões adicionais já que nossos mantimentos tinham sido quase todos consumidos, sobretudo nossa cerveja." Os marinheiros estavam ansiosos para assegurar suprimentos suficientes de cerveja para a viagem de retorno porque se acreditava equivocadamente na época que bebendo cerveja numa viagem marítima obtinha-se proteção contra o escorbuto. Os peregrinos, da mesma forma que os colonos na Virgínia, tiveram de recorrer à água. Um colono chamado William Wood observou o seguinte: "Acredita-se que não possa haver melhor água no mundo, mesmo assim eu não ouso preferi-la a uma boa cerveja, como alguns têm feito, mas qualquer homem a escolherá em comparação à cerveja ruim." Quando uma terceira colônia inglesa foi estabelecida em Massachusetts, os colonizadores certificaram-se de que traziam bastante cerveja. Em 1628, o navio *Arbella* – que conduziu o líder dos colonos puritanos, John Winthrop – tinha entre suas provisões "42 toneladas de cerveja", ou cerca de 42 mil litros.

Devido ao clima local, os cereais da Europa que podiam ser usados para fazer cerveja eram de difícil cultivo. Em vez de depender da cerveja importada da Inglaterra, os colonizadores tentaram fazer a sua própria a partir de milho, pontas de pícea, galhos, seiva de bordo, abóboras e cascas de maçã. Uma canção contemporânea é testemunha da engenhosidade desses cervejeiros: "Ó, podemos fazer bebidas, para adoçar nossos lábios, de abóboras, de pastinacas, de pedaços de nogueiras." Tampouco fazer vinho era uma opção, como fora para os colonos espanhóis e portugueses mais ao sul. Os colonos tentaram introduzir vinhos europeus, mas seus esforços falharam devido ao clima, às doenças e, como eram do norte da Europa, à falta de experiência no preparo da bebida. Em vez disso, tentaram fazer vinho com uvas locais, mas o resultado foi horrível. No final das contas, os colonos da Virgínia decidiram concentrar-se no cultivo comercial do fumo e na importação de cevada maltada (da qual fariam cerveja) da Europa, junto com vinho e conhaque.

Porém, tudo mudou na segunda metade do século XVII quando o rum ficou disponível. Bem mais barato do que o conhaque, pois era feito do melaço residual em vez do vinho caro, também não precisava ser embarcado e atravessar o Atlântico. Além de mais barato, o rum era mais forte e rapidamente se estabeleceu como a bebida favorita dos colonos da América do Norte. Aliviava o sofrimento, fornecia uma forma líquida de aquecimento central nos invernos rigorosos e, convenientemente, reduzia a dependência dos colonos em relação a importações da Europa. O rum era geralmente bebido puro pelos pobres, e na forma de ponche pelos mais ricos – uma mistura de destilados, açúcar, água, suco de limão e condimentos servidos numa tigela decorada de forma elaborada. (Essa bebida, da mesma forma que a bebida naval menos refinada chamada grogue, foi um precursor do coquetel moderno.)

Os colonos consumiam rum quando fechavam um contrato, vendiam uma fazenda, assinavam um documento, compravam mercadorias ou resolviam um processo. Um costume dizia que qualquer um que desistisse de um contrato antes de assiná-lo tinha de fornecer, em compensação, metade de um barril de cerveja ou quatro litros de rum. Nem todo mundo, porém, gostou do surgimento dessa nova bebida barata e poderosa. Em 1686, o clérigo de Boston, Increase

Mather, lamentou: "É uma coisa infeliz que, nos últimos anos, um tipo de bebida chamada rum tenha se tornado comum entre nós. Os que são pobres e também perigosos podem ficar bêbados com um ou dois centavos."

A partir do final do século XVII, o rum formou a base de uma indústria próspera, à medida que comerciantes da Nova Inglaterra – sobretudo em Salem, Newport, Medford e Boston – começaram a importar o melaço bruto no lugar do rum e a fazer eles mesmos a destilação. O rum resultante não era considerado tão bom como o das Antilhas, mas era bem mais barato – o que interessava à maioria dos bebedores. O rum tornou-se o item manufaturado mais lucrativo produzido na Nova Inglaterra. Nas palavras de um observador contemporâneo: "A quantidade de bebidas que eles destilam em Boston a partir do melaço que importam é tão surpreendente quanto o preço baixo a que as vendem, que é menos de dois xelins por quatro litros. No entanto, são mais famosos pela quantidade e preço baixo do que pela excelência." O rum tornou-se tão barato que, em alguns casos, o salário de um dia podia ser usado para fazer um trabalhador ficar bêbado por uma semana.

DO RUM PARA A REVOLUÇÃO

Além da venda para consumo local, os destiladores da Nova Inglaterra encontraram um mercado pronto em meio aos comerciantes de escravos para os quais o rum tinha se tornado a forma preferida de moeda alcoólica com a qual podiam negociar na costa ocidental da África. Os destiladores em Newport chegaram a fazer um rum bem forte, especificamente para uso como moeda de troca por escravos. Como era capaz de conter mais álcool em determinado volume, representava uma forma mais concentrada de riqueza. O próspero comércio de rum não agradou, porém, aos fazendeiros das ilhas britânicas açucareiras ou a seus financiadores em Londres, porque os destiladores da Nova Inglaterra estavam importando o melaço das ilhas francesas. Como a França tinha banido a produção de rum em suas colônias a fim de proteger sua indústria local de conhaque, os produtores de açúcar franceses ficaram felizes em vender seu melaço a destiladores da Nova Inglaterra a um preço baixo. Ao mesmo tempo, os produtores britânicos de açúcar também estavam perdendo para os franceses no mercado europeu de açúcar. Assim, o uso do melaço francês pelos destiladores da Nova Inglaterra acrescentou insulto ao prejuízo. Os produtores britânicos pediram uma intervenção governamental, e em 1733 uma nova lei, conhecida como Lei do Melaço, foi aprovada em Londres.

A lei estabelecia um imposto proibitivo de seis centavos por galão (equivalente a quatro litros) sobre o melaço importado pelas colônias norte-americanas de colônias ou fazendas estrangeiras (em outras palavras, francesas). A idéia era incentivar os destiladores da Nova Inglaterra a comprar melaço das ilhas britânicas, já que suas exportações não estavam sujeitas ao imposto. Mas essas ilhas não produziam quantidades suficientes de melaço para suprir a indústria de rum da Nova Inglaterra – e os destiladores, de qualquer modo, achavam o melaço francês bem superior. Se tivesse sido estritamente cumprida, a lei teria forçado os destiladores tanto a reduzir a produção como a aumentar os preços, e teria trazido um fim repentino à prosperidade da Nova Inglaterra, ao retirar o suporte principal de sua economia – o rum representava na época 80% das exportações. Teria também negado aos colonos norte-americanos a sua bebida favorita: o rum estava sendo consumido a uma taxa de quase 16 litros por ano para cada homem, mulher e criança nas colônias.

Conseqüentemente, os destiladores ignoraram a lei quase por completo, contrabandeando o melaço das ilhas francesas – e, quando necessário, corrompendo os funcionários encarregados de coletar o imposto, embora muitos fizessem vista grossa. Os funcionários das alfândegas eram indicados na Inglaterra, e muitos deles ficavam na metrópole recebendo seus salários e pagando a alguém para fazer suas tarefas além-mar. Em função disso, os funcionários mais novos tinham mais simpatia pelos seus colegas colonos do que pelos seus patrões em Londres. Poucos anos depois da aprovação da lei, a maior parte do rum produzido – acima de 80%, de acordo com algumas estimativas – continuava ainda sendo feita com o melaço contrabandeado. Ao mesmo tempo, o número de destilarias em Boston cresceu de oito em 1738 para 63 em 1750. O rum continuou a fluir, mantendo sua posição em todos os aspectos da vida colonial. Exerceu um importante papel nas campanhas eleitorais: quando George Washington concorreu à eleição da assembléia – a casa dos deputados estaduais – da Virgínia, em 1758, sua equipe de campanha distribuiu 120 litros de rum, 200 litros de ponche de rum, 140 litros de vinho, 180 de cerveja e oito de cidra – num condado com apenas 391 eleitores.

Muito embora a Lei do Melaço não fosse cumprida, ela provocou ressentimento. Sua aprovação fora uma tolice colossal da parte do governo britânico. Ao tornar o contrabando algo socialmente aceitável, subvertia o respeito pela lei britânica como um todo e abria um precedente vital: daí para frente, os colonos sentiam-se autorizados a desafiar outras leis que impuseram impostos injustos a mercadorias embarcadas das colônias ou com destino a elas. Conseqüentemente, a desobediência generalizada à Lei do Melaço foi o passo inicial na estrada para a independência norte-americana.

Um passo subseqüente ocorreu com a sanção da Lei do Açúcar em 1764, ao final da Guerra dos Sete Anos, durante a qual as tropas britânicas e os colonos norte-americanos lutaram juntos para derrotar os franceses. (Esse conflito foi o componente norte-americano de uma guerra mais ampla entre França e Grã-Bretanha, disputada na Europa, na América do Norte e na Índia, que alguns argumentam ter sido a verdadeira primeira guerra mundial.) A vitória garantiu o domínio britânico do continente norte-americano, mas deixou a Grã-Bretanha com uma dívida pública enorme. Argumentando que a guerra tinha sido disputada basicamente para o benefício dos colonos na América do Norte, o governo britânico concluiu que eles deveriam ajudar a pagar a conta. Além disso, muitos dos colonos tinham continuado a fazer comércio com o inimigo, a França, durante a guerra. Portanto, o governo decidiu fortalecer e fazer cumprir a Lei do Melaço. O imposto de seis centavos por galão foi reduzido à metade, mas o governo tomou providências para assegurar que dessa vez ele fosse cobrado em sua totalidade. Não se permitia mais que os funcionários das alfândegas ficassem na Grã-Bretanha enquanto outros iam coletar os impostos em seu lugar. Exigia-se dos governadores coloniais que impusessem as leis com rigidez e prendessem contrabandistas. E à marinha real foram concedidos poderes para coletar os impostos em águas norte-americanas.

A nova lei, com o objetivo explícito de aumentar receitas em vez de simplesmente regularizar o comércio, foi profundamente mal recebida. Os destiladores de rum da Nova Inglaterra lideraram a oposição às novas regras, ajudando a organizar um boicote às importações da Grã-Bretanha. Muitos norte-americanos, e não apenas aqueles cujos sustentos foram afetados pela lei, consideravam injusto o fato de ter de pagar impostos a um parlamento distante no qual não tinham nenhuma representação. O clamor para não se pagar "nenhum imposto sem representação" tornou-se um *slogan* popular. Defensores da independência, conhecidos como "Filhos da Liberdade", começaram a mobilizar a opinião pública em favor de um rompimento com a Grã-Bretanha. Esses defensores freqüentemente encontravam-se em destilarias e tavernas. Um líder revolucionário, John Adams, anotou em seu diário a participação em uma reunião dos Filhos da Liberdade em 1766, em "um escritório de contabilidade da destilaria Chase and Speakman", onde os participantes beberam ponche de rum, fumaram cachimbos e comeram queijo e biscoitos.

À Lei do Açúcar seguiu-se uma série de outras leis mal acolhidas, incluindo a Lei do Selo, de 1765, as Leis Townshend, de 1767, e a Lei do Chá, de 1773. A conseqüência foi o Boston Tea Party, em 1773, em que o carregamento de chá de três navios foi atirado ao mar no porto de Boston em protesto contra as novas regras de impostos. Embora o chá seja a bebida associada ao início da revolução, o rum também exerceu um papel importante nas décadas que conduziram à explosão final da guerra revolucionária em 1775. Apropriadamente, na véspera do início das hostilidades, quando Paul Revere fez sua famosa viagem de Boston a Lexington para avisar John Hancock e Samuel Adams sobre a aproximação das tropas britânicas, ele parou para tomar um *toddy* de rum (mistura de rum, açúcar e água, aquecida com o uso de um atiçador em brasa) numa taverna em Medford que pertencia a Isaac Hall, o capitão da milícia local.

Depois que a luta começou, o rum foi a bebida preferida dos soldados norte-americanos durante os seis anos de hostilidades. O general Henry Knox, ao escrever para George Washington em 1780 a respeito da aquisição de suprimentos dos estados do Norte, enfatizou a importância específica do rum. Ele escreveu: "Além da carne de boi e de porco, do pão e da farinha, o rum é um artigo demasiado importante para ser omitido. Nenhum esforço deve ser poupado para provê-lo em quantidades amplas." A taxação do rum e do melaço, que dera início à hostilidade entre a Grã-Bretanha e suas colônias norte-americanas, tinha conferido ao rum um sabor distintamente revolucionário. Muitos anos depois da rendição britânica em 1781 e da independência dos Estados Unidos da América, John Adams – já então como um dos fundadores do país – escreveu para um amigo: "Não sei por que deveríamos ter vergonha de confessar que o melaço foi um ingrediente essencial na independência norte-americana. Muitos grandes acontecimentos resultaram de causas muito menores."

ESPÍRITO PIONEIRO

O rum foi a bebida do período colonial e da revolução de independência, mas muitos dos cidadãos da jovem nação logo lhe viraram as costas em favor de uma outra bebida destilada. À medida que os colonizadores moviam-se na direção oeste afastando-se do litoral do leste, passaram a beber uísque, destilado de grãos de cereais fermentados. Uma razão foi que muitos dos colonizadores eram de origem escocesa-irlandesa e tinham experiência na destilação de grãos. A oferta do melaço de que era feito o rum também tinha sido prejudicada durante a guerra. E embora grãos como cevada, trigo, centeio e milho fossem difíceis de cultivar perto da costa – daí as dificuldades iniciais dos colonos em fazer cerveja –, podiam ser cultivados bem mais facilmente no interior do continente. Por outro lado, o rum era um produto marítimo, feito em cidades costeiras a partir do melaço importado pelo mar. Levá-lo para o interior era caro. O uísque podia ser feito praticamente em qualquer lugar, e não dependia de ingredientes importados que corriam o risco de ser taxados ou bloqueados.

Por volta de 1791, havia mais de 5.000 alambiques somente no lado oeste da Pensilvânia – um para cada seis pessoas. O uísque assumiu as funções que tinham sido previamente cumpridas pelo rum. Era uma forma compacta de riqueza: um cavalo de carga podia levar certa quantidade de grãos, mas sua capacidade aumentava quase oito vezes se esses grãos tivessem sido destilados e estivessem na forma de uísque. O uísque era usado como uma moeda rural, trocado por coisas essenciais como sal, açúcar, ferro, pólvora e munição. Era fornecido a trabalhadores nas fazendas, usado em rituais de aniversário e morte, consumido sempre que se assinavam documentos legais, oferecido a jurados em cortes judiciais e dado a eleitores por políticos em campanha. Até clérigos eram pagos em uísque.

A Rebelião do Uísque de 1794. *A captura dos coletores do imposto do uísque.*

Assim, quando o secretário do Tesouro dos Estados Unidos, Alexander Hamilton, começou a procurar uma maneira de arrecadar dinheiro para pagar a grande dívida nacional, que fora contraída durante a guerra revolucionária, parecia uma escolha óbvia a imposição de um imposto federal sobre a produção de bebidas destiladas. Isso levantaria dinheiro e poderia desencorajar as pessoas a beber em demasia. Hamilton acreditava que essa taxação seria "favorável para a agricultura, a economia, a moral e a saúde da sociedade". Em março de 1791, aprovou-se uma lei: a partir de 1º de julho, os destiladores poderiam pagar ou um imposto anual ou uma tarifa sobre vendas de pelo menos sete centavos por galão (cerca de quatro litros) produzido, dependendo de sua intensidade. Um protesto surgiu de imediato, particularmente ao longo da fronteira oeste. O imposto parecia particularmente injusto para os colonos no interior, porque se aplicava à bebida quando deixava a destilaria e não no ponto de venda. Isso significava que mesmo o uísque produzido para consumo privado ou para troca estava ainda sujeito à taxação. Mais ainda, muitos dos colonizadores tinham vindo para o novo continente a fim de livrar-se dos coletores de impostos e da interferência governamental. Queixaram-se de que o novo governo federal não era melhor do que o britânico, de cujo domínio os Estados Unidos tinham acabado de se livrar.

O desacordo sobre o imposto do uísque também refletiu uma divisão mais profunda a respeito do equilíbrio de poder entre os estados e o governo federal. De modo geral, os habitantes dos territórios do leste estavam mais felizes do que os do sul e do oeste com a idéia de que a lei federal deveria ter precedência sobre a estadual. A nova lei – que especificava entre outras coisas que os transgressores seriam julgados na corte federal na Filadélfia, em vez de em cortes locais – parecia favorecer interesses federalistas do leste. James Jackson, da Geórgia, declarou no Parlamento que o imposto ia "retirar da maior parte do povo praticamente o único luxo de que desfrutam – as bebidas destiladas". Se não houvesse oposição a isso, o que poderia vir depois? Depois de fazer essa pergunta, alertou: "Vai chegar o momento em que uma camisa não será lavada sem que haja um imposto."

Quando a nova lei entrou em vigor, muitos fazendeiros recusaram-se a pagar. Coletores de impostos foram atacados, seus documentos roubados e destruídos, e as selas de seus cavalos arrancadas e cortadas em pedaços. A oposição era mais forte nos condados fronteiriços violentamente separatistas do lado oeste da Pensilvânia: Fayette, Allegheny, Westmoreland e Washington. Grupos de fazendeiros começaram a coordenar a resistência organizada. Destiladores que pagavam o imposto encontravam marcas de tiros em seus alambiques. Avisos defendendo a desobediência apareciam em árvores. O

Congresso emendou a lei em 1792 e 1794, no intuito de reduzir o imposto sobre os destiladores rurais, e deu jurisdição às cortes estaduais para julgar os transgressores. Mas isso fracassou e não aplacou a oposição. Hamilton, percebendo que a autoridade do governo federal estava em jogo naquele instante, mandou policiais federais para o oeste da Pensilvânia, com o propósito de entregar intimações a vários fazendeiros que tinham se recusado a pagar.

A violência explodiu depois que um desses fazendeiros, William Miller, recebeu uma intimação em julho de 1794. Um dos companheiros de Miller deu um tiro no grupo de policiais federais, mas ninguém saiu ferido. Ao longo dos dias seguintes, os dois grupos travaram conflitos: o bando armado dos "rapazes do uísque" que se opunham ao imposto aumentou para 500, e houve mortes em ambos os lados. David Bradford, um advogado ambicioso, assumiu a liderança dos rapazes do uísque e convocou o povo local para dar apoio. Cerca de 6.000 homens reuniram-se em Braddock Filed perto de Pittsburgh. Bradford foi eleito general-de-divisão desse exército improvisado. Em meio a espíritos quentes – tanto quanto as bebidas –, exercícios militares e práticas de tiro ao alvo, os rebeldes aprovaram resoluções defendendo a separação dos Estados Unidos e o estabelecimento de um novo estado independente.

Convencido por Hamilton de que era necessária uma ação decisiva, o presidente George Washington requisitou 13.000 homens das milícias do leste da Pensilvânia, de Nova Jersey, da Virgínia e de Maryland. Essas tropas, junto com peças de artilharia, bagagem e suprimentos legais de uísque com o imposto pago, foram enviadas pelas montanhas a Pittsburgh, no intuito de demonstrar a supremacia do governo federal sobre os separatistas. A rebelião nascente já estava, porém, desmoronando. Quando o exército se aproximou, Bradford fugiu, e seus defensores desapareceram. Ironicamente, a chegada da milícia para dominar os rapazes do uísque ajudou muito a resolver o problema: ao final de sua marcha, os soldados federais queriam mais uísque e pagavam por ele com dinheiro vivo. Isso forneceu aos destiladores do oeste da Pensilvânia os recursos financeiros com os quais puderam pagar o imposto.

Um grupo simbólico de 20 rebeldes foi levado de volta para a Filadélfia e marchou em procissão pelas ruas. Mas, exceto pelo fato de serem mantidos na cadeia por alguns meses, escaparam de punição. Dois integrantes desse grupo foram sentenciados à morte, mas depois perdoados pelo presidente. No final das contas, o imposto sobre bebidas destiladas fracassou e foi revogado alguns anos depois. O pagamento da milícia federal para debelar a rebelião custou um milhão e meio de dólares, quase 33% do valor de todos os impostos coletados durante os dez anos em que a lei esteve em vigor.

Todavia, mesmo que tanto a rebelião como o imposto tenham falhado, o fato é que a repressão à Rebelião do Uísque – o primeiro protesto sobre impostos a ocorrer depois da independência – demonstrou vigorosamente que a lei federal não podia ser ignorada, e isso foi um momento decisivo no início da história dos Estados Unidos.

O fracasso da rebelião também levou ao desenvolvimento de outra bebida, quando os rebeldes escoceses-irlandeses seguiram rumo ao oeste para o novo estado de Kentucky. Lá eles começaram a fazer uísque também a partir do milho bem como do centeio. Essa nova produção teve início no condado de Bourbon, daí porque a bebida se tornou conhecida como bourbon. O uso do milho, uma cultura nativa, proporcionava-lhe um sabor único.

Nos últimos anos de sua vida, o próprio George Washington estabeleceu uma destilaria de uísque. A idéia veio do administrador de sua fazenda, um escocês que sugeriu que os grãos produzidos na propriedade, Mount Vernon, poderiam ser lucrativamente transformados em uísque. Duas destilarias começaram a operar em 1797, e no pico de produção, pouco antes da morte de Washington em dezembro de 1799, havia cinco destilarias. Naquele ano, ele produziu 44 mil litros de uísque de centeio que foram vendidos localmente, gerando um lucro de 7.500 dólares, depois de ter dado barris para a família e os amigos. Washington escreveu para o sobrinho, em 29 de outubro de 1799:

George Washington

"Oitocentos litros de uísque vão estar disponíveis neste dia para você, e quanto mais rápido for recolhido melhor, já que a demanda (nestas áreas) é grande."

As atividades de Washington como produtor de uísque apresentavam um contraste absoluto com as atitudes de outro dos fundadores dos Estados Unidos, Thomas Jefferson. Ele denunciou "o veneno do uísque" e fez a seguinte observação, bastante conhecida: "Nenhuma nação onde o vinho é barato fica bêbada – e nenhuma fica sóbria quando a carestia do vinho leva à sua substituição pelos destilados ardentes como a bebida comum." Jefferson fez esforços para produzir vinhos nos Estados Unidos e defendeu uma redução no imposto cobrado sobre o vinho importado, que seria "o único antídoto para banir o uísque". Mas sua causa era sem esperança. O vinho era muito mais caro, continha menos álcool e não tinha as conotações americanas do uísque – uma bebida pouco pretensiosa, associada à independência e à auto-suficiência.

COLONIALISMO NA GARRAFA

Ao longo de todo o período colonial, os destilados representaram uma válvula de escape em face das dificuldades, tanto as vivenciadas pelos colonos europeus, auto-impostas, como as dificuldades bem maiores impostas por eles sobre os escravos africanos e sobre os povos indígenas. Pois, assim como usavam destilados para comprar, subjugar e controlar escravos, os colonos europeus nas Américas deliberadamente exploravam o entusiasmo dos índios locais pelas bebidas destiladas como um meio de subjugação.

A origem desse entusiasmo está sujeita a muito debate, mas parece ter resultado da suposição dos índios de que as bebidas destiladas – assim como as plantas alucinatórias nativas – tinham poderes sobrenaturais aos quais o usuário só teria acesso deixando-se ficar completamente embriagado. Um observador de Nova York, no final do século XVII, notou que os homens de tribos indígenas eram "grandes amantes de bebidas fortes, mas só se interessam por beber se tiverem o bastante para ficar completamente bêbados". Se não houvesse o suficiente para todos num grupo ficarem bêbados, o álcool seria partilhado por um número menor de índios enquanto os outros apenas observariam. A insistência na embriaguez total também explica por que alguns índios achavam desconcertante que os europeus algumas vezes preferissem o vinho ao rum. Um colono observou em 1697: "Eles se espantam porque muitos ingleses preferem comprar vinho pagando caro, quando o rum é muito mais barato e pode fazer alguém ficar embriagado muito mais rapidamente."

Quaisquer que sejam as suas origens, fato é que esse hábito foi amplamente explorado pelos europeus, que se encarregaram de fornecer grandes quantidades de álcool quando negociavam mercadorias ou terras com os índios. Na prática, isso correspondia ao uso do rum nas áreas controladas pelos britânicos e de conhaque nas áreas francesas. O uso deste último por comerciantes de peles franceses no Canadá foi criticado por um missionário francês, que denunciou "a infinidade de desordem, brutalidade, violência ... e insulto que o deplorável e infame tráfico de conhaque tinha espalhado de maneira universal entre os índios destas regiões. ... No desespero em que estamos mergulhados, nada nos resta senão abandoná-los nas mãos dos vendedores de conhaque como um domínio de embriaguez e orgia". Em vez de suprimirem esse comércio, as tropas locais francesas encaravam a manutenção do fornecimento – tanto para elas mesmas como para a venda aos índios – como seu principal dever.

No México, a introdução da destilação pelos espanhóis levou ao desenvolvimento do *mezcal*, uma versão destilada do pulque, bebida local moderadamente alcoólica feita pelos astecas a partir do suco fermentado da planta de agave. (O pulque era a bebida básica de todo dia; os guerreiros, sacerdotes e nobres astecas tomavam chocolate, a bebida da elite.) Os astecas e outros índios locais eram incentivados a beber *mezcal* em vez do pulque, e na verdade a se viciar nessa bebida bem mais forte. Em 1786, o vice-rei do México sugeriu que o apego dos índios pela bebida e a eficácia desta em aumentar a dependência em relação ao poder colonial indicavam que o mesmo procedimento deveria ser experimentado com os apaches ao norte. Isso poderia, segundo ele, criar "uma nova necessidade que os obrigue a reconhecer bem claramente a sua dependência obrigatória com relação a nós".

As bebidas destiladas, ao lado das armas de fogo e das doenças infecciosas, ajudaram a moldar o mundo moderno, ao contribuir para que os habitantes do Velho Mundo se estabelecessem como governantes do Novo Mundo. Os destilados exerceram um papel na escravização e no deslocamento de milhões de pessoas, no estabelecimento de novas nações e na subjugação das culturas indígenas. Atualmente, não estão mais associados à escravidão e à exploração. Mas outros ecos de seus usos nos tempos coloniais ainda persistem. Passageiros aéreos que colocam uma garrafa de algum destilado *duty-free* em suas bagagens de mão fazem-no porque se trata de uma forma compacta de álcool suficientemente forte para sobreviver a uma longa viagem sem estragar. E, no seu desejo de evitar o pagamento de impostos, os compradores de destilados *duty-free* mantêm a tradição dos contrabandistas de rum e dos rapazes do uísque: ser contra as instituições.

• O CAFÉ •

NA IDADE DA RAZÃO

• O GRANDE INCENTIVADOR DA SOBRIEDADE •

Café, a bebida sóbria, o poderoso alimento do cérebro, que, ao contrário de outros destilados, eleva a pureza e a lucidez; o café, que remove da imaginação as nuvens e seu peso sombrio e que ilumina a realidade das coisas de repente com o brilho da verdade.

Jules Michelet, historiador francês (1798-1874)

UMA XÍCARA DE ILUMINISMO

Os gregos eram falíveis. Objetos pesados não caem mais rapidamente do que os mais leves. A Terra não é o centro do universo, e o coração não é uma fornalha que esquenta o sangue, mas uma bomba que o faz circular pelo corpo. Porém, somente no início do século XVII, quando os astrônomos e anatomistas descobriram mundos antes invisíveis, os pensadores europeus começaram a desafiar as antigas certezas da filosofia grega. Pioneiros tais como Galileu Galilei na Itália e Francis Bacon na Inglaterra rejeitaram a fé cega nos textos antigos em favor da observação direta e da experimentação. Bacon declarou em seu livro *A nova lógica*, publicado em 1620: "Não há esperança de qualquer grande aumento no conhecimento científico pelo enxerto ou adição do novo ao velho. A reconstituição das ciências deve começar nos fundamentos mais básicos, a não ser que nós prefiramos ficar dando voltas em círculos perpétuos a uma velocidade inaceitavelmente lenta." Bacon liderou a denúncia da influência dos filósofos gregos. Ele e seus seguidores queriam demolir a estrutura do conhecimento humano e reconstruí-la em bases novas, sólidas, um tijolo de cada vez. Tudo podia ser contestado, nada presumido. O caminho tinha sido liberado pelas guerras religiosas da Restauração, que reduziu a autoridade da Igreja Católica, particularmente no norte da Europa. O novo racionalismo floresceu na Inglaterra e na Holanda, dirigido em parte pelos desafios de explorar e manter colônias espalhadas e longínquas além-mar, e deu origem ao alvoroço da atividade intelectual conhecido como revolução científica.

Esse espírito de investigação racional tornou-se a tendência predominante do pensamento ocidental ao longo dos dois séculos seguintes, culminando no movimento chamado Iluminismo, à medida que o enfoque empírico e cético adotado pelos cientistas era aplicado à filosofia, à política, à religião e ao comércio. Durante essa Idade da Razão, os pensadores ocidentais avançaram além da sabedoria dos antigos e abriram-se para novas idéias, empurrando as fronteiras do conhecimento para além dos limites do Velho Mundo, num contraponto intelectual à expansão geográfica da era das explorações. Foi-se a reverência dogmática pela autoridade, fosse ela filosófica, política ou religiosa, e sobreveio a crítica, a tolerância e a liberdade de pensamento.

A propagação desse novo racionalismo pela Europa foi espelhada pela difusão de uma nova bebida, o café, que promovia acuidade e clareza de pensamento. Tornou-se a preferência dos cientistas, intelectuais, comerciantes e burocratas – atualmente nós os chamaríamos "artífices da informação" –, todos os quais executavam trabalho mental em escritórios, em vez de trabalho físico ao ar livre. Ajudou-os a regularizar o dia de trabalho, acordando-os pela manhã e garantindo que ficassem vigilantes até o final da jornada ou até mais, se necessário. E era servido em estabelecimentos calmos, sóbrios e respeitáveis que promoviam a conversação polida e a discussão, e representavam um fórum para educação, debate e auto-aperfeiçoamento.

O impacto da introdução do café na Europa durante o século XVII foi particularmente notável, já que as bebidas mais comuns da época, mesmo na primeira refeição da manhã, eram a "cerveja fraca" e o vinho. Ambos eram bem mais seguros para se consumir que a água, sujeita à contaminação, principalmente em cidades abarrotadas de gente e sujas. (Os destilados não eram alimentos essenciais de todo dia como o vinho e a cerveja; eram para embebedar-se.) O café, como a cerveja, era feito com água fervida e por conseguinte oferecia uma alternativa nova e segura às bebidas alcoólicas. Aqueles que bebiam café em vez de álcool começavam o dia alertas e estimulados em vez de relaxados e moderadamente ébrios, e tanto a qualidade como a quantidade de seu trabalho melhoravam. O café veio a ser considerado como a própria antítese do álcool, levando à sobriedade ao invés de causar embriaguez, aumentando a percepção em vez de entorpecer os sentidos e obscurecer a realidade. Um poema anônimo publicado em Londres em 1674 denunciava o vinho como o "doce veneno das uvas traiçoeiras", que inunda "nossa própria razão e nossas almas". A cerveja era condenada como "obscura bebida forte" que "sitiava nossos cérebros". O café, porém, era proclamado como:

> ... aquele líquido grave e saudável,
> que cura o estômago, faz o gênio mais rápido,
> ajuda a memória, reanima o triste,
> e anima os espíritos, sem trazer loucura.

A Europa ocidental começou a sair de uma neblina alcoólica que tinha durado séculos. Um observador inglês escreveu em 1660: "Essa bebida do café causou uma maior sobriedade entre as nações. Enquanto anteriormente aprendizes e burocratas costumavam tomar uns com os outros uma dose matinal de cerveja ou vinho – o que, pela vertigem que causam no cérebro, fazia com que muitos ficassem impróprios para o trabalho –, eles agora costumam fazer camaradagem com essa animadora e gentil bebida." O café era também usado como um antídoto para o álcool num sentido mais literal. "O café faz você ficar sóbrio instantaneamente", declarou Sylvestre Dufour, um escritor francês, em 1671. A noção de que o café age contra a embriaguez permanece preponderante até os dias de hoje, embora haja pouca verdade nisso: o café faz com que alguém que tenha bebido álcool sinta-se mais vigilante, mas na verdade reduz a velocidade em que o álcool é removido da corrente sangüínea.

O caráter de novidade do café contribuiu ainda mais para torná-lo algo atraente. Ali estava uma bebida que não era conhecida pelos gregos e romanos. Bebê-la, portanto, era ainda outra maneira pela qual os pensadores do século XVII podiam enfatizar que tinham se movido para além dos limites do mundo antigo. O café era o grande incentivador da sobriedade, a bebida do pensamento claro, o epítome da modernidade e do progresso – em suma, a bebida ideal para a Idade da Razão.

O VINHO DO ISLÃ

O efeito estimulante do café já era conhecido por algum tempo no mundo árabe, onde se originou. Há várias histórias românticas sobre sua descoberta. Uma delas fala sobre um criador de cabras etíope que notou que seu rebanho ficava particularmente alegre depois de consumir as frutas marrom-avermelhadas de uma determinada árvore. Ele então experimentou comê-las ele mesmo, registrou seus poderes estimulantes e transmitiu sua descoberta a um líder religioso local. O religioso, por sua vez, inventou uma nova maneira de preparar os pequenos grãos, secando-os e depois fervendo-os na água para produzir uma bebida quente que ele usava para se manter acordado durante cerimônias religiosas ao longo da noite. Outra história fala de um homem chamado Omar que foi condenado a morrer de fome no deserto perto de Mocha, uma cidade no Iêmen, no canto sudoeste da península árabe. Uma visão o conduziu até um cafeeiro, e ele comeu alguns de seus grãos. Isso lhe deu força suficiente para retornar a Mocha, onde sua sobrevivência foi considerada um sinal de que Deus o tinha poupado a fim de transmitir à humanidade o conhecimento do café, que então tornou-se uma bebida popular.

Como nas lendas associadas à descoberta da cerveja, essas histórias podem conter um pouco de verdade, pois o hábito de tomar café parece ter-se tornado popular primeiramente no Iêmen em meados do século XV. Embora os grãos possam ter sido mastigados por causa de seus efeitos fortificantes antes dessa época, a prática de transformá-los em bebida parece ser uma inovação iemenita, com freqüência atribuída a Muhammad al-Dhabhani, um acadêmico e membro da ordem mística sufista do Islã, que morreu por volta de 1470. Nessa época, o café (conhecido em arábico como *qahwah*) tinha sido sem dúvida adotado pelos sufistas, que o usavam para afastar o sono durante cerimônias religiosas noturnas em que os participantes procuravam chegar até Deus por meio de cantos e balanço repetitivo.

À medida que o café infiltrava-se no mundo árabe – já chegara a Meca e ao Cairo por volta de 1510 –, a natureza exata de seus efeitos físicos tornou-se o tema de muita controvérsia. Ele livrou-se de suas associações religiosas originais e transformou-se numa bebida social, vendida em xícaras nas ruas, na praça do mercado e depois em cafés públicos devotados à bebida. Foi adotado como alternativa legal ao álcool por muitos muçulmanos. Os cafés públicos, ao contrário das tabernas ilícitas que vendiam álcool, eram lugares onde pessoas respeitáveis podiam se permitir ser vistas. Mas a situação legal do café era ambígua. Alguns acadêmicos muçulmanos argumentaram que, por ser excitante, estaria sujeito à mesma proibição religiosa do vinho e de outras bebidas alcoólicas que o profeta Maomé tinha vetado.

Líderes religiosos invocaram essa regra em Meca em junho de 1511, a mais antiga das várias tentativas de se banir o consumo de café. O governador local, um homem chamado Khair Beg, responsável pela manutenção da moralidade pública, literalmente levou o café a julgamento. Ele reuniu um conselho de especialistas legais e colocou o acusado – um grande recipiente de café – na frente deles. Após uma discussão sobre seus efeitos intoxicantes, o conselho concordou com Khair Beg que a venda e o consumo de café deveriam ser proibidos. A decisão foi proclamada em toda a cidade de Meca, o café foi apreendido e queimado nas ruas, e os vendedores e alguns de seus clientes foram espancados como punição. Poucos meses depois, porém, as mais altas autoridades no Cairo derrubaram a decisão de Khair Beg, e o café logo estava de novo sendo consumido abertamente. Com sua autoridade minada, Khair Beg foi substituído como governador no ano seguinte.

Mas o café era realmente uma substância intoxicante? Os acadêmicos muçulmanos já tinham dedicado muito esforço ao debate sobre se o profeta tinha pretendido banir bebidas intoxicantes como um todo ou meramente o ato de beber até a intoxicação. Todo mundo concordava com a necessidade de se ter uma definição legal sobre o que configurava esse estado, e assim várias propostas foram devidamente apresentadas. Uma pessoa intoxicada foi definida, de formas variadas como alguém que "se torna distraído e confuso", "abandona aquilo que tem como virtude moderada e tranqüila em troca de loucura e ignorância" ou "não compreende absolutamente nada e não sabe diferenciar um homem de uma mulher ou a terra dos céus". Essas definições, tramadas como parte do argumento acadêmico sobre bebidas alcoólicas, eram então aplicadas ao café.

Todavia, o café nitidamente deixava de produzir tais efeitos naquele que o consumia, mesmo quando o fazia em grandes quantidades. De fato, o resultado era exatamente o oposto. Um defensor do café comentou: "Bebe-se café com o nome do Senhor nos lábios e fica-se acordado, ao passo que a pessoa que busca o devasso prazer em substâncias inebriantes negligencia o Senhor e fica bêbada." Os que se opunham ao café tentaram argumentar que qualquer modificação no estado mental ou físico de quem o bebia era motivo para bani-lo. Os defensores da bebida rebateram com sucesso esse argumento, observando que comidas picantes, alho e cebola também produziam efeitos físicos, tais como olhos lacrimejantes, mas seu consumo era perfeitamente legal.

Embora os superiores de Khair Beg não tenham sustentado o banimento da venda e do consumo de café, eles ecoaram sua desaprovação sobre reuniões e lugares em que era consumido. Na verdade, o que preocupava as autoridades não era tanto assim o efeito sobre quem o bebia, mas as circunstâncias em que era consumido, já que os cafés públicos eram viveiros de intriga, boatos, debates políticos e discussões satíricas. Eram também locais populares para o xadrez e o gamão, os quais eram vistos como moralmente duvidosos. Tecnicamente, jogos de tabuleiro só eram banidos segundo a lei islâmica se se fizessem apostas. Mas o fato de que eram disputados de algum modo aumentava a percepção dos oponentes dos cafés públicos de que esses estabelecimentos eram, na melhor das hipóteses, locais de moralidade frouxa e, na pior hipótese, antros de conspiração e motim.

Houve muitas tentativas adicionais de fechar cafés públicos, por exemplo em Meca em 1524 e no Cairo em 1539, mas os fechamentos normalmente tinham curta duração. Isso porque, a despeito desses esforços e da denúncia sobre aqueles consumidores como preguiçosos ou mexeriqueiros, nenhuma lei estava realmente sendo quebrada e, portanto, as tentativas para banir o café acabaram falhando. No início do século XVII, os visitantes europeus comentavam a respeito da popularidade generalizada dos cafés públicos no mundo árabe e de seu papel como locais de reunião e fontes de notícias. William Biddulph, um viajante inglês, observou em 1609 que "os cafés públicos deles são mais comuns do que as cervejarias na Inglaterra. ... Se há novas notícias, é lá que são discutidas". George Sandys, outro viajante inglês que visitou o Egito e a Palestina em 1610, observou que "embora eles não tenham tabernas, mesmo assim têm seus cafés públicos, que se parecem sob alguns aspectos. Lá eles se sentam, conversam a maior parte do dia e ficam bebericando uma bebida chamada café (do grão de que é feito), em pequenos pratos de porcelana, numa temperatura tão quente quanto se pode suportar, uma bebida de cor preta como fuligem, e com gosto não muito diferente".

Uma possível objeção à adoção do café na Europa – sua associação com o Islã – foi dissipada aproximadamente nessa época. Pouco antes de sua morte em 1605, pediu-se ao papa Clemente VIII que definisse a posição da Igreja Católica sobre o café. Na época, a bebida era uma novidade pouco conhecida na Europa, exceto entre os botânicos e os médicos, incluindo os da Universidade de Pádua, um importante centro de pesquisa médica. Os oponentes religiosos do café argumentavam que a bebida era maldita: como os muçulmanos não podiam beber vinho, a bebida sagrada dos cristãos, diziam que o diabo os tinha punido com o café. Mas o papa tinha a palavra final. Um mercador veneziano forneceu uma amostra para inspeção, e Clemente decidiu provar a nova bebida antes de tomar sua decisão. Conta-se que ele ficou tão encantado pelo gosto e pelo aroma que aprovou o consumo pelos cristãos.

Em meio século, essa novidade exótica já tinha rapidamente se tornado lugar-comum em várias regiões da Europa ocidental. Cafés públicos foram abertos na Grã-Bretanha na década de 1650 e em Amsterdã e Haia durante a de 1660. À medida que o café difundia-se na direção ocidental, levava consigo a noção árabe do café público como uma alternativa mais respeitável, intelectual e acima de tudo não-alcoólica em relação à taberna – e, com ela, uma boa dose de controvérsia.

O TRIUNFO DO CAFÉ

O café parecia ter sido feito sob medida para a Londres das décadas de 1650 e 1660. Os primeiros cafés públicos apareceram durante o reinado do puritano Oliver Cromwell, que subiu ao poder ao final da guerra civil inglesa, após o afastamento e execução do rei Carlos I. Os cafés ingleses tiveram seu início, em tempos puritanos, como alternativas mais respeitáveis e sóbrias às tabernas. Eram bem iluminados e decorados com prateleiras de livros, espelhos, quadros em molduras douradas e boa mobília, contrastando completamente com a escuridão e a imundície das tabernas onde era servido o álcool. Seguindo-se à morte de Cromwell em 1658, a opinião pública passou a defender a restauração da monarquia. Durante esse período, os cafés públicos tornaram-se centros de debate político e de intrigas, enquanto se preparava o caminho para a subida de Carlos II ao poder em 1660. William Coventry, um dos conselheiros do rei, observou que os partidários de Carlos tinham-se encontrado com freqüência nos cafés durante o reinado de Cromwell e que "os amigos do rei tinham usado maior liberdade de expressão nesses locais do que se atreviam a fazer em qualquer outro lugar". Ele sugeriu que, não fossem essas reuniões, o rei poderia não ter conquistado seu trono.

Na mesma época, Londres estava despontando como centro de um próspero império comercial. A adoção dos cafés por homens de negócios, para quem eles representavam locais públicos convenientes e respeitáveis para se encontrarem e fazerem negócios, garantiu sua continuada popularidade após a Restauração. Por serem igualmente atraentes para puritanos, conspiradores e capitalistas, os cafés públicos de Londres encaixaram-se perfeitamente no espírito da cidade.

O primeiro café londrino foi aberto em 1652 por Pasqua Rosee, o criado armênio de um comerciante inglês chamado Daniel Edwards, que adquirira o gosto pelo café quando viajara pelo Oriente Médio. Edwards apresentou seus amigos de Londres à bebida, que Rosee lhe preparava várias vezes por dia. Eles ficaram tão entusiasmados que Edwards decidiu colocar Rosee nos negócios como vendedor de café. O panfleto anunciando a inauguração, intitulado *A virtude do café*, mostra exatamente como este era uma novidade. Pressupõe ignorância total sobre a bebida por parte do leitor, explicando suas origens na Arábia, o método de preparação e os hábitos associados a seu consumo. Boa parte do folheto preocupava-se com as supostas qualidades medicinais do café, garantindo ser eficaz contra olhos inflamados, dor de cabeça, tosse, edemas, gota e escorbuto, e também para evitar "abortos em mulheres grávidas". Mas foi talvez a explicação de seus benefícios comerciais que atraiu os clientes: "Evitará a sonolência e deixará a pessoa pronta para os negócios, se houver necessidade de ficar acordado; portanto, você não deve beber café após o jantar, a não ser que pretenda ficar acordado, pois ele impedirá o sono por três ou quatro horas."

O sucesso foi tanto que os donos das tabernas locais protestaram junto ao prefeito alegando que Rosee não tinha direito de organizar um negócio em competição com eles, já que não era um cidadão de respeito da cidade. No fim das contas, Rosee acabou sendo forçado a sair do país, mas a idéia do café público tinha dado certo, e outros estabelecimentos apareceram durante a década de 1650. Por volta de 1663, o número de cafés em Londres tinha chegado a 83. Muitos deles foram destruídos no grande incêndio de 1666, mas outros surgiram em seu lugar, e no fim do século havia centenas de cafés públicos. Uma autoridade calcula o total em 3.000, embora isso pareça pouco provável numa cidade com uma população de apenas 600 mil pessoas naquela época. (Os cafés públicos algumas vezes serviam outras bebidas também, tais como chocolate quente e chá, mas sua atmosfera bem-comportada e alegre era inspirada nos estabelecimentos árabes, e o café era a bebida predominante.)

Contudo, nem todos aprovaram. Ao lado dos donos de tabernas e negociantes de vinhos, que tinham razões comerciais para fazer objeções ao café, os opositores incluíam médicos que acreditavam que a nova bebida era venenosa e alguns críticos que, fazendo eco aos opositores árabes, preocupavam-se com o fato de que os cafés públicos incentivavam a perda de tempo e a discussão trivial em detrimento de atividades mais importantes. Outros simplesmente faziam objeção ao gosto do café, que era menosprezado como "xarope de fuligem" ou "essência de sapatos velhos". (O café, como a cerveja, era tributado pelo galão, o que significava que tinha de ser preparado de antemão. O café frio dentro de um barril era então fervido novamente antes de ser servido, o que não pode ter feito muito bem ao sabor.)

O resultado foi uma seqüência de panfletos e ataques violentos de ambos os lados do debate, com títulos tais como *Uma disputa sobre café* (1662), *Um ataque ao café* (1672), *Em defesa do café* (1674) e *Cafés públicos justificados* (1675). Um ataque notável aos cafés de Londres veio de um grupo de mulheres que publicou *A petição das mulheres contra o café – apresentando à consideração do público as grandes inconveniências que se acumulam para o sexo feminino a partir do uso excessivo da bebida seca e debilitante.* As mulheres queixavam-se de que seus maridos bebiam tanto café que estavam se tornando "tão sem frutos como os desertos de onde se diz que aquele infeliz grão é trazido". Mais ainda, como os homens estavam gastando todo o seu tempo em cafés públicos, nos quais as mulheres eram proibidas de entrar, "a raça inteira estava em perigo de extinção".

O debate exaltado sobre os méritos do café levou as autoridades britânicas a agir. O rei Carlos II estava de fato procurando já havia algum tempo um pretexto para agir contra os cafés públicos. Assim como seus pares no mundo árabe, ele suspeitava da liberdade de expressão permitida nos cafés e de sua conveniência para promover conspirações. Carlos estava particularmente consciente disso, pois as maquinações nos cafés públicos tinham exercido um certo papel na sua própria ascensão ao trono. Em 29 de dezembro de 1675, o rei emitiu uma "Proclamação para a supressão dos cafés públicos" declarando que tais estabelecimentos "produziam muitos efeitos diabólicos e perigosos ... porque em tais casas ... diversos relatórios falsos, maliciosos e escandalosos são tramados e espalhados por toda parte, difamando o governo de Sua Majestade; Sua Majestade tinha achado adequado e necessário que os ditos cafés sejam (no futuro) derrubados e suprimidos".

A conseqüência foi um protesto público, pois os cafés, a essa altura, tinham se tornado um aspecto central da vida social, comercial e política de Londres. Quando ficou claro que a proclamação seria amplamente ignorada, o que minaria a autoridade do governo, uma proclamação adicional foi emitida, anunciando que seria permitido aos vendedores de café manter o negócio por mais seis meses se eles pagassem quinhentas libras e concordassem em fazer um juramento de lealdade. Mas a taxa e o limite de tempo foram logo abandonados, em favor de demandas obscuras de que os cafés públicos deveriam recusar a entrada de espiões e de agitadores. Nem mesmo o rei podia suspender a marcha do café.

De modo semelhante, médicos em Marselha, onde o primeiro café público da França fora aberto em 1671, atacaram o café por motivos de saúde, sob o comando dos mercadores de vinho que temiam por seu sustento. Eles declararam que o café era uma "novidade estrangeira odiosa e sem valor ... o fruto de uma árvore descoberta por bodes e camelos (que) queimava o sangue, induzia a paralisia, impotência e fraqueza" e que seria "danoso à maior parte dos habitantes de Marselha". Mas esse ataque fez pouco para desacelerar a difusão do café: ele já se tinha afirmado como uma bebida elegante dentro da aristocracia, e os cafés públicos estavam florescendo em Paris no fim do século. Quando o café tornou-se popular na Alemanha, o compositor Johann

Sebastian Bach escreveu uma "Cantata do café", satirizando aqueles que sem sucesso se opunham à bebida por motivos médicos. O café também foi adotado na Holanda, onde um escritor observou, no início do século XVIII, que "seu consumo tornou-se tão comum em nosso país que, a não ser que empregadas e costureiras tomem seu café toda manhã, a linha não vai passar pelo buraco da agulha". A bebida árabe conquistara a Europa.

IMPÉRIOS DE CAFÉ

Até o final do século XVII, a Arábia estava sem desafiantes como supridora de café para o mundo. Como explicou um escritor parisiense em 1696: "O café é colhido na vizinhança de Meca. Depois, é conduzido para o porto de Jedá. Em seguida, é embarcado para Suez e transportado por camelos para a Alexandria. Ali, nos armazéns egípcios, comerciantes franceses e venezianos compram o estoque de grãos que precisam para suas respectivas terras de origem." Ocasionalmente, o café também era embarcado diretamente de Mocha pelos holandeses. Mas à medida que a popularidade do café crescia, os países europeus começavam a se preocupar com a dependência em relação a esse produto estrangeiro e dedicaram-se a estabelecer seus próprios fornecimentos. Os árabes compreensivelmente fizeram tudo o que era possível para proteger seu monopólio. Antes de serem embarcados, os grãos de café eram manejados para garantir que ficassem estéreis e não pudessem ser usados como semente, e os estrangeiros foram excluídos das áreas produtoras.

Os primeiros a quebrar o monopólio árabe foram os holandeses, que tomaram o lugar dos portugueses como a nação européia dominante nas Índias Orientais durante o século XVII, ganhando o controle sobre o comércio das especiarias e tornando-se, por um breve tempo, o poder comercial dominante no mundo. Os marinheiros holandeses roubaram pedaços de cafeeiros árabes, que foram levados para Amsterdã e cultivados com sucesso em estufas. Na década de 1690, plantações foram estabelecidas pela Companhia Holandesa das Índias Orientais na Batávia, em Java, uma colônia numa ilha que atualmente corresponde à Indonésia. Em poucos anos, o café de Java embarcado diretamente para Roterdã tinha possibilitado à Holanda o controle do mercado. O café árabe não era capaz de competir em preço, muito embora os *connoiseurs* achassem seu sabor superior.

Depois vieram os franceses. Os holandeses já tinham ajudado demonstrando que o café podia florescer num clima semelhante ao exigido pelo açúcar, o que sugeria que poderia crescer tão bem nas Índias Ocidentais (Caribe) como fazia nas Índias Orientais. Um francês, Gabriel Mathieu de Clieu, oficial naval lotado na ilha de Martinica, tomou para si a tarefa de introduzir o café na região francesa das Índias Ocidentais. Durante uma visita a Paris em 1723, envolveu-se num esquema inteiramente não-oficial com o propósito de obter um pedaço de cafeeiro para levar à Martinica. O único cafeeiro em Paris era um espécime bem guardado numa estufa no Jardim das Plantas, dado pelos holandeses como um presente a Luís XIV em 1714. Luís, porém, parece ter mostrado pouco interesse pelo café. De Clieu não podia simplesmente dar-se ao luxo de cortar essa árvore real e, em vez disso, usou suas conexões. Convenceu uma jovem dama aristocrática a obter um pedaço com o médico do rei, o qual estava autorizado a usar quaisquer plantas que desejasse para a preparação de remédios. Esse pedaço foi então repassado para De Clieu, que tomou todo o cuidado e o levou, instalado numa caixa de vidro, num navio destinado às Índias Ocidentais (Caribe).

A se acreditar nesse relato auto-elogioso de De Clieu, a planta enfrentou numerosos perigos em sua viagem pelo Atlântico. "É inútil contar de novo em detalhes o cuidado infinito que fui obrigado a dedicar a essa planta deli-

Gabriel Mathieu de Clieu partilha sua quota de água com a muda de cafeeiro durante uma calmaria na rota para a Martinica.

cada durante uma longa viagem, e as dificuldades que tive para poupá-la", escreveu De Clieu muitos anos depois, no início de um detalhado relato de sua perigosa jornada. Primeiramente, a planta teve de enfrentar as atenções de um passageiro misterioso que falava francês com sotaque holandês. Diariamente De Clieu levava a planta até o convés para expô-la ao sol, e, um dia, depois de cochilar próximo a ela, acordou e descobriu que o holandês havia arrancado um de seus galhos. O holandês, porém, desembarcou na ilha da Madeira. A embarcação depois teve um conflito com um navio pirata e escapou por pouco. A caixa de vidro da planta de café foi danificada na luta, e por isso De Clieu teve de pedir ao carpinteiro do navio que a consertasse. Depois seguiu-se uma tempestade que de novo danificou a caixa e molhou a planta com água do mar. Por fim, o navio ficou parado durante vários dias por causa da calmaria e foi necessário um racionamento de água. De Clieu escreveu: "Faltava água de tal maneira que, por mais de um mês, fui obrigado a partilhar a limitada ração a mim destinada com a minha muda de cafeeiro na qual minhas esperanças mais felizes estavam depositadas."

Finalmente, De Clieu e sua carga preciosa chegaram à Martinica. Ele escreveu: "Chegando em casa, meu primeiro cuidado foi colocar a planta com grande atenção na parte de meu jardim que era mais favorável ao seu crescimento. Embora mantivesse vigilância, temi muitas vezes que fosse tirada de mim, e fui afinal obrigado a rodeá-la com arbustos de espinhos e estabelecer uma guarda sobre ela até que amadurecesse... essa planta preciosa ficara ainda mais cara para mim pelos perigos que correra e os cuidados que me custara." Dois anos depois, De Clieu obteve a primeira colheita. Ele então começou a dar pedaços da planta para os amigos, de modo que também pudessem cultivar o café. De Clieu ainda mandou mudas de café para as ilhas de São Domingos e Guadalupe, onde floresceram. Exportações de café para a França começaram em 1730, e a produção excedeu tanto a demanda doméstica que os franceses começaram a embarcar o que sobrava de Marselha para o Levante. Mais uma vez, foi difícil para o café árabe competir. Em reconhecimento à sua realização, De Clieu foi apresentado em 1746 a Luís XV, que demonstrava mais entusiasmo com o café do que seu pai. Por volta da mesma época, os holandeses introduziram o café no Suriname, uma colônia na América do Sul. Descendentes da planta original de De Clieu estavam também proliferando na região, no Haiti, em Cuba, na Costa Rica e na Venezuela. Por fim, o Brasil tornou-se o principal fornecedor de café no mundo, deixando a Arábia bem para trás.

O café atravessou um longo caminho desde as suas obscuras origens como uma bebida religiosa no Iêmen. Depois de difundir-se no mundo árabe, foi adotado por toda a Europa e espalhado pelo globo pelas potências européias. O café chegara a uma predominância mundial como uma alternativa ao álcool, favorecido principalmente por intelectuais e homens de negócios. Porém, ainda mais importante do que essa nova bebida foi a maneira original com que foi consumida: em cafés públicos, que vendiam conversas tanto quanto café. Ao fazer isso, forneceram um ambiente inteiramente novo para o intercâmbio social, intelectual, comercial e político.

• O CAFÉ PÚBLICO COMO REDE DE COMUNICAÇÃO •

Você que se delicia com talento e alegria
E deseja ouvir notícias
Que vêm de todas as partes da Terra,
Holandeses, dinamarqueses, turcos e judeus,
Vou mandá-lo a um ponto de encontro
Onde tudo é novo:
Vá ouvir no café público –
Não pode ser senão verdade...
Tudo que está acontecendo em todo o mundo,
Do monarca ao rato,
Cada dia ou noite é lembrado
No café.
de "Notícias do café público" por Thomas Jordan (1667)

UMA REDE ALIMENTADA PELO CAFÉ

Quando um homem de negócios europeu do século XVII queria ouvir as últimas notícias do ramo, acompanhar preços de mercadorias, atualizar-se quanto aos mexericos políticos, descobrir o que outras pessoas achavam de um novo livro ou ficar a par dos últimos desenvolvimentos científicos, tudo o que precisava fazer era entrar num café público. Lá, pelo preço de uma xícara (ou "prato") de café, podia ler os últimos panfletos e informes sobre negócios, conversar com outros fregueses, fechar negócios ou participar de debates literários ou políticos. Os cafés da Europa funcionavam como bolsas de informação para cientistas, homens de negócios, escritores e políticos.

Como os *websites* modernos da Internet, eram fontes de informação ressoantes e muitas vezes não confiáveis, normalmente especializadas em determinado tópico ou visão política. Tornaram-se as saídas naturais para uma onda de informativos, panfletos, filipetas de propaganda e ataques verbais. Um observador contemporâneo fez o seguinte comentário: "Os cafés públicos são especialmente cômodos para uma conversa livre e para ler com tranqüilidade tudo o que existe de notícias impressas, os votos do parlamento em sessão e outros impressos publicados semanal ou eventualmente. Deles, a *London Gazette* sai às segundas e quintas, o *Daily Courant* todos dias menos domingo, o *Postman*, o *Flying-Post* e o *Post-Boy* às terças, quintas e sábados, e o *English Post* às segundas, quartas e sextas, além de seus freqüentes textos adicionais." Estas publicações também carregavam o espírito do café público para fora, na direção das províncias e cidades do interior.

Dependendo dos interesses de seus clientes, alguns cafés divulgavam preços de mercadorias, cotação de ações ou listas de embarques em suas paredes; outros assinavam informativos estrangeiros repletos de notícias de outros países. Os cafés públicos se associaram a áreas profissionais específicas, servindo de locais de encontro onde atores, músicos ou marinheiros podiam ir se estivessem procurando trabalho. Cafés que cuidavam de uma clientela específica ou interessada em certo tema comum ficavam com freqüência agrupados na mesma vizinhança.

Isso era particularmente verdadeiro em Londres, onde centenas de cafés públicos, cada um com seu próprio nome e placa acima da porta, tinham sido fundados por volta de 1700. Aqueles próximo a St. James e Westminster eram freqüentados por políticos; aqueles perto da catedral de São Paulo, por teólogos e clérigos. A turma literária, enquanto isso, reunia-se no café de Will, em Covent Garden, onde por três décadas o poeta John Dryden e seu círculo social analisavam e debatiam os poemas e peças mais recentes. Os cafés públicos em torno da Bolsa Real ficavam apinhados de homens de negócios que freqüentavam estabelecimentos específicos em horários regulares, de modo que seus associados pudessem saber onde encontrá-los, usando os cafés como escritórios, salas de reunião e locais de encontro para o comércio. Os livros eram vendidos no café de Man, em Chancery Lane, e mercadorias de todos os tipos eram compradas e vendidas em vários cafés públicos, que funcionavam como salas de leilão. Alguns cafés estavam tão intimamente associados a certos temas que a *Tatler*, revista londrina fundada em 1709, usava seus nomes como títulos de assuntos para seus artigos. O primeiro número da revista declarava: "Todos os assuntos de galanteria, prazer e entretenimento serão tratados sob o título da Chocolateria White; a poesia fica associada ao café de Will; o conhecimento fica sob o título Grecian; quanto às notícias externas e nacionais, você encontra sob o título do café de St. James."

Richard Steele, editor da *Tatler*, dava como seu endereço postal o café Grecian, canto preferido da comunidade científica. Isso era outra inovação dos cafés públicos: após o estabelecimento do correio londrino em 1680, tornou-se prática comum usá-los como endereço para correspondência. Clientes assí-

Um café público do fim do século XVII, em Londres.

duos podiam aparecer uma ou duas vezes por dia, beber uma xícara de café, ouvir as últimas notícias e verificar se havia alguma correspondência à sua espera. "Estrangeiros notaram que o café público era aquilo que especialmente distinguia Londres de todas as outras cidades", escreveu o historiador do século XIX Thomas Macauley em sua *História da Inglaterra*. "O café era a casa do londrino, e se alguém quisesse encontrar um cavalheiro, normalmente não perguntava se ele vivia na rua Fleet ou em Chancery Lane, mas sim se ele freqüentava o Grecian ou o Rainbow." Algumas pessoas freqüentavam diversos cafés, escolhendo entre eles de acordo com seus interesses. Um comerciante, por exemplo, podia oscilar entre um café público da área financeira e um especializado em remessas para o Báltico, para as Índias Ocidentais ou para as Índias Orientais. Os interesses amplos e variados do cientista inglês Robert Hooke ficavam refletidos em suas visitas a cerca de 60 cafés londrinos durante a década de 1670, como registrado em seu diário.

Boatos, notícias e mexericos eram transmitidos entre os cafés públicos por seus fregueses, e ocasionalmente mensageiros iam de um café para o outro, a fim de relatar grandes acontecimentos tais como a eclosão de uma guerra ou a morte de um chefe de Estado. ("O grande vizir estrangulado", anotou Hooke, após ouvir a notícia no café de Jonathan em 8 de maio de 1693.) As notícias corriam rapidamente através dessa rede de comunicação alimentada pelo café. Segundo um relato publicado no *Spectator* em 1712: "Havia um camarada na cidade há alguns anos que costumava se divertir contando uma mentira em Charing Cross às oito da manhã e depois a seguindo através de todas as regiões da cidade até as oito da noite; depois vinha ao clube de seus amigos e os divertia com um relato da crítica que tinha sofrido no café de Will, em Covent Garden, ou de quão perigosa foi considerada no café de Child, ou qual relação tinha sido inferida daquela mentira, sobre as ações, no café de Jonathan."

Os debates nos cafés ao mesmo tempo moldavam e refletiam a opinião pública, formando uma ponte única entre o mundo público e o privado. Teoricamente, os cafés eram locais abertos para qualquer homem (as mulheres eram excluídas, pelo menos em Londres), mas sua decoração simples e mobiliário confortável, bem como a presença de clientes habituais, também lhes conferiam um ar caseiro e aconchegante. Esperava-se que os fregueses respeitassem certas regras que não se aplicavam ao mundo exterior. De acordo com o costume, as diferenças sociais deviam ser deixadas na porta. Nas palavras de um verso contemporâneo: "Alta sociedade, comerciantes, todos são bem-vindos aqui e podem sem afronta sentar-se juntos." A prática relacionada ao álcool de brindar à saúde de outras pessoas foi banida, e qualquer um que começasse uma briga tinha de compensar pagando uma xícara de café para todos os presentes.

A importância dos cafés era mais evidente em Londres, cidade que entre 1680 e 1730 consumiu mais café do que qualquer outro lugar na Terra. Os diários de intelectuais da época estão repletos de referências aos cafés públicos: "Daqui para o café público" aparece freqüentemente no celebrado diário de Samuel Pepys, um funcionário público inglês. Seu registro do dia 11 de janeiro de 1664 dá uma idéia da atmosfera cosmopolita e casual que prevalecia nos cafés do período, onde tanto assuntos triviais como intensos eram debatidos e nunca se sabia quem poderia ser encontrado ou o que poderia ser ouvido: "Daqui para o café público, para o local aonde vêm Sir W. Petty e o capitão Grant, e nós caímos na conversa (além de um jovem cavalheiro, imagino que seja um comerciante, cujo nome era sr. Hill, que tinha viajado, e percebi que era um mestre em vários tipos de música e outras coisas) sobre música, sobre o caráter universal, sobre a arte da memória ... e outras excelentes conversas para meu grande contentamento, pois não desfrutava de companhia tão boa há muito tempo. Se tivesse tempo, teria desejado conhecer melhor aquele sr. Hill. ... O assunto principal da cidade ainda é o do coronel Turner, ligado ao roubo; acredita-se que será enforcado."

De modo semelhante, o diário de Hooke mostra que ele usava os cafés para debates acadêmicos com amigos, negociações com construtores e produtores de instrumentos, e mesmo como locais de encontro para experimentações científicas. Um registro de fevereiro de 1674 revela os temas debatidos no café de Garraway, seu preferido na época: o suposto hábito existente entre comerciantes nas Índias de segurar as coisas com os pés assim como com as mãos, a prodigiosa altura das palmeiras e a "extrema delícia do abacaxi", então uma fruta nova e exótica das Antilhas.

Os cafés públicos eram centros de autodidatismo, especulações literárias e filosóficas, inovação comercial e, em alguns casos, agitação política. Mas, acima de tudo, eram câmaras de compensação para notícias e mexericos, ligados em decorrência da circulação dos clientes, das publicações e das informações de um estabelecimento para o outro. Coletivamente, os cafés da Europa funcionavam como a Internet da Idade da Razão.

INOVAÇÃO E ESPECULAÇÃO

O primeiro café na Europa ocidental não foi aberto num centro de comércio ou de trocas mercantis, mas sim na cidade universitária de Oxford, onde um libanês chamado Jacob montou o estabelecimento em 1650, dois anos antes do de Pasqua Rosee em Londres. Embora a conexão entre o café e a academia seja hoje aceita como verdadeira – o café é a bebida normalmente servida entre sessões em conferências acadêmicas e simpósios –, no início ela era controversa. Quando o café tornou-se popular em Oxford e os cafés públicos que o vendiam começaram a se multiplicar, as autoridades universitárias tentaram ser severas, preocupadas porque os cafés incitavam à ociosidade e afastavam membros da universidade de seus estudos. Anthony Wood, um cronista da época, estava entre aqueles que denunciaram o entusiasmo pela nova bebida. Ele perguntou: "Por que o aprendizado sólido e sério está declinando e ninguém ou poucos se dedicam ao estudo na universidade? Resposta: por causa dos cafés públicos, onde passam todo o seu tempo."

Mas os opositores dos cafés não podiam estar mais errados, pois eles tornaram-se locais populares de encontro para debate acadêmico, particularmente entre aqueles que tinham interesse no progresso da ciência, ou "filosofia natural" como era conhecida na época. Longe de desencorajar a atividade intelectual, o café a promovia com vigor. Na verdade, os cafés públicos eram algumas vezes chamados de "universidades dos centavos", já que qualquer um podia entrar e juntar-se ao debate por um centavo ou dois, o preço de uma xícara. Como uma canção da época ilustrou: "Uma universidade assim tão magnífica, eu acho que nunca houve nenhuma. Ali você pode ser um acadêmico gastando somente um centavo."

Um dos jovens que adquiriu o gosto pelos debates nos cafés públicos enquanto estudava em Oxford foi o arquiteto e cientista inglês Christopher Wren. Lembrado hoje principalmente como o arquiteto da catedral de São Paulo em Londres, Wren era também um dos principais cientistas de sua época. Foi membro fundador da Sociedade Real, a instituição científica pioneira da Grã-Bretanha, formada em Londres em 1660. Seus membros, incluindo Hooke, Pepys e Edmond Halley (o astrônomo cujo sobrenome foi dado ao cometa), fugiam freqüentemente para um café público após as reuniões da sociedade a fim de continuar suas discussões. Para dar um exemplo típico, em 7 de maio de 1674 Hooke registrou em seu diário que demonstrara uma forma melhorada do quadrante astronômico na Sociedade Real e havia repetido posteriormente sua demonstração no café de Garraway, onde conversou sobre ela com John Flamsteed, indicado por Carlos II como primeiro astrônomo real para o ano seguinte. Contrastando com a atmosfera formal dos encontros da sociedade, os cafés públicos forneciam uma atmosfera mais relaxada que incentivava a discussão, a especulação e o intercâmbio de idéias.

O diário de Hooke exemplifica como a informação podia ser difundida nos cafés públicos. Em um encontro, no café de Man, Hooke e Wren trocaram informações sobre o comportamento das molas. "Conversamos muito sobre a demonstração do movimento da mola. Ele narrou um interessante pensamento seu sobre um delicado barômetro. ... Eu lhe narrei outro. ... Contei-lhe sobre minhas escalas filosóficas com molas. ... Ele me descreveu sua escala com corda mecânica." Em outra ocasião, Hooke trocou receitas para remédios com um amigo no café de Saint Dunstan. Tais debates também permitiam a cientistas experimentar teorias e idéias em desenvolvimento. Hooke, porém, tinha reputação de ser prepotente, argumentativo e exagerado em seus casos. Após uma discussão com Hooke no café de Garraway, Flamsteed queixou-se de que já tinha "há muito observado que era da natureza de Hooke dizer contradições de modo aleatório, com pouco julgamento, e defendê-las com afirmações sem provas". Segundo Flamsteed: "Hooke me aborrecia com muitas palavras e persuadia os companheiros de que eu era ignorante dessas coisas das quais só ele entendia, e eu não."

Mas a presunção de Hooke nos cafés públicos foi o gatilho inconsciente para a publicação do maior livro da revolução científica. Numa noite de janeiro de 1684, um debate num café público entre Hooke, Halley e Wren voltou-se para a teoria da gravidade, um tópico de muita especulação na época. Entre goles de café, Halley perguntou a si mesmo em voz alta se as formas elípticas das órbitas planetárias eram consistentes com uma força gravitacional que diminuía com o inverso do quadrado da distância. Hooke declarou que este era o caso e que a regra do inverso do quadrado por si só podia explicar o movimento dos planetas, algo para o qual ele alegava ter desenvolvido uma prova matemática. Mas Wren, que tinha tentado ele mesmo e fracassado na produção dessa prova, não estava convencido. Halley mais tarde registrou que Wren ofereceu "dar ao sr. Hooke ou a mim dois meses de prazo para trazer uma demonstração convincente da lei, e, além da honra, aquele de nós que provasse deveria receber da parte dele, como presente, um livro de 40 xelins". Contudo, nem Halley nem Hooke aceitaram o desafio de Wren, e o prêmio ficou sem dono.

Alguns meses mais tarde Halley foi a Cambridge, onde visitou outro colega das ciências, Isaac Newton. Lembrando-se de seu acalorado debate no café público com Wren e Hooke, Halley fez para Newton a mesma pergunta: será que uma lei da gravidade com o inverso do quadrado poderia dar origem a órbitas elípticas? Como Hooke, Newton alegou que já tinha provado isso, embora não tivesse conseguido achar a prova quando Halley pediu para vê-la. Após a partida de Halley, porém, Newton dedicou-se ao problema. Em novembro, mandou um ensaio para Halley em que demonstrava que uma lei da gravidade com o inverso do quadrado realmente implicava órbitas planetárias elípticas. Mas, como acabou acontecendo, esse artigo acadêmico era apenas um aperitivo do que estava por vir. Pois a pergunta de Halley provocara em Newton o ímpeto de que ele precisava para formalizar os resultados de muitos anos de trabalho e para produzir um dos maiores livros da história da ciência: *Philosophiae Naturalis Principia Mathematica* (Princípios matemáticos da filosofia natural), geralmente conhecido como o *Principia*. Nesse trabalho monumental, publicado em 1687, Newton demonstrou como o seu princípio de gravitação universal podia explicar ambos os movimentos de corpos terrestres e corpos celestes, desde a queda da maçã (provavelmente apócrifa) até as órbitas dos planetas. Com o *Principia*, Newton finalmente forneceu uma nova base às ciências físicas para substituir as teorias desacreditadas dos gregos. Ele tinha feito o universo submeter-se à razão. O impacto de seu trabalho foi tanto que ele é amplamente reconhecido como o maior cientista da história.

Hooke insistiu que tinha dado a Newton a idéia da lei do inverso do quadrado em cartas trocadas alguns anos antes. Mas, quando defendeu o seu ponto em outro debate em um café público após a apresentação do primeiro volume do *Principia* à Sociedade Real em junho de 1686, Hooke fracassou em convencer seus colegas da comunidade científica. Havia uma grande diferença entre apresentar uma idéia num café público e provar sua exatidão. Hooke não tinha publicado suas idéias nem feito sua apresentação formal para a sociedade, e tinha reputação de alegar já ter pensado em tudo antes de qualquer outro (embora em muitos casos ele realmente o tivesse). Halley escreveu a Newton: "Como o assunto foi postergado para o café público, o sr. Hooke fez um esforço para que acreditassem que ele havia desenvolvido tal coisa por conta dele e que lhe dera uma primeira pista dessa invenção. Mas verifiquei que eram todos da opinião de que ... você deveria ser considerado o inventor." A despeito dos protestos de Hooke, o café público tinha dado o seu veredicto, que permanece o mesmo até hoje.

Próximo do fim do século XVII, a disseminação do conhecimento científico por intermédio dos cafés de Londres tomou uma nova forma, mais estruturada. Uma série de aulas de matemática foi dada no café Marine, perto do de St. Paul, começando em 1698. Depois dela os cafés tornaram-se locais populares para palestras ainda mais complexas. Equipado com os últimos microscópios, telescópios, prismas e bombas, James Hodgson, um ex-assistente de Flamsteed, estabeleceu-se como um dos principais divulgadores populares da ciência. Seu curso de filosofia natural prometia fornecer "o melhor e mais seguro fundamento para todo conhecimento útil" e incluía demonstrações das propriedades dos gases, da natureza da luz e das últimas descobertas em astronomia e microscopia. Hodgson também ministrava aulas particulares e publicou um livro sobre navegação. De forma semelhante, o café de Swan, na rua Threadneedle, era o local para aulas de matemática e astronomia, enquanto outro café, em Southwark, de propriedade de uma família que ensinava matemática, publicava livros sobre navegação e vendia instrumentos científicos. Aulas especiais de astronomia foram organizadas tanto no café de Button como no Marine com o propósito de coincidir com um eclipse do Sol.

Essas palestras serviam tanto a interesses comerciais como científicos. Homens do mar e mercadores perceberam que a ciência podia contribuir para melhorias na navegação e, portanto, para o sucesso comercial, enquanto os cientistas estavam loucos para demonstrar que suas descobertas aparentemente esotéricas tinham valor prático. Como observou um matemático inglês em 1703, a matemática tinha se tornado "o negócio dos comerciantes, mercadores, homens do mar, carpinteiros, avaliadores de terras e assemelhados". Empresários e cientistas se juntavam e formavam companhias para explorar novas invenções e descobertas em navegação, mineração e manufaturas, pavimentando o caminho para a Revolução Industrial. Foi em cafés públicos que a ciência e o comércio se entrelaçaram.

O espírito de inovação e experimentação dos cafés públicos estendeu-se também para a esfera financeira, dando origem a novos modelos de negócios na forma de incontáveis variações novas em seguros, loterias ou esquemas acionários. Naturalmente, muitas das iniciativas promovidas em cafés nunca saíram do papel ou foram fracassos espetaculares. O drama da bolha financeira do mar do Sul, um esquema fraudulento de investimentos que entrou em colapso em setembro de 1720, arruinando milhares de investidores, foi apresentado em cafés como o Garraway. Mas entre exemplos bem-sucedidos, o mais conhecido começou em um café aberto em Londres, no final da década de 1680, por Edward Lloyd. Tornou-se um lugar de encontro para capitães e donos de navios, e mercadores que iam lá a fim de ouvir as últimas notícias marítimas e assistir a leilões de navios e de suas cargas. Lloyd começou a coletar e sintetizar essas informações, suplementadas por relatórios de uma rede de correspondentes estrangeiros, no estilo de um informativo rotineiro, inicialmente escrito a mão e mais tarde impresso e enviado para assinantes. O Lloyd's tornou-se o local natural de encontro para donos de navios e agentes que faziam seguro de suas embarcações. Alguns destes últimos começaram a alugar cabines regularmente no Lloyd's e, em 1771, um grupo de 79 deles estabeleceu coletivamente a Sociedade

Lloyd, que sobrevive até hoje como Lloyd's of London, a instituição dominante no mercado de seguros do mundo.

Os cafés públicos também funcionaram como mercados de ações. Inicialmente, elas eram negociadas junto com outras mercadorias na Bolsa Real, mas como o número de companhias listadas cresceu (passando de 15 para 150 durante a década de 1690) e como aumentou a atividade dos negócios, o governo aprovou uma lei "para restringir o número e a prática de corretores e negociadores de ações", impondo regras rígidas a respeito das negociações na bolsa. Em protesto, os corretores abandonaram a bolsa e mudaram-se para os cafés públicos nas ruas próximas, particularmente um: Jonathan's, na Exchange Alley. O anúncio de um corretor de 1695 diz o seguinte: "John Castaing no café Jonathan's perto da bolsa compra e vende todas as apólices de benefícios, apólices em branco e todas as outras ações e partes beneficiárias."

À medida que o volume de comércio aumentava, as desvantagens da natureza informal do comércio no café público tornavam-se mais evidentes. Corretores que deixavam de fazer pagamentos eram impedidos de entrar no Jonathan's. Embora não houvesse maneira de impedi-los de negociar em outro lugar, o banimento do Jonathan's significava uma importante perda de movimento para eles. Os nomes dos inadimplentes eram escritos num quadro-negro, para evitar a readmissão alguns meses mais tarde. Não obstante, problemas continuavam, e assim, em 1762, um grupo de 150 corretores fez um acordo com o proprietário do Jonathan's: em troca de uma contribuição anual de oito libras cada, eles teriam permissão para usar as dependências, com o direito de excluir ou expulsar corretores que não fossem confiáveis. Mas esse esquema foi desafiado de forma bem-sucedida por um corretor banido que argumentou que os cafés eram lugares públicos em que qualquer um deveria ser capaz de entrar. Em 1773, um grupo de comerciantes desligou-se do Jonathan's e foi para um novo prédio, inicialmente conhecido como o Novo Jonathan's. Esse nome, porém, não durou muito, como relatou a *Gentlemen's Magazine*: "O Novo Jonathan's chegou à resolução de que, em vez de ser denominado Novo Jonathan's, deveria ser chamado de Bolsa de Valores, que é o que deve ser escrito acima da porta." Foi o precursor da Bolsa de Valores de Londres.

Esse período de rápida inovação nas finanças públicas e privadas, com o lançamento de companhias e a compra e venda de ações, o desenvolvimento de esquemas de seguros e o financiamento público da dívida governamental, tudo isso culminando com Londres substituindo Amsterdã como centro financeiro mundial, é conhecido hoje como a revolução financeira. A necessidade de financiar guerras coloniais caras fê-la necessária, e o ambiente fértil intelectual e o espírito especulativo dos cafés tornaram-na possível. O equivalente financeiro do *Principia* foi *A riqueza das nações*, escrito pelo economista escocês Adam Smith. O livro descreve e patrocina a doutrina então emergente do capitalismo *laissez-faire*, segundo a qual a melhor maneira de os governos incentivarem o comércio e a prosperidade é deixar as pessoas por conta de seus próprios interesses. Smith escreveu a maior parte de seu livro no café público British, que foi sua base e seu endereço postal em Londres e um lugar popular de encontro de intelectuais escoceses, entre os quais ele circulou capítulos do livro para críticas e comentários. Assim foi que os cafés públicos de Londres transformaram-se nos cadinhos das revoluções científica e financeira que moldaram o mundo moderno.

REVOLUÇÃO PELA XÍCARA

Enquanto a revolução financeira estava em andamento na Inglaterra, uma revolução de tipo diferente fermentava na França. Durante o século XVIII, o pensamento iluminista tinha florescido entre pensadores como o filósofo e satírico François-Marie Arouet de Voltaire, que ampliou o novo racionalismo científico para as esferas sociais e políticas. Depois de ofender um nobre com um gracejo em 1726, Voltaire foi aprisionado na Bastilha, em Paris, e só libertado sob a condição de que fosse para a Inglaterra. Enquanto esteve lá, ele mergulhou completamente no racionalismo científico de Isaac Newton e no empirismo adotado pelo filósofo John Locke. Assim como Newton tinha reconstruído a física a partir dos princípios básicos, Locke começou a fazer o mesmo na filosofia política. Ele acreditava que os homens tinham nascido iguais, que eram intrinsecamente bons e que tinham direito à busca da felicidade. Nenhum homem deveria interferir na vida, na saúde, na liberdade ou nas posses de outro homem. Inspirado por essas idéias radicais, Voltaire retornou à França e detalhou suas idéias em um livro, *Lettres philososophiques*, que comparava de forma desfavorável o sistema de governo francês com uma descrição um tanto idealizada do sistema inglês. Em conseqüência, o livro foi imediatamente proibido.

Um destino semelhante teve a *Encyclopédie*, compilada por Denis Diderot e Jean Le Rond d'Alembert, cujo primeiro volume apareceu em 1751. Seus colaboradores incluíam Voltaire e outros importantes pensadores franceses, como Jean-Jacques Rousseau e Charles-Louis de Secondat Montesquieu que, como Voltaire, tinha sido bastante influenciado por Locke. Com essa lista de colaboradores, não é de surpreender que a *Encyclopédie* tenha passado a ser vista como a síntese definitiva do pensamento do Iluminismo. O volume promoveu uma visão racional e secular do mundo com base no determinismo científico, denunciou abusos de poder eclesiásticos e legislativos e enfureceu as autoridades religiosas que, com sucesso, pressionaram para que fosse também banido. Diderot continuou seu trabalho mesmo assim, de forma discreta, e a *Encyclopédie* foi finalmente completada em 1772, com os 28 volumes sendo entregues aos assinantes em segredo.

Como em Londres, os cafés de Paris eram locais de encontro de intelectuais e tornaram-se centros do pensamento iluminista. Diderot realmente compilou a *Encyclopédie* no café de la Régence, que ele usava como seu escritório. Em suas memórias, ele lembrou que sua mulher costumava lhe dar nove *sous* a cada manhã para pagar um dia inteiro de café. No entanto, era nos cafés públicos que o contraste entre a França e a Inglaterra ficava particularmente evidente. Em Londres, eles eram locais de debates políticos sem restrições, chegando mesmo a ser usados como sedes de partidos políticos. O escritor inglês Jonathan Swift observou que "não estava ainda convencido de que o acesso dos homens ao poder trouxesse mais verdade ou luz do que a política num café público". O café Miles era o local de encontro de um grupo regular de debates fundado em 1659 e conhecido como o "Parlamento amador". Pepys observou que esses debates eram "os mais engenhosos e inteligentes que já ouvi, ou espero ouvir, e realizados com grande vontade; já as discussões no Parlamento não eram senão insossas em comparação". Notou também que, após os debates, o grupo votava usando um "oráculo de madeira" ou urna de votos – uma novidade naquela época. Não é de surpreender que um visitante francês em Londres, o abade Prévost, tenha declarado que os cafés londrinos, "onde se tem o direito de ler todos os documentos a favor e contra o governo", eram "os assentos da liberdade inglesa".

A situação em Paris era muito diferente. Os cafés eram abundantes – cerca de 600 tinham sido estabelecidos por volta de 1750 – e, assim como em Londres, eram associados a tópicos específicos ou linhas de negócios. Poetas e filósofos reuniam-se no café Parnasse e no café Procope, cujos fregueses assíduos incluíam Rousseau, Diderot, D'Alembert e o cientista e estadista norte-americano Benjamin Franklin. Voltaire tinha uma mesa e uma cadeira favoritas no Procope e a reputação de beber dezenas de xícaras de café por dia. Os atores se reuniam no café Anglais, os músicos no café Alexandre, os oficiais do exército no café des Armes, enquanto o café des Aveugles também funcionava como bordel. Ao contrário dos salões freqüentados pela aristocracia, os cafés públicos franceses ficavam abertos para todos, até mesmo mulheres. Segundo um relato do século XVIII: "Os cafés públicos são visitados por pessoas respeitáveis de ambos os sexos. Vemos entre elas muitos tipos variados: homens da sociedade, mulheres arrumadas, abades, caipiras do campo, jornalistas, participantes de um processo jurídico, bebedores, jogadores, parasitas, aventureiros no campo do amor ou da indústria, jovens escritores – em suma, uma série interminável de pessoas." Dentro de um café, a sociedade igualitária com que os pensadores do Iluminismo sonhavam parecia na superfície estar sendo trazida à vida.

Mas a circulação de informação nos cafés franceses, tanto oralmente como por escrito, estava sujeita a uma vigilância governamental rigorosa. Com fortes restrições à liberdade de imprensa e um sistema burocrático de censura estatal, havia um número muito menor de fontes de notícias do que na Inglaterra ou na Holanda. Isso levou ao surgimento de panfletos noticiosos escritos a mão a respeito de mexericos parisienses, transcritos por dezenas de copistas e enviados por correio para assinantes dentro e fora de Paris. (Como não eram impressos, não precisavam de aprovação governamental.) A falta de imprensa livre também significava que os poemas e canções passados de mão em mão em pedaços de papel – junto com os mexericos do café público – eram fontes importantes de notícias para muitos parisienses. Mesmo assim, os fregueses tinham de tomar cuidado com o que diziam, pois os cafés viviam cheios de espiões do governo. Qualquer um que falasse contra o Estado arriscava-se a ser aprisionado na Bastilha. Os arquivos da Bastilha contêm relatórios de centenas de conversas triviais em cafés públicos, anotadas por informantes da polícia. Um relatório da década de 1720 informa: "No café de Foy, alguém disse que o rei tinha arranjado uma amante, que ela chamava-se Gontaut e era uma mulher bonita, sobrinha do duque de Noailles." Outro relatório, de 1749: "Jean-Louis Le Clerc fez as seguintes observações no café Procope: que jamais tinha havido um rei pior do que este; que a corte e os ministros levam o rei a fazer coisas vergonhosas que causam repugnância total a seu povo."

Os cafés públicos franceses destacavam o seguinte paradoxo: a despeito dos avanços intelectuais do Iluminismo, o progresso nas esferas sociais e políticas tinha sido atrasado pela mão morta do Antigo Regime. A aristocracia rica e o clero, meros 2% da população, eram isentos de impostos, de modo que o peso da tributação recaía sobre todos os demais: os pobres na área rural e os membros mais ricos da burguesia que se ressentiam do controle firme da aristocracia quanto ao poder e ao privilégio. Nos cafés públicos, o contraste entre as novas idéias radicais a respeito do mundo que poderia existir e o mundo como era realmente tornava-se mais evidente. À medida que a França esforçava-se para enfrentar uma crise financeira crescente, basicamente causada por seu apoio aos Estados Unidos na guerra revolucio-

Camille Desmoulins faz um discurso na porta do café de Foy em 12 de julho de 1789, dando início à Revolução Francesa.

nária, os cafés públicos tornavam-se centros de fomento revolucionário. De acordo com uma testemunha ocular em Paris, em julho de 1789: "Os cafés públicos estão não somente abarrotados, mas multidões se espremem nas portas e janelas para ouvir atentamente alguns oradores que discursam de cadeiras e mesas, cada um para sua pequena platéia; a ânsia com que são ouvidos e o barulho dos aplausos que recebem a cada manifestação mais intensa de violência ou ousadia contra o governo não podem ser facilmente imaginados."

À medida que a tensão popular aumentava, um encontro da Assembléia de Notáveis (o clero, os aristocratas e os magistrados) fracassou em resolver a crise financeira, impelindo o rei Luís XVI a reunir a Assembléia Geral dos Estados, eleita nacionalmente, pela primeira vez em mais de 150 anos. O encontro em Versalhes, entretanto, acabou em confusão, levando o rei a demitir seu ministro das Finanças, Jacques Necker, e a chamar o exército. No fim das contas, foi no café de Foy, na tarde de 12 de julho de 1789, que um jovem advogado chamado Camille Desmoulins colocou a Revolução Francesa em prática. Multidões tinham se reunido ali perto nos jardins do Palais Royal, e as tensões aumentaram quando a notícia da demissão de Necker se espalhou, pois ele era o único membro do governo em que o povo confiava. Os revolucionários alimentaram temores de que o exército logo desceria para massacrar a multidão. Desmoulins pulou numa mesa do lado de fora do café, brandindo uma pistola e gritando: "Às armas, cidadãos! Às armas!" Seu brado foi compreendido, e Paris rapidamente entrou no caos. Dois dias depois, a Bastilha foi derrubada por uma multidão irada. O historiador francês Jules Michelet subseqüentemente observou que aqueles "que se reuniram dia após dia no café Procope viram com olhar penetrante, nas profundezas de sua bebida negra, a iluminação do ano da revolução". Ela literalmente começou num café.

A BEBIDA DA RAZÃO

Atualmente, o consumo de café e outras bebidas com cafeína é tão generalizado, tanto dentro de casa como fora, que o impacto da introdução do café e o apelo dos primeiros cafés públicos são difíceis de imaginar. Os cafés modernos perdem importância em comparação com seus ilustres precedentes históricos. Contudo, algumas coisas não mudaram. O café permanece sendo a bebida que as pessoas tomam quando se encontram para debater, desenvolver e trocar idéias e informações. Tanto nos quiosques de café da vizinhança como nas conferências acadêmicas e nos encontros de negócios,

Um café público em Paris, no fim do século XVIII.

ainda é a bebida que facilita o intercâmbio e a cooperação, sem o risco da perda do autocontrole associada ao álcool.

A cultura original dos cafés públicos ecoa melhor talvez nos cafés cibernéticos com acesso à Internet e em lojas especiais de Internet sem fio, que facilitam a troca de informações alimentada pela cafeína, e também em cadeias de lanchonetes que são usadas como escritórios específicos e salas de reunião por trabalhadores que precisam deslocar-se constantemente. Será surpresa que o centro atual da cultura do café, a cidade de Seattle, sede da cadeia de cafés públicos Starbucks, seja também o local onde algumas das maiores firmas de *software* e de Internet do mundo estão sediadas? A associação do café com a inovação, a razão e a rede de comunicações – mais um ímpeto de fervor revolucionário – tem uma longa genealogia.

• O CHÁ •

E O IMPÉRIO BRITÂNICO

• OS IMPÉRIOS DO CHÁ •

Melhor ficar sem comida por três dias
Do que um dia sem chá.
Provérbio chinês

Graças a Deus pelo chá! O que faria o mundo
sem o chá? Como é que ele funcionou antes?
Sydney Smith, escritor britânico (1771-1845)

A BEBIDA QUE CONQUISTOU O MUNDO

Com territórios amplamente espalhados pelo mundo, o Império Britânico foi descrito em 1773 por Sir George Macartney, um administrador imperial, de um modo que ficou famoso: "este vasto império no qual o sol nunca se põe". Em seu apogeu, ele abrangia 20% da superfície do mundo e 25% de sua população. A despeito da perda das colônias norte-americanas que se seguiu à independência dos Estados Unidos, a Grã-Bretanha expandiu consideravelmente sua esfera de influência a partir de meados do século XVIII, assumindo o controle da Índia e do Canadá, fundando novas colônias na Austrália e na Nova Zelândia e tomando o lugar dos holandeses no domínio do comércio marítimo europeu com o Oriente. Entrelaçada com o surgimento da Grã-Bretanha como primeira superpotência global, houve também a adoção pioneira de um novo sistema manufatureiro. Os trabalhadores eram reunidos em grandes fábricas onde incansáveis máquinas poupadoras de mão-de-obra movidas a vapor expandiam o esforço e a habilidade humanos – um grande número de inovações coletivamente conhecido hoje como a Revolução Industrial.

Ligando essas expansões do império e da indústria, encontrava-se uma nova bebida – nova para os europeus, pelo menos – que se tornou associada aos ingleses e permanece assim até os dias de hoje. O chá forneceu a base para a ampliação do comércio europeu com o Oriente. Os lucros desse negócio ajudaram a financiar o avanço, em direção à Índia, da Companhia Britânica das Índias Orientais, a organização comercial que se tornou o governo colonial de fato da Grã-Bretanha no Oriente. Tendo surgido como uma bebida de luxo, o chá aos poucos tornou-se a bebida do trabalhador, o combustível para os operários das novas fábricas movidas a máquinas. Se o sol nunca desaparecia no Império Britânico, então era sempre a hora do chá, pelo menos em algum lugar.

Com os rituais a ela associados – o requintado chá da tarde e a pausa do trabalhador para o chá –, a bebida combinava perfeitamente com a autoimagem da Grã-Bretanha como uma potência civilizada e industrializada. É estranho então que essa bebida essencialmente inglesa inicialmente tivesse de ser importada da China, aquele império vasto e misterioso do outro lado do mundo, a um custo e esforço elevados, e que o cultivo e o processamento do chá fossem mistérios absolutos para seus apreciadores europeus. Para eles, as caixas de folhas de chá simplesmente materializavam-se nas docas em Cantão; poderiam muito bem estar vindo de Marte. Mesmo assim, o chá de algum modo tornou-se parte central da cultura britânica. A bebida que já tinha irrigado o imenso império da China pôde então alcançar vastos territórios novos. Tendo conquistado os britânicos, o chá espalhou-se pelo mundo e tornou-se a bebida mais amplamente consumida na Terra depois da água. A história do chá é a história do imperialismo, da industrialização e da dominação mundial, uma xícara de cada vez.

O SURGIMENTO DA CULTURA DO CHÁ

De acordo com a tradição chinesa, a primeira xícara de chá foi feita pelo imperador Shen Nung, cujo reinado data tradicionalmente de 2737 a 2697 a.C. Ele foi o segundo dos lendários imperadores da China e recebeu o crédito pelas invenções da agricultura e do arado, bem como pela descoberta das ervas medicinais. (De modo semelhante, diz-se que seu predecessor, o primeiro imperador, descobriu o fogo, a culinária e a música.) Reza a lenda que Shen Nung estava fervendo água para beber, usando alguns galhos de um arbusto de chá selvagem para alimentar o fogo, quando uma rajada de vento levou algumas das folhas da planta para dentro de seu pote. Ele achou a infusão resultante uma bebida delicada e reanimadora. Posteriormente escreveu um tratado médico, o *Pen ts'ao*, sobre os usos medicinais de várias ervas, no qual supostamente registrou que uma infusão de folhas de chá "dissipa a sede, reduz o desejo de dormir e alegra e anima o coração". Contudo, o chá na verdade não é uma antiga bebida chinesa; a história de Shen Nung é uma invenção elaborada bem mais tarde. A edição mais antiga do *Pen ts'ao*, que remonta à dinastia Neo-Han (25 a 221 d.C.), não faz nenhuma menção ao chá. A referência a ele foi adicionada no século VII d.C.

O chá é uma infusão das folhas secas, botões e flores de um arbusto perene, *Camellia Sinensis*, que parece ter evoluído nas florestas da região oriental do Himalaia onde hoje se localiza a fronteira entre Índia e China. Na era pré-histórica, foram descobertos o efeito estimulante de se mastigar as folhas e o efeito curador de se esfregar o chá em feridas, práticas que sobreviveram por milhares de anos. O chá também era consumido num mingau medicinal no sudoeste da China, com as folhas cortadas sendo misturadas com cebolinha, gengibre e outros ingredientes. Povos tribais na região que atualmente corresponde ao norte da Tailândia cozinhavam no vapor ou ferviam as folhas e transformavam-nas em bolas para então comê-las com sal, óleo, alho, gordura e peixe seco. Portanto, o chá era um remédio e um ingrediente culinário, antes de ser uma bebida.

Exatamente como e quando o chá se espalhou pela China não está claro, mas parece ter sido ajudado ao longo do caminho por monges budistas, seguidores da religião fundada na Índia no século VI a.C. por Siddhartha Gautama, conhecido como Buda. Tanto os monges budistas como os taoístas descobriram que beber chá era uma ajuda inestimável para a meditação, já que aumentava a concentração e bania a fadiga – efeitos hoje atribuídos à presença da cafeína. Lao-tse, o fundador do taoísmo, que viveu no século VI a.C., acreditava que o chá era um ingrediente essencial no elixir da vida.

A mais antiga referência chinesa sem ambigüidades ao chá vem do século I a.C., cerca de 26 séculos depois da suposta descoberta de Shen Nung. Tendo começado como uma bebida obscura para fins medicinais e religiosos, o chá parece ter começado a se tornar uma bebida caseira na China por volta dessa época. Um livro daquele tempo, *Regras de trabalho para criados*, descreve as maneiras adequadas para se comprar e servir o chá. Ele tornara-se tão popular por volta do século IV d.C. que foi necessário começar a cultivá-lo deliberadamente, em vez de simplesmente colher as folhas de arbustos selvagens. O chá espalhou-se por toda a China e tornou-se a bebida nacional durante a dinastia Tang (618-907 d.C.), período considerado uma idade dourada na história chinesa.

Durante essa época, a China era o maior, mais rico e mais populoso império do mundo. Sua população total triplicou entre 630 e 755 d.C., ultrapassando os 50 milhões, e sua capital, Changan (a moderna Xian), era a maior metrópole da Terra, onde residiam cerca de dois milhões de pessoas. A cidade era um ímã cultural, num momento em que a China estava particularmente aberta a influências externas. O comércio prosperava ao longo das vias mercantis da Rota da Seda, e pelo mar com a Índia, o Japão e a Coréia. As roupas, os estilos de cabelo e o hábito de jogar pólo eram importados da Turquia e da Pérsia; novos ingredientes alimentares, da Índia; e instrumentos musicais e danças, da Ásia central, junto com o vinho em bolsas de pele de bode. Em troca, a China exportava seda, chá, papel e cerâmica. Em meio a essa atmosfera diversa, dinâmica e cosmopolita, a escultura, a pintura e a poesia chinesas floresciam.

A prosperidade do período e o crescimento da população foram ajudados pela adoção generalizada do costume de se tomar chá. Suas poderosas propriedades antissépticas faziam com que fosse mais seguro de se consumir do que outras bebidas, como cerveja de arroz ou de milho miúdo, mesmo se a água não fosse fervida adequadamente durante a preparação. Pesquisas modernas descobriram que os fenólicos (ácido tânico) no chá podem matar a bactéria que causa a cólera, o tifo e a disenteria. O chá podia ser preparado rápida e facilmente a partir de folhas secas e não se estragava como a cerveja. De fato, era um processo eficiente e conveniente de purificação da água, que reduzia consideravelmente a quantidade de doenças, diminuindo a mortalidade infantil e aumentando a longevidade.

O chá também teve um impacto econômico mais evidente. À medida que o tamanho e o valor do comércio de chá chinês crescia durante o século VII, os comerciantes de chá de Fujian, que precisavam lidar com grandes somas de dinheiro, foram pioneiros no uso de uma nova invenção: o papel-moeda. O próprio chá, na forma de blocos, também veio a ser usado como moeda. Era bastante adequado para esse propósito, ao oferecer uma reserva de valor compacta e leve que podia ser consumida se necessário. O papel-moeda tinha a desvantagem de que seu valor diminuía quanto mais longe fosse levado em relação ao centro do império, ao passo que o chá na verdade aumentava de valor em áreas remotas. O bloco de chá permaneceu em uso como moeda em algumas partes da Ásia central até mesmo nos tempos modernos.

A popularidade do chá durante a dinastia Tang foi demonstrada pela imposição do primeiro tributo sobre ele em 780 d.C. e pelo sucesso de um livro publicado no mesmo ano: *O clássico do chá*, de Lu Yu, um célebre poeta taoísta. Escrito a pedido dos mercadores que vendiam chá, o livro descreve seu cultivo, sua preparação e os modos de servi-lo com muitos detalhes. Lu Yu escreveu muitos outros livros sobre o tema, e nenhum aspecto escapou ao seu exame. Ele descreveu os méritos dos vários tipos de folhas, o melhor tipo de água para usar na preparação (idealmente, água de correntes montanhosas de fluxo lento; água de poço somente se não houver nenhuma outra disponível) e enumerou até mesmo os estágios do processo de fervura da água. "Quando a água estiver fervendo, deve parecer como olhos de peixes e não desprender senão um sinal de som. Quando nas beiradas ela faz barulho como uma fonte borbulhante e se parece com pérolas incontáveis e reunidas, terá atingido o segundo estágio. Quando salta como ondas majestosamente e soa como uma vaga que cresce, vai estar em seu pico. Mais um pouco e a água vai se evaporar e não deve ser usada." O paladar de Lu Yu era tão sensível que se dizia que ele era capaz de identificar a fonte da água apenas pelo seu gosto, e até mesmo determinar o trecho do rio do qual ela havia sido retirada. Mais do que qualquer outra coisa, Lu Yu transformou o chá de uma simples bebida para matar a sede em um símbolo de cultura e sofisticação. A degustação e a apreciação dessa infusão tornaram-se altamente bem-vistas, particularmente a capaci-

Produção de chá na China. O processamento das folhas era complicado, sendo todo ele feito a mão.

dade de se reconhecer os diferentes tipos. O preparo do chá tornou-se uma honra reservada ao chefe da residência, e a incapacidade para se preparar bem um chá, de modo elegante, era considerada uma desgraça. Coquetéis e banquetes cujo foco era o chá tornaram-se populares na corte, onde o imperador tomava chás especiais, feitos com água transportada de nascentes específicas. Isso conduziu à tradição de se apresentar "homenagens especiais de chá" ao imperador todos os anos.

A popularidade do chá manteve-se durante a próspera dinastia Sung (960 a 1279), mas caiu em desgraça oficial quando a China ficou sob domínio mongol durante o século XIII. Os mongóis eram originalmente um povo nômade e pastoril que cuidava das tropas de cavalos, das cáfilas de camelos e dos rebanhos de carneiros nas estepes abertas. Sob o poder de Gêngis Khan e seus filhos, eles estabeleceram o maior império da história considerando terras contínuas, abrangendo a maior parte da massa de terra eurasiana desde a Hungria, no oeste, até a Coréia, no leste, e bem mais ao sul até o Vietnã. Apropriadamente para uma nação de hábeis cavaleiros, a bebida mongol tradicional era o *kumiss*, feito pela desnatação e fermentação do leite de égua numa bolsa de couro, de modo a transformar os açúcares da lactose no leite em álcool. Isso explica por que o veneziano viajante Marco Polo, que passou muitos anos na corte chinesa durante esse período, não fez nenhuma menção ao chá além de anotar a tradição do tributo do chá para o imperador (embora ele tenha notado que o *kumiss* era "como vinho branco e muito bom de se beber"). Os novos governantes da China não mostraram nenhum interesse pela bebida local e mantiveram suas próprias tradições culturais. Kublai Khan, governante da porção oriental do império mongol, fez com que a grama das estepes fosse plantada nos pátios de seu palácio chinês, e bebia um *kumiss* preparado especialmente com leite de éguas tordilhas.

Para enfatizar a extensão e diversidade do império mongol, o irmão de Kublai, Mangu Khan, instalou uma fonte de prata para bebidas na capital mongol de Karakorum. Suas quatro bicas distribuíam cerveja de arroz da China, vinho de uvas da Pérsia, hidromel do norte da Eurásia e *kumiss* da Mongólia. Não havia chá em lugar nenhum para ser visto. Mas o extenso império simbolizado por essa fonte demonstrou-se insustentável e entrou em colapso durante o século XIV. Um renovado entusiasmo pelo consumo do chá foi então uma maneira pela qual a cultura chinesa reafirmou-se, em seguida à expulsão dos mongóis e com o estabelecimento da dinastia Ming (1368-1644). A preparação e o consumo do chá começaram a ficar cada vez mais elaborados; a atenção meticulosa a detalhes defendida por Lu Yu foi revivida e estendida. Voltando ao passado com suas raízes religiosas, o chá passou a ser visto como uma forma de alívio tanto espiritual como físico.

A idéia da cerimônia do chá foi, porém, levada a um alto nível no Japão. O chá já tinha sido consumido ali no século VI, mas foi em 1191 que os mais recentes conhecimentos chineses sobre ele – quanto a seu cultivo, colheita, preparação e modo de beber – foram trazidos para o país por um monge budista chamado Eisai, que escreveu um livro enaltecendo os benefícios do chá para a saúde. Quando o regente militar japonês – ou xógum – Minamoto Sanetomo caiu doente, Eisai curou-o com a ajuda de algum chá cultivado localmente. O xógum tornou-se um forte defensor da nova bebida, e sua popularidade se espalhou de sua corte para o país como um todo. Por volta do século XIV, o chá já tinha se difundido por todos os níveis da sociedade japonesa. O clima era bem adequado para seu cultivo, e até mesmo as menores residências podiam manter uns poucos arbustos, pegando uma folha ou duas quando necessário.

A cerimônia japonesa completa do chá é um ritual bastante complexo e quase místico, que pode durar mais de uma hora. A simples descrição dos passos, tais como triturar o chá, ferver a água, misturar e agitar o chá, deixa passar a importância da forma particular dos utensílios, bem como da ordem e da natureza de seu uso. A água deve ser transferida de um tipo específico de jarra para a chaleira usando uma delicada concha de bambu; uma colher especial deve ser usada para distribuir o chá; deve haver um agitador especial; um pano quadrado de seda para limpar a jarra e a colher; um descanso para a tampa da chaleira, e assim por diante. Todos esses itens são apresentados pelo anfitrião na seqüência correta e colocados nas esteiras adequadas. Idealmente, o anfitrião deve ele mesmo juntar a lenha. E toda a cerimônia deve ocorrer numa casa de chá situada num jardim apropriadamente desenhado.

Nas palavras do maior mestre do chá do Japão, Rikyu, que viveu no século XVII: "Se o chá e os utensílios para se alimentar são de mau gosto, e se o desenho natural e o planejamento das árvores e pedras no jardim onde se serve o chá são desagradáveis, então é bem melhor ir direto de volta para casa." Embora incrivelmente formais, algumas das regras de Rikyu – como a determinação de que a conversa não deve se voltar para assuntos materiais mundanos – não são tão diferentes das regras não escritas que dirigem uma recepção com jantar cerimonioso na Europa. A cerimônia do chá no Japão era o próprio auge da cultura do chá, o resultado de se pegar uma bebida do sul da Ásia, impregná-la com uma lista diversificada de influências culturais e religiosas e filtrá-la através de centenas de anos de costumes e rituais reunidos.

O CHÁ CHEGA À EUROPA

No início do século XVI, quando os primeiros europeus chegaram à China pelo mar, os chineses justificadamente consideravam seu país o maior na Terra. Era a maior e mais populosa nação do mundo, com uma civilização bem mais antiga e duradoura do que qualquer outra na Europa. Seus habitantes supunham que o Império Celestial, como era conhecido, localizava-se no centro do Universo. Ninguém podia competir com suas realizações culturais e intelectuais; os forasteiros eram menosprezados como bárbaros ou "demônios estrangeiros" que podiam compreensivelmente querer imitar a China, mas cuja influência corruptora devia ser mantida a distância. Nem tampouco qualquer tecnologia européia da época era desconhecida dos chineses, os quais estavam à frente da Europa em quase todas as áreas: a bússola, a pólvora e os livros impressos encontrados a bordo de navios europeus, todos eram inovações chinesas. Os exploradores portugueses, que tinham navegado a partir do seu posto comercial em Malaca na península da Malásia em busca das lendárias riquezas do Oriente, foram recebidos com complacência. A China era auto-suficiente e não lhe faltava nada.

Os portugueses concordaram em pagar tributos ao imperador em troca do direito de comercializar e mantiveram contato comercial esporádico com a China por vários anos. Produtos manufaturados europeus não despertavam o interesse dos chineses, embora estes ficassem muito felizes em vender seda e porcelana em troca de ouro e prata. No final das contas, em 1557, as autoridades chinesas permitiram aos portugueses estabelecer um posto comercial na pequenina península de Macau, no estuário de Cantão, pela qual todas as mercadorias seriam transportadas. Isso permitia aos chineses impor tarifas alfandegárias e minimizar o contato com o exterior. Outros estrangeiros foram excluídos completamente do comércio direto com a China. Quando os holandeses chegaram às Índias Orientais já no fim do século XVI, tinham de comprar mercadorias chinesas de intermediários em outros países da região.

O chá é primeiramente mencionado em relatórios europeus na década de 1550. Mas a idéia de transportá-lo para a Europa não ocorreu aos primeiros comerciantes. Pequenas quantidades podem ter sido trazidas privadamente para Lisboa por marinheiros portugueses, mas foi somente em 1610 que um navio holandês trouxe o primeiro pequeno carregamento comercial para a Europa, onde o produto foi visto como uma novidade. A partir dos Países Baixos, o chá chegou à França na década de 1630 e à Inglaterra na década de 1650. Esse primeiro chá era o verde, o tipo que sempre tinha sido consumido pelos chineses. O chá preto, que é feito permitindo que as plantas verdes recém-colhidas sejam oxidadas da noite para o dia, só apareceu durante a dinastia Ming. Sua origem é um mistério. Veio a ser considerado pelos chineses adequado apenas para consumo por estrangeiros, e no final das contas dominou as exportações para a Europa. Como não tinham pistas sobre suas origens, os europeus equivocadamente supuseram que o chá verde e o chá preto eram duas espécies botânicas completamente diferentes.

Embora estivesse disponível na Europa alguns anos antes do café, o chá teve bem menos impacto durante o século XVII, principalmente porque era muito mais caro. Começou como um bem de luxo e uma bebida medicinal nos Países Baixos, onde surgiram discussões calorosas sobre seus benefícios para a saúde na década de 1630. Um opositor inicial do chá (e do café e do chocolate, as outras duas bebidas quentes modernas) foi Simon Pauli, médico alemão e clínico do rei da Dinamarca. Ele publicou um tratado em 1635 em que reconhecia que o chá tinha alguns benefícios médicos, mas afirmava serem estes mais do que contrabalançados por suas desvantagens. Ele alegava que o transporte do chá a partir da China tornava-o venenoso, de modo que "apressa a morte daqueles que o bebem, sobretudo se tiverem passado dos 40 anos". Pauli gabava-se de ter usado "o máximo de meus esforços para destruir a crescente loucura epidêmica de se trazer chá da China para a Europa".

Quem adotou a visão oposta foi Nikolas Dirx, um médico holandês que defendeu o chá e o considerava uma panacéia. Ele declarou em 1641: "Nada se compara a esta planta. Aqueles que a usam passam, exclusivamente por sua causa, a ficar imunes a todas as doenças e atingem uma idade extremamente avançada." Um defensor ainda mais entusiasmado era outro médico holandês, Cornelius Bontekoe, que escreveu um livro recomendando o consumo de várias xícaras de chá todos os dias. Ele declarou: "Recomendamos o chá para a nação inteira e para todos os povos! Incentivamos cada homem, cada mulher a bebê-lo todos os dias, se possível a toda hora, começando com dez xícaras por dia e subseqüentemente aumentando a dose, até tanto quanto o estômago possa agüentar." Ele sugeriu que as pessoas que estivessem doentes deveriam consumir até mesmo 50 xícaras por dia, e propôs 200 como um limite máximo. Bontekoe foi homenageado pela Companhia Holandesa das Índias Orientais por sua ajuda em incentivar as vendas do produto. Na verdade, antes disso, é bem possível que a companhia tenha encarregado o médico de escrever seu livro. É evidente que ele desaprovava a prática de se adicionar açúcar ao chá, o que tinha começado a tornar-se popular naquela época. (Algumas autoridades médicas achavam que o açúcar era prejudicial.)

Outro acréscimo europeu ao chá foi o leite. Já por volta de 1660, um anúncio inglês declarava que, entre seus vários supostos benefícios médicos, "se for preparado e tomado com leite e água, fortalece as partes internas, evita a tuberculose e alivia poderosamente as dores dos intestinos, ou cólica das tripas, ou desarranjo intestinal". Na França, onde o chá desfrutou de um breve período de popularidade dentro da aristocracia entre 1650 e 1700, as pessoas também começaram a tomá-lo com leite tanto pelo sabor como para reduzir sua temperatura. O resfriamento do chá com o leite protegia tanto quem o consumia como a fina xícara de porcelana na qual o chá era servido. Mas o chá foi rapidamente ofuscado na França pelo café e pelo chocolate. No fim das contas, foi a Grã-Bretanha, ao contrário da França ou dos Países Baixos, que se firmou como a nação européia apreciadora do chá, com conseqüências históricas muito importantes.

O PECULIAR ENTUSIASMO DA GRÃ-BRETANHA PELO CHÁ

Não é exagero dizer que quase ninguém na Inglaterra tomava chá no começo do século XVIII, e que quase todos o tomavam no fim do mesmo século. As importações oficiais cresceram de cerca de seis toneladas em 1699 para 11 mil toneladas cem anos mais tarde, e o preço de uma libra de chá no fim do século XVIII era 5% do preço no começo do mesmo. Além disso, esses números não incluem o chá contrabandeado, que provavelmente dobrou o volume de importações ao longo de todo o século, até que a tarifa imposta sobre o produto foi bruscamente reduzida em 1784. Outro fator desconcertante foi a prática generalizada de adulteração, aumentando o volume do chá pela mistura com freixos e folhas de salgueiro, serragem, flores e substâncias mais duvidosas – até mesmo estrume de carneiro, segundo um relato –, freqüentemente colorida e disfarçada pelo uso de corantes químicos. O chá era adulterado de uma maneira ou de outra em quase todos os estágios ao longo da cadeia, desde a folha até a xícara, de modo que a quantidade consumida era bem maior do que a importada. O chá preto começou a tornar-se mais popular em parte porque era mais resistente do que o verde a viagens longas, mas também como um efeito colateral dessa adulteração. Muitos dos produtos químicos usados para produzir o chá verde falsificado eram venenosos, ao passo que o chá preto era mais seguro mesmo quando adulterado. À medida que o chá preto começou a tomar o lugar do verde, menos amargo e mais suave, a adição do açúcar e do leite ajudava a torná-lo mais palatável.

Qualquer que fosse a verdadeira extensão do contrabando e da adulteração, é claro que ao final do século XVIII havia com certeza chegado à Grã-Bretanha uma quantidade suficiente de chá para todos no país tomarem uma ou duas xícaras por dia, independentemente da posição social de cada um. Já por volta de 1757, um observador registrou que "existe uma certa rua perto de Richmond onde mendigos são vistos com freqüência durante o verão bebendo seu chá. Você pode ver trabalhadores que estão reparando as estradas tomando essa bebida. É tomada até mesmo em carroças de carvoeiros e – o que não é menos absurdo – vendida em xícaras para preparadores de feno." O que explica a rapidez e o entusiasmo com que os britânicos adotaram o chá? A resposta consiste em vários fatores inter-relacionados.

O chá teve seu início quando se tornou elegante na corte inglesa, em seguida à boda de Carlos II com Catarina de Bragança, filha do rei João IV de Portugal, em 1662. O enorme dote da noiva incluiu os postos comerciais portugueses de Tânger e Bombaim, o direito de negociar com territórios portugueses além-mar, uma fortuna em ouro e um cofre de chá. Catarina era uma devotada apreciadora dessa bebida e levou consigo o hábito. O ato de

Catarina de Bragança, esposa de Carlos II, introduziu o chá na corte inglesa.

bebericar chá em pequeninas xícaras – "não maiores do que dedais", segundo um relato contemporâneo – firmou-se quase imediatamente na aristocracia. No ano seguinte ao casamento de Catarina com o rei, o poeta Edmund Waller escreveu para ela um poema de aniversário, "Sobre o chá", em que acentuava os dois presentes dela para a nação: chá e acesso mais fácil para as Índias Orientais.

A melhor das Rainhas e a melhor das ervas, devemos
Àquela nação ousada que mostrou o caminho
Para a região justa onde nasce o Sol,
Cujas produções ricas tanto apreciamos.
Amigo da Musa, o chá traz especial ajuda,
Reprime vapores que invadem a cabeça,
E mantém o palácio da alma sereno,
Próprio, no aniversário, para saudar a Rainha.

Após o impulso inicial dado pela rainha apreciadora do chá, o segundo fator de sua ascensão foi o papel da Companhia Britânica das Índias Orientais, que obtivera para a Inglaterra o monopólio das importações provenientes das Índias Orientais. Embora ela inicialmente não tivesse acesso direto à China, os registros da Companhia mostram que começou a trazer pequenas quantidades de "bom chá" dos Países Baixos durante a década de 1660, como presentes para o rei com o propósito de assegurar que ele não fosse "se considerar completamente negligenciado pela Companhia". Esses e outros presentes ganharam o favor de Carlos, e ele gradualmente foi concedendo vastos poderes à Companhia, até mesmo direitos para adquirir territórios, emitir moeda, manter um exército, formar alianças, declarar guerra ou paz e aplicar a lei. Durante o século seguinte, o que havia começado como uma simples companhia mercantil acabou sendo a manifestação da autoridade britânica no Oriente, detendo mais poder do que qualquer outra organização comercial na história. Como observou o economista e escritor escocês William Playfair em 1799: "Começando como um corpo limitado de comerciantes, a Companhia das Índias tornou-se o árbitro do Oriente." Isso se deveu em grande parte à maneira como a Companhia promoveu, expandiu e lucrou com o comércio do chá.

O chá era servido nos encontros dos diretores da Companhia em Londres a partir de meados da década de 1660, e importado privadamente pelos capitães e outros oficiais, aos quais era concedido certo espaço em cada navio para "comércio particular". Tratava-se de mercadoria ideal para tais propósitos, tendo em vista sua escassez e elevado valor. O lucro de uma tonelada podia valer vários anos de salários, e uma concessão de dez toneladas não era incomum para um capitão de navio. O comércio particular do chá provavelmente ajudou a estimular a demanda inicial, mas foi banido em 1686 por temor de que pudesse minar o comércio oficial, pequeno porém crescente, da Companhia.

As primeiras importações da Companhia provenientes das Índias Orientais (de Bantão, onde hoje se localiza a Indonésia) chegaram em 1669, e o chá foi pouco a pouco se tornando mais amplamente disponível. Era de início uma mercadoria de menos importância, já que a Companhia concentrou-se primeiro na importação de pimenta e depois na de têxteis baratos da Ásia. Mas a oposição dos produtores internos de têxteis estimulou a Companhia a dar mais ênfase ao chá, pois nesse caso não havia nenhum problema com produtores internos ofendidos, já que eles não existiam. O custo do chá no varejo variava consideravelmente devido à natureza esporádica do fornecimento, mas o preço por libra dos chás mais caros, que começara em torno de seis a sete libras esterlinas em 1660, despencara para cerca de quatro libras por volta de 1700. O preço por libra de chás inferiores era uma libra esterlina. Mas uma família pobre na época poderia ter renda anual de vinte libras, portanto, o chá ainda era demasiado caro para tornar-se universal. Permaneceu como um bem de luxo até o final do século XVII, ofuscado pelo café, que custava muito menos – uma xícara de chá custava aproximadamente cinco vezes mais do que uma de café.

Somente quando a Companhia estabeleceu postos comerciais na China, no início do século XVIII, e começou a fazer importações diretas da mercadoria, os volumes aumentaram e os preços baixaram, fazendo com que o chá se tornasse disponível para um público muito mais amplo. Por volta de 1718, ele estava tomando o lugar da seda como o esteio das importações da China, e por volta de 1721 as importações já tinham atingido cinco mil toneladas por ano. Em 1744, um escritor notou que "a abertura do comércio com as Índias Orientais ... trouxe o preço do chá ... para um valor tão baixo que o trabalhador mais miserável podia planejar a sua compra". Em seu apogeu, o chá representava mais de 60% do comércio total da Companhia, e o imposto sobre ele representava cerca de 10% da receita governamental britânica. Como conseqüência, o controle desse comércio propiciou à Companhia um enorme grau de influência política e capacitou-a a ter leis aprovadas em seu favor. As importações de chá de outros países europeus foram banidas, a tarifa sobre o chá foi reduzida com o intuito de aumentar as vendas e expandir o mercado, e a adulteração do chá passou a ser castigada com pesadas multas. O contrabando e a adulteração permaneceram abundantes, mas isso apenas demonstrava a quantidade de demanda reprimida. Finalmente, a única coisa que permanecera entre a Grã-Bretanha e o domínio total das Índias Orientais eram os holandeses. Uma série de guerras terminou em 1784 com uma derrota holandesa, e a rival Companhia Holandesa das Índias Orientais foi dissolvida em 1795, deixando para sua equivalente britânica um controle quase total do comércio mundial de chá.

Catarina de Bragança tornou-o elegante, e a Companhia das Índias Orientais tornou-o disponível. Mas o chá também tornou-se sociável com a invenção de novas maneiras de consumi-lo, tanto em locais privados quanto publicamente. Em 1717, Thomas Twining, proprietário de um café público de Londres, abriu uma loja ao lado especificamente para vender chá, e particularmente para mulheres. Estas não podiam comprar o produto no balcão em cafés públicos, estabelecimentos exclusivamente para homens. Tampouco queriam mandar seus criados comprá-lo junto com outros itens de uso doméstico, pois isso significaria entregar em confiança aos criados altas somas de dinheiro. (As despesas com o chá eram refletidas no uso de caixas especiais, que possuíam tampas com fechos, em que o chá era guardado e às quais apenas a senhora da casa tinha acesso.) Na loja de Twining, porém, as mulheres podiam comprar essa nova bebida elegante para consumo imediato em xícaras ou para preparação em casa, na forma de folhas secas. "Distintas senhoras aglomeravam-se na casa de Twining em Devereaux Court a fim de bebericar o líquido animador em pequenas xícaras pagando com seus xelins", registrou um observador da época. Também podiam ter misturas de chá feitas especialmente para elas por Twining, de acordo com seus gostos pessoais.

O conhecimento do chá e seu consumo cerimonial em ambientes refinados domésticos tornou-se um meio de se demonstrar a própria sofisticação. Festas de chá elaboradas surgiram como os equivalentes britânicos às cerimônias do chá na China e no Japão. A bebida era servida em xícaras de porcelana importadas em vastas quantidades como lastro nos mesmos navios que traziam o chá da China. Autores ofereciam conselhos sobre sua preparação, a ordem em que os convidados de diferentes estratos sociais deveriam ser servidos, a comida a ser oferecida e o modo como os convidados deveriam expressar agradecimentos ao anfitrião. O chá não era apenas uma bebida; no fim das contas, transformou-se numa refeição inteiramente nova durante a tarde.

Outra inovação foi o surgimento das casas de chá em Londres. A primeira a abrir, em 1732, foi Vauxhall Gardens, um parque com passagens iluminadas, palanques musicais, artistas de todos os tipos e barracas vendendo

Uma festa de chá inglesa, por volta de 1750. O consumo cerimonial do chá em ambientes requintados tornou-se um símbolo de sofisticação.

comida e bebida, principalmente pão e manteiga para serem engolidos com chá. Outras casas logo se sucederam. Seu atrativo devia-se ao fato de suprirem a necessidade de um lugar público elegante e respeitável e de serem um bom local para encontrar membros do sexo oposto. Numa casa de chá chamada White Conduit, rapazes "acidentalmente" pisavam nas pontas dos vestidos das jovens senhoritas e, como compensação, ofereciam-lhes uma xícara de chá. Em outra casa chamada Parthenon, as mulheres faziam o primeiro movimento, pedindo aos rapazes escolhidos por elas que lhes concedessem o prazer de uma xícara de chá, segundo um relato da *Gentlemen's Magazine*. As casas de chá eram particularmente populares entre as mulheres, que sempre haviam sido excluídas dos cafés públicos, os quais já estavam em declínio nessa época. Os mais respeitáveis tinham começado a se transformar em instituições comerciais e clubes privados de cavalheiros, e assim restavam apenas os menos respeitáveis, que dependiam de vendas de bebidas alcoólicas e pouco se diferenciavam das tabernas. Como o escritor Daniel Defoe observou: "Esses estabelecimentos não são senão cervejarias, mas acham que o nome café público lhes confere um ar melhor."

Para os pobres, o chá tornou-se gradualmente um luxo de preço acessível e depois uma necessidade. Alguns truques tais como fazer render uma pequena quantidade de chá acrescentando mais água ou usando novamente suas folhas por fim colocaram a bebida ao alcance de todos, pelo menos de alguma forma. A partir de meados do século XVIII, alocações especiais de chá eram acrescentadas aos salários dos criados de uma residência; um visitante italiano na Inglaterra em 1755 observou que "até mesmo os criados comuns precisam tomar o seu chá duas vezes por dia". A despeito de ter vindo do outro lado do mundo, o chá acabou por tornar-se mais barato do que qualquer bebida, exceto a água. "Ocupamos tal posição em nosso sistema comercial e financeiro que o chá trazido da extremidade oriental do mundo e o açúcar trazido das Antilhas ... compõem uma bebida mais barata do que a cerveja", registrou um observador escocês do início do século XIX. E quando consumido acompanhado por comida fria, o chá fornecia a ilusão de uma refeição quente. Algumas pessoas condenavam sua adoção pelos pobres e argumentavam que, em vez de imitar os hábitos dos ricos, eles deveriam gastar seu dinheiro com comidas mais nutritivas. Um legislador até mesmo sugeriu que o chá deveria ser considerado ilegal para qualquer um que tivesse renda anual inferior a 50 libras esterlinas. Mas a verdade, como apontou um escritor do século XVIII, era que "se eles fossem agora desprovidos disso, ficariam imediatamente reduzidos a pão e água. Tomar chá não é a causa, mas a conseqüência das aflições dos pobres". A bebida das rainhas tinha se transformado também na bebida dos desesperados.

Do topo da sociedade britânica até a base, todos estavam tomando chá. A moda, o comércio e as mudanças sociais tiveram seu papel na adoção dessa bebida pelos ingleses, fenômeno que foi registrado pelos estrangeiros mesmo antes do fim do século XVIII. Em 1784, um visitante francês observou que "por toda a Inglaterra é comum o hábito de se tomar chá. ... O mais humilde camponês toma-o duas vezes por dia, assim como o homem rico; o consumo total é imenso". Um visitante sueco notou que "próximo da água, o chá é o elemento básico do inglês. Todas as classes o consomem, e se a gente sai às ruas de Londres bem cedo pela manhã já vê em muitos lugares pequenas mesas montadas a céu aberto, em torno das quais carroceiros de carvão e trabalhadores esvaziam suas xícaras da bebida deliciosa". O chá tinha dado a volta ao mundo, desde o império mais antigo até o coração do mais novo. Quando tomavam suas xícaras de chá em casa, os britânicos eram lembrados da extensão e do poderio de seu império além-mar. A ascensão do chá misturou-se ao crescimento da Grã-Bretanha como uma potência mundial e preparou o terreno para a expansão comercial e imperial que ainda estava por vir.

• O PODER DO CHÁ •

O progresso desta famosa planta tem sido algo como o progresso da verdade: suspeita inicialmente, embora bem palatável para os que tiveram coragem de prová-la; resistida enquanto nos invadia; abusada quando sua popularidade se espalhou; e triunfalmente estabelecida afinal, animando todos desde o palácio até a cabana, tudo isso somente pelos lentos e irresistíveis esforços do tempo e de suas próprias virtudes.

Isaac d'Israeli, crítico e historiador inglês (1766-1848)

CHÁ E INDÚSTRIA

Em 1771, Richard Arkwright, um inventor britânico, começou a construção de um grande edifício em Cromford, na região de Derbyshire. Arkwright, o mais jovem de 13 crianças, tinha inicialmente demonstrado seu talento empresarial quando começou a colecionar cabelos humanos, colorindo-os segundo sua própria fórmula secreta e então os adaptando como perucas. O sucesso de seu negócio forneceu-lhe os meios para embarcar num empreendimento mais ambicioso, e em 1767 ele começou a desenvolver uma "armação de fiação". Tratava-se de uma máquina para fiar cordas em preparação para tecelagem. Mas, ao contrário da fiandeira, um mecanismo manual que exigia operador especializado, a armação de fiação tinha mecanismos que qualquer um poderia operar. Com a ajuda de um relojoeiro, John Kay, de quem ele compilou detalhes de um projeto anterior, Arkwright construiu um protótipo e estabeleceu sua primeira fábrica, operada por cavalos, em 1768.

Esta impressionou tanto dois ricos homens de negócios que eles deram recursos a Arkwright para construir uma muito maior em um rio em Cromford, onde as estruturas de fiação seriam operadas por uma roda-d'água. Ali, na primeira fábrica moderna, Arkwright foi pioneiro de um novo enfoque para a indústria manufatureira. Seu sucesso transformou-o em uma figura essencial na revolução que fez da Grã-Bretanha a primeira nação industrializada do mundo.

A Revolução Industrial, que começou com a manufatura de têxteis e espalhou-se depois para outros setores, dependia tanto de inovações tecnológicas como organizacionais. O ponto de partida era a substituição de trabalhadores humanos especializados por máquinas precisas e incansáveis, que exigiam novas fontes de energia, tais como água e vapor. E isso por sua vez tornou vantajoso colocar várias máquinas numa grande fábrica em torno de uma fonte de energia como uma roda-d'água ou um motor a vapor. Artesãos que podiam executar uma lista de tarefas deram lugar então a trabalhadores que se especializavam num único estágio do processo manufatureiro. O fato de se ter máquinas e trabalhadores juntos sob um único teto significava que o processo como um todo podia ser supervisionado com proximidade, e o sistema de turnos garantia a máxima utilização do caro maquinário. Arkwright construiu cabanas para seus empregados perto de sua fábrica, de modo que eles chegassem ao trabalho na hora certa. Tudo isso teve um surpreendente efeito sobre a produtividade. Cada empregado de Arkwright podia fazer o trabalho de 50 fiadeiros manuais. E como outros aspectos da produção de têxteis foram automatizados – cardar, separar e, por fim, tecer –, a produção decolou. Os produtos têxteis feitos pelos britânicos eram tão abundantes e baratos ao final do século XVIII que a Grã-Bretanha começou a exportá-los para a Índia, arruinando o tradicional comércio de tecelagem daquele país.

Assim como os burocratas, os homens de negócios e os intelectuais tinham adotado o café no século XVII, os trabalhadores das novas fábricas do século XVIII elegeram o chá. Era a bebida mais adequada para essas novas formas de trabalho e ajudou a industrialização de várias maneiras. Os proprietários das fábricas começaram a oferecer gratuitamente a seus empregados "intervalos de chá" como bônus. Ao contrário da cerveja, a bebida tradicionalmente oferecida a trabalhadores rurais, o chá não entorpecia suavemente a mente, mas a aguçava graças à presença de cafeína. Mantinha os trabalhadores atentos em turnos longos e enfadonhos e melhorava sua concentração enquanto operavam máquinas que se moviam rapidamente. Um tecelão ou fiadeiro manual podia descansar quando fosse necessário, mas trabalhadores numa fábrica não: tinham de funcionar como partes de uma máquina bem lubrificada, e o chá era o líquido que os mantinha funcionando sem percalços.

As propriedades naturais do chá contra as bactérias também eram uma vantagem, já que reduziam o número de doenças causadas pela água poluída, mesmo quando a que era usada para fazer o chá não tinha sido adequadamente fervida. O índice de casos de disenteria na Grã-Bretanha começou a declinar na década de 1730, e em 1796 um observador notou que essa e outras doenças causadas por água suja "reduziram tanto que o seu próprio nome é quase desconhecido em Londres". Por volta do início do século XIX, médicos e estatísticos concordavam que a causa mais provável para a melhoria da saúde da nação era a popularidade do chá. Isso permitia à mão-de-obra ficar mais densamente aglomerada em seus locais de moradia, em torno das fábricas nas cidades industriais da região central da Grã-Bretanha, sem o risco de contrair doenças. As crianças também se beneficiavam, já que o fenólico antibacteriano do chá era facilmente transmitido através do leite materno. Isso reduziu a mortalidade infantil e forneceu uma grande disponibilidade de mão-de-obra justamente no momento em que a Revolução Industrial ganhava força.

A popularidade do chá também estimulou o comércio, ao incentivar a demanda por louça de cerâmica e conseqüentemente viabilizar uma nova indústria florescente. A posse de um belo "serviço de chá" era de grande importância social tanto para ricos como para pobres. Em 1828, um observador registrou: "Os tecelões que operavam máquinas de fiação viviam em habitações e pequenos jardins limpos e bonitos, com toda a família bem-vestida, cada homem com um relógio de bolso e cada mulher vestida segundo sua própria imaginação ... cada casa bem mobiliada com um relógio em mogno elegante ou estojo enfeitado, finos serviços de chá de cerâmica Staffordshire, com colheres e pegadores de açúcar de prata ou prateados." O mais famoso dos ceramistas de Staffordshire era Josiah Wedgwood, cuja companhia produzia serviços de chá tão eficientemente que podia competir com a porcelana chinesa, cujas importações declinaram e finalmente pararam em 1791.

Wedgwood foi um pioneiro da produção em massa e um dos primeiros a adotar máquinas a vapor para triturar materiais e acionar máquinas de estampas. Em suas fábricas, os artesãos individuais não faziam mais cada item do começo ao fim; ao contrário, especializavam-se em um aspecto da produção e tornavam-se particularmente habilidosos naquilo. Os itens moviam-se num fluxo contínuo de um trabalhador para o seguinte. Essa divisão do trabalho permitia a Wedgwood usar os projetistas mais talentosos para os serviços de chá, sem exigir que fossem ceramistas também. Wedgwood foi pioneiro no uso dos endossos de celebridades para promover seus produtos: quando a rainha Charlotte, esposa de George III, encomendou "um conjunto completo de utensílios para o chá", ele obteve permissão para vender itens semelhantes ao público, com o nome "Louça da rainha". Colocou anúncios em jornais e organizou, apenas para convidados, exposições especiais de seus serviços de chá, como o que produziu para a imperatriz Catarina II da Rússia. Ao mesmo tempo, a comercialização do chá estava ficando mais sofisticada, e os nomes de Richard Twining (filho de Thomas) e outros comerciantes de chá tornaram-se bem conhecidos. Twining colocou uma marca especialmente desenhada em cima da porta de sua loja em 1787 e imprimiu o mesmo desenho, hoje considerado o mais velho logotipo comercial em uso contínuo no mundo, no rótulo de seu chá. O marketing e a parafernália do chá estabeleceram as primeiras bases do consumismo.

Outras nações ocidentais levaram quase um século para alcançar o nível de industrialização da Grã-Bretanha. Há muitas razões pelas quais esse país era apropriado para ser o berço da indústria: a tradição científica, a ética protestante do trabalho, o grau extraordinariamente elevado de tolerância religiosa, a oferta abundante de carvão, as redes eficientes de transporte com estradas e canais, e os lucros do Império, que forneciam os recursos para financiar os empresários britânicos. Mas o amor particularmente britânico pelo chá também exerceu seu papel, contendo a proliferação de doenças nas novas cidades industriais e permitindo a resistência à fome durante os longos turnos de trabalho. O chá serviu de combustível para os trabalhadores nas primeiras fábricas, em que tanto os homens como as máquinas eram movidos a vapor, cada um a seu modo.

A POLÍTICA DO BULE DE CHÁ

O poder político da Companhia Britânica das Índias Orientais, a organização que fornecia o chá à Grã-Bretanha, era vasto. Em seu apogeu, ela gerava mais receita do que o governo britânico e comandava um número bem maior de pessoas, enquanto a tarifa do chá que importava representava até 10% da receita governamental. Tudo isso propiciou à Companhia a capacidade de influenciar tanto direta como indiretamente a política da mais poderosa nação da Terra. Possuía muitos amigos em posições importantes e vários de seus funcionários simplesmente compraram sua entrada no Parlamento.

Simpatizantes da Companhia das Índias Orientais também cooperavam ocasionalmente com políticos interessados nas Antilhas, uma vez que a demanda pelo açúcar de lá era alimentada pelo consumo de chá. Tudo isso assegurava que, em muitos casos, a política da Companhia tornava-se a política do governo.

O exemplo mais conhecido envolve o papel da política do chá no estabelecimento da independência dos Estados Unidos. No início da década de 1770, o contrabando do chá para a Grã-Bretanha e suas colônias norte-americanas estava no auge. Na Grã-Bretanha, o chá contrabandeado era um atrativo por ser mais barato do que o legalizado, já que os contrabandistas não pagavam tarifas alfandegárias. Na América do Norte, os colonos tinham começado a contrabandear chá dos Países Baixos, para evitar tarifa imposta pelo governo em Londres sobre as importações desse produto, já que, por princípio, opunham-se a pagar quaisquer impostos. (A tarifa do chá era o último remanescente dos vários impostos sobre mercadorias determinados por Londres com o objetivo de arrecadar dinheiro para pagar a dívida resultante da ação bem-sucedida na Guerra dos Sete Anos contra os franceses na América do Norte.) O contrabando desenfreado reduzia as vendas do chá legal, e a Companhia viu-se às voltas com enormes estoques: quase dez mil toneladas de chá estavam paradas nos armazéns de Londres. E como a tarifa de importação sobre o chá tinha de ser paga mesmo se ele não fosse vendido, a Companhia devia ao governo mais de um milhão de libras esterlinas. Como de costume, a solução foi convencer o governo a intervir em seu favor.

O resultado foi a Lei do chá de 1773. Seus termos, ditados pela Companhia, incluíram um empréstimo governamental de 1,4 milhão de libras esterlinas a fim de permitir que ela pagasse suas dívidas e o direito de transportar chá diretamente da China para a América do Norte. Isso significava que a Companhia não teria de pagar a tarifa de importação dos britânicos, apenas a tarifa norte-americana, bem menor, de três centavos por libra. Mais ainda, a tarifa seria paga pelos agentes da Companhia na América do Norte aos quais seriam dados os direitos exclusivos de vender o chá, gerando, por conseguinte, um monopólio para a Companhia. Além de reforçar o direito governamental de taxar os colonos, a tarifa menor reduziria o preço do chá contrabandeado e minaria os contrabandistas. Mas os colonos ficariam agradecidos, segundo argumentavam funcionários da Companhia, já que o efeito geral seria a redução do preço do chá.

Isso foi um enorme erro de julgamento. Os colonos norte-americanos, particularmente os da Nova Inglaterra, dependiam, para a sua prosperidade, de conduzir um comércio livre de restrições, sem a interferência de Londres, fosse comprando melaço das Antilhas francesas para fazer rum, fosse adquirindo chá contrabandeado dos Países Baixos. Eles boicotaram mercadorias britânicas e recusaram-se a pagar o imposto a Londres por uma questão de princípios. Também ficaram ressentidos com a maneira como o governo estava entregando à Companhia das Índias Orientais o monopólio do varejo de chá. O que viria a seguir? Um panfleto com um ataque violento, publicado na Filadélfia em dezembro de 1773, declarou: "A Companhia das Índias Orientais, uma vez que consiga colocar um pé neste (outrora) feliz país, não vai deixar de revirar nenhuma pedra para tornar-se o seu Senhor. Eles têm um ministério engajado, corrompido e despótico para lhes assistir e apoiar. Eles próprios são bem versados em tirania, roubo, opressão e derramamento de sangue. ... Assim eles enriqueceram e assim tornaram-se a mais poderosa companhia mercantil do universo." Muitos comerciantes britânicos sentiram-se do mesmo jeito. Novamente, mais uma vez, o governo estava permitindo à Companhia ditar a política para o seu próprio benefício.

Quando a lei passou a vigorar e os navios da Companhia chegaram à América do Norte com suas cargas de chá, os colonos impediram-nos de descarregar. E em 16 de dezembro de 1773, um grupo de opositores vestidos como índios moicanos – muitos deles mercadores envolvidos com o contrabando do chá que temiam por seu sustento – subiram a bordo de três navios da Companhia no porto de Boston. Durante três horas, jogaram todas as 342 caixas de chá na água. Outras "festas do chá"* semelhantes seguiram-se em outros portos. O governo britânico respondeu em março de 1774, fechando o porto de Boston até que a Companhia das Índias Orientais tivesse sido compensada por suas perdas. Foi a primeira das assim chamadas Leis Coercivas – uma série de leis aprovadas por meio das quais os britânicos tentaram afirmar sua autoridade sobre as colônias, mas que, ao contrário, só conseguiram enraivecer ainda mais os colonos e acabaram por estimular o início da guerra revolucionária, em 1775. É tentador imaginar se um governo menos influenciado pelos interesses da Companhia poderia simplesmente ter sido indiferente às "festas do chá" ou ter chegado a algum acordo com os colonos. (Do lado norte-americano, Benjamin Franklin, por exemplo, defendia o pagamento de compensação pelo chá destruído.) Mas, em vez disso, a contenda sobre o chá transformou-se num passo decisivo para a perda das colônias norte-americanas por parte da Grã-Bretanha.

---

* O evento de dezembro de 1773 foi denominado Boston Tea Party. (N.T.)

ÓPIO E CHÁ

Os lucros da Companhia das Índias Orientais foram renovados em 1784, quando o imposto sobre as importações de chá da Grã-Bretanha foi reduzido drasticamente, o que baixou o preço e dobrou as vendas da Companhia, acabando com o contrabando. Mas o poder da Companhia foi gradualmente sendo reduzido, em meio à crescente preocupação com sua enorme influência e com a corrupção e o enriquecimento ilícito de seus funcionários. Ela foi colocada sob a supervisão de uma junta de controle, de responsabilidade do Parlamento. E em 1813, à medida que o entusiasmo pela defesa do livre-comércio feita por Adam Smith ganhava terreno, o monopólio da Companhia sobre o comércio asiático foi cortado, exceto para a China. A Companhia concentrou-se menos no comércio e mais na administração de seus vastos territórios na Índia; depois de 1800, a maior

O Boston Tea Party de 1773 em que agitadores esvaziaram três navios com carregamentos de chá no porto de Boston.

parte de sua receita originava-se do recebimento de impostos territoriais indianos. Em 1834, o monopólio da Companhia no comércio com a China também foi cortado.

Mas, mesmo quando sua influência política diminuiu e negociantes rivais foram permitidos no mercado, a Companhia ainda exercia um impacto vital no comércio de chá, por meio de seu envolvimento no comércio de ópio. Esse poderoso narcótico, feito do suco extraído das sementes verdes de papoula, havia sido usado como remédio desde tempos antigos. Mas é altamente viciante, e a dependência tinha se tornado um problema suficientemente grande na China para que as autoridades tornassem ilegal o uso da droga em 1729. Um comércio ilícito de ópio continuou mesmo assim, e no início do século XIX a Companhia, com a conivência do governo britânico, organizou e expandiu enormemente esse comércio. Uma enorme operação semi-oficial de contrabando foi estabelecida, com o propósito de melhorar o desfavorável balanço de pagamentos da Grã-Bretanha com a China – resultado direto do amor britânico pelo chá.

O problema, do ponto de vista britânico, era que os chineses não estavam interessados em negociar chá em troca de mercadorias européias. Uma exceção notável durante o século XVIII tinham sido os relógios e brinquedos mecânicos – ou autômatos, cuja produção era uma das raras áreas em que a *expertise* tecnológica européia visivelmente superava a dos chineses. Na verdade, naquela época, a tecnologia européia estava ultrapassando a dos chineses em muitas áreas, já que o desejo da China de se isolar de influências externas inspirou uma desconfiança generalizada de mudanças e inovações. Mas a atração pelos autômatos logo desapareceu, e o problema continuou: a Companhia tinha de pagar pelo seu chá em dinheiro, na forma de prata. Não somente era difícil obter as vastas quantidades necessárias de prata – o equivalente a cerca de um bilhão de dólares por ano em cifras atuais –, mas, para piorar as coisas ainda mais, a Companhia percebeu que o preço da prata estava subindo mais rapidamente do que o preço do chá, o que consumia seus lucros.

Daí a atração pelo ópio que, como a prata, era considerado uma mercadoria valiosa, pelo menos por aqueles comerciantes chineses que estavam preparados para negociar com ele. O cultivo e a preparação do ópio na Índia era convenientemente um monopólio controlado pela Companhia, a qual, desde a década de 1770, havia permitido discretamente que pequenas quantidades fossem vendidas a contrabandistas ou mercadores chineses corruptos. Assim, a Companhia dedicou-se a aumentar a produção de ópio, a fim de usá-lo no lugar da prata para comprar chá. Na verdade, ela seria então capaz de cultivar tanta moeda quanto fosse necessário.

Naturalmente, não seria nada bom ser pego negociando diretamente uma droga ilegal em troca de chá, e portanto a Companhia desenvolveu um esquema elaborado no intuito de manter esse comércio a uma certa distância. O ópio era produzido em Bengala e vendido num leilão anual em Calcutá, após o qual a Companhia declarava ignorância quanto a seu destino subseqüente. O ópio era comprado por "empresas locais" sediadas na Índia, organizações comerciais independentes que tinham recebido permissão da Companhia para fazer comércio com a China. Essas firmas, por sua vez, embarcavam o produto para o estuário de Cantão, onde era trocado por prata e desembarcado na ilha de Lintin. De lá, ele era transferido dentro de barcos a remo por mercadores chineses e contrabandeado em terra firme. As empresas locais podiam então alegar que não estavam fazendo nada ilegal, já que não estavam realmente transportando o ópio para a China, e a Companhia podia negar que estivesse de algum modo envolvida nesse comércio. De fato, os navios da Companhia estavam estritamente proibidos de carregar o ópio.

Os funcionários alfandegários chineses estavam bem cientes do que estava acontecendo, mas também estavam envolvidos no esquema, tendo sido subornados pelos mercadores chineses de ópio, conforme explicou W.C. Hunter, um comerciante norte-americano, num relato da época: "O sistema de suborno (com o qual os estrangeiros não tinham nenhuma relação) era tão perfeito que o negócio era conduzido com facilidade e regularidade. Ocorriam obstruções temporárias como, por exemplo, na chegada de magistrados recém-empossados. Aí então havia a questão das comissões. ... Num tempo razoável, porém, isso seria acertado satisfatoriamente, os corretores reapareciam com as caras radiantes, e a paz e a impunidade reinavam na terra." De vez em quando, funcionários locais emitiam decretos ameaçadores exigindo que os navios estrangeiros lotados em Lintin deveriam dirigir-se até o porto no continente ou partir em viagem de uma vez; e ambos os lados algumas vezes tinham de fazer os movimentos de uma caçada, com barcos da alfândega chinesa caçando navios estrangeiros, pelo menos até que os navios estivessem além do horizonte. Os funcionários então podiam fazer um relatório alegando ter expulsado um contrabandista estrangeiro.

Esse esquema perverso era, do ponto de vista da Companhia e de seus amigos no governo, extremamente eficiente: as exportações de ópio para a China aumentaram 250 vezes, atingindo 1.500 toneladas por ano em 1830. Sua venda produzia prata suficiente para pagar pelo chá da Grã-Bretanha; mais do que suficiente na verdade, pois o valor das importações de ópio da

China passou a exceder o das suas exportações de chá a partir de 1828. A prata viajava por uma rota tortuosa: as empresas locais mandavam-na de volta para a Índia, onde a Companhia a comprava usando ordens de pagamento sobre a praça de Londres. Como a Companhia era também o governo da Índia, essas ordens de pagamento eram tão boas quanto dinheiro. A prata era então embarcada para Londres e transferida para agentes da Companhia que a levavam por todo o caminho de volta até Cantão, para comprar chá. Embora na época a China ilegalmente produzisse tanto ópio quanto era importado, isso não é justificativa para um movimento de droga em grande escala sancionado pelo Estado que levou milhares à dependência e destruiu incontáveis vidas, simplesmente para manter o fornecimento de chá à Grã-Bretanha.

Os melhores esforços do governo chinês para suspender o comércio com novas leis tiveram pouco efeito, pois a burocracia de Cantão tinha sido totalmente corrompida. Ao final, em dezembro de 1838, o imperador mandou o representante oficial Lin Tze-su a Cantão para pôr fim no comércio de ópio de uma vez por todas. A atmosfera já estava altamente carregada quando Lin chegou: desde o fim do monopólio da Companhia em 1834, os funcionários locais brigavam com o representante do governo britânico sobre regras comerciais. Lin imediatamente ordenou que os comerciantes chineses e seus associados britânicos destruíssem seus estoques de ópio. Eles o ignoraram, pois já tinham recebido ordens parecidas antes e nunca as cumpriram, com total impunidade. Então, os homens de Lin botaram fogo nos estoques de ópio, queimando um ano inteiro de fornecimento. Quando os contrabandistas trataram isso como um empecilho temporário e retomaram seus negócios como de costume, Lin os prendeu, fossem chineses ou britânicos. Então, depois que dois marinheiros britânicos assassinaram um chinês numa briga e as autoridades britânicas recusaram-se a entregá-los, Lin expulsou os britânicos de Cantão.

Isso causou escândalo em Londres, onde representantes da Companhia e outros comerciantes exerciam pressão sobre o governo para que este forçasse a China a se abrir para um comércio mais amplo em vez de exigir que tudo passasse por Cantão. A situação instável de Cantão tinha de ser analisada, argumentavam os comerciantes, pelos interesses do livre-comércio em geral e para proteger o comércio do chá (e o do ópio, a ele associado) em particular. O governo não queria endossar o comércio do ópio abertamente, mas, em vez disso, adotou a posição de que o banimento interno da China a essa droga não dava aos funcionários chineses o direito de confiscar e destruir mercadorias (ou seja, ópio) pertencentes a comerciantes britânicos. Sob o pretexto de defender o direito ao livre-comércio, a guerra foi declarada.

A Guerra do Ópio de 1839-1842 foi curta e unilateral devido à superioridade das armas européias, o que veio a ser uma surpresa completa para os chineses. Só na primeira batalha, em julho de 1839, dois navios de guerra britânicos destruíram 29 navios chineses. Em terra, os chineses e suas armas medievais não eram adversários para as tropas britânicas armadas com modernos mosquetes. Em meados de 1842, as tropas britânicas haviam dominado Hong Kong, assumido o controle dos deltas de rios importantes e ocupado Xangai e várias outras cidades. Os chineses foram forçados a assinar um tratado de paz que doou Hong Kong para os britânicos, abriu cinco portos para o livre-comércio de todas as mercadorias e exigiu o pagamento de reparações aos britânicos em prata, inclusive uma compensação pelo ópio que tinha sido destruído pelo representante Lin.

Tudo isso foi uma vitória para os comerciantes britânicos e absolutamente humilhante para a China. O mito da invencibilidade e superioridade chinesas caiu por terra. A autoridade da dinastia reinante, Manchu, já estava sendo erodida por sua falta de habilidade em sufocar repetidas rebeliões religiosas; agora havia sido derrotada por uma ilha pequena e distante e forçada a abrir seus portos para comerciantes bárbaros e missionários. Isso estabeleceu o padrão para o restante do século XIX, à medida que outras guerras foram travadas pelas potências ocidentais de modo ostensivo para compelir a China a abrir-se ao comércio exterior. Em cada caso, a derrota chinesa envolveu concessões adicionais aos propósitos comerciais das potências estrangeiras. O comércio de ópio, que ainda dominava as importações, foi legalizado; a Grã-Bretanha assumiu o controle do serviço alfandegário chinês; os têxteis importados e outros produtos industriais minaram os artesãos chineses. A China tornou-se uma arena na qual a Grã-Bretanha, a França, a Alemanha, a Rússia, os Estados Unidos e o Japão jogavam suas rivalidades imperialistas, mutilando o país e competindo pelo domínio político. Enquanto isso, a implicância dos chineses com os estrangeiros aumentou, e a corrupção desenfreada, o encolhimento da economia e o aumento do consumo de ópio foram causas pelas quais uma civilização outrora poderosa desmoronou. A independência dos Estados Unidos e a ruína da China – esse foi o legado da influência do chá na política imperial britânica e, conseqüentemente, no curso da história mundial.

DE CANTÃO PARA ASSAM

Mesmo antes da eclosão da Guerra do Ópio, já havia uma preocupação crescente na Grã-Bretanha a respeito de sua perigosa dependência da China para o fornecimento de chá. Muitos anos antes, em 1788, a Companhia das Índias Orientais tinha pedido a Sir Joseph Banks, o principal botânico de sua época, que indicasse as safras que poderiam ser cultivadas lucrativamente na região montanhosa de Bengala. Embora o chá estivesse no topo da lista, a Companhia ignorou esse conselho. Em 1822, a Sociedade Real das Artes ofereceu um prêmio de 50 guinéus "para quem pudesse cultivar e preparar a maior quantidade de chá da China nas Antilhas Britânicas, no cabo da Boa Esperança, no novo País de Gales ou na Indonésia". Mas o prêmio nunca foi concedido. A Companhia das Índias Orientais estava relutante em investigar outras fontes de fornecimento porque não queria enfraquecer o valor do seu monopólio comercial com a China.

Mas ela mudou de idéia em 1834, quando seu monopólio com a China chegou ao fim. Lorde William Cavendish Bentinck, que, como chefe da Companhia, era também governador-geral da Índia, abraçou entusiasticamente a idéia de cultivar o chá depois de um subordinado sugerir em relatório que "alguma garantia deveria ser apresentada para a oferta de chá, melhor do que aquela já oferecida pela tolerância do governo chinês". Bentinck formou um comitê para investigar a possibilidade. Uma delegação preparou-se para pedir conselho aos holandeses, que estiveram tentando cultivar chá em Java desde 1728, e para visitar a China, na esperança de obter sementes e trabalhadores especializados. Enquanto isso, começou a busca pela região mais adequada da Índia para o cultivo.

Defensores da idéia argumentavam que o cultivo do chá na Índia, se pudesse ser feito, iria beneficiar tanto os britânicos como os indianos. Aos consumidores britânicos seria assegurada uma oferta mais confiável. E, como a nova indústria do chá na Índia ia precisar de muita mão-de-obra, isso geraria muitos empregos para trabalhadores indianos, que haviam perdido seu sustento quando as importações de roupas baratas de fábricas britânicas destruíram a tradicional indústria de tecelagem da Índia. Mais ainda, assim como na produção de chá, o povo da Índia poderia ser encorajado a consumi-lo, o que criaria um novo mercado enorme. Um defensor do chá sugeriu que o fazendeiro indiano "teria então uma bebida saudável para tomar, ao lado de uma mercadoria que seria de grande valor no mercado".

O cultivo do chá também prometia ser altamente lucrativo. A maneira tradicional chinesa de produzir chá era tudo menos industrial e tinha permanecido imutável por centenas de anos. Pequenos produtores no campo vendiam seu chá a intermediários locais. O produto então viajava até a costa, levado por barcos através de rios quando possível, e por portadores humanos pelas passagens das montanhas quando necessário. Finalmente, o chá era comprado por comerciantes que o misturavam, o embalavam e o vendiam a comerciantes europeus em Cantão. Todos os intermediários ao longo do caminho ganhavam seu quinhão; com o custo de transporte, taxas e impostos, isso elevava o preço pago por quilo de chá a quase duas vezes o preço de venda do produtor original. Uma empresa que produzisse seu próprio chá na Índia, porém, poderia embolsar essa diferença. Além do mais, aplicando novos métodos industriais, dirigindo plantações como se fossem "fábricas de chá" e automatizando o processo tanto quanto possível, dever-se-ia esperar um aumento da produtividade, portanto, também dos lucros. Com o cultivo do chá na Índia, o imperialismo e o industrialismo passariam a andar de mãos dadas.

A grande ironia da situação era que já havia arbustos de chá na Índia bem debaixo dos narizes dos membros do comitê de Bentinck. Na década de 1820, Nathaniel Wallich, um botânico do governo em Calcutá, tinha recebido uma amostra de uma planta parecida com chá que estava sendo cultivada em Assam. Ele a identificou como uma espécie comum de camélia, sem perceber que era de fato uma planta de chá. Depois de ser indicado para o comitê de Bentinck em 1834, Wallich mandou um questionário para determinar quais regiões da Índia tinham o clima apropriado para o cultivo. A resposta de

Uma plantação de chá na Índia em 1880. Nessa época, o chá já podia ser produzido na Índia com custo mais baixo do que na China.

Assam veio na forma de amostras adicionais de pedaços, sementes e produto final da planta. Dessa vez, até mesmo Wallich ficou convencido, e o comitê alegremente relatou a Bentinck: "O arbusto de chá é sem nenhuma dúvida natural de Alto Assam. ... Não hesitamos em declarar esta descoberta ... que será de longe a mais importante e valiosa que jamais foi feita em assuntos ligados aos recursos agrícolas ou comerciais do império."

Uma expedição confirmou que o chá estava realmente florescendo em Assam, obscura região fronteiriça que a Companhia tinha invadido convenientemente alguns anos antes com o propósito de servir de escudo protetor contra incursões da Birmânia na Índia. Naquela época, a Companhia tinha decidido instalar um rei fantoche na região mais pobre de Alto Assam, enquanto ela concentrava-se em coletar impostos – sobre terras, safras e tudo o mais que pudesse pensar – em Baixo Assam. Inevitavelmente, o rei não permaneceu por muito tempo no trono quando se descobriu que o chá estava florescendo dentro de seu território. Contudo, o processo de transformar as plantas selvagens de Assam numa indústria próspera demonstrou ser algo muito mais difícil do que se esperava. Os funcionários e cientistas encarregados de estabelecer a produção divergiam sobre a melhor maneira de proceder. Será que o chá crescia melhor nas planícies ou nas colinas, no quente ou no frio? Nenhum deles realmente sabia do que estavam falando. Plantas e sementes foram trazidas da China, mas mesmo os melhores esforços de um casal de trabalhadores chineses especializados em chá que acompanhara as plantas não conseguiam induzi-las a florescer na Índia.

O problema foi finalmente resolvido por Charles Bruce, um aventureiro e explorador familiarizado com o povo, a língua e os costumes de Assam. Combinando o conhecimento local com a habilidade de alguns trabalhadores chineses, ele gradualmente calculou como adequar as árvores selvagens ao cultivo, onde cultivá-las da melhor forma, como transplantá-las da selva para jardins organizados e como fazer murchar, enrolar e secar as folhas. Em 1838, o primeiro pequeno carregamento de chá de Assam chegou a Londres, onde os negociantes se declararam muito impressionados com sua qualidade. Agora que se tinha descoberto ser factível produzir chá na Índia, a Companhia das Índias Orientais resolveu deixar os outros fazerem o trabalho duro. Decidiu permitir que empreendedores estabelecessem plantações, pois fariam dinheiro alugando as terras e taxando o chá produzido.

Um grupo de comerciantes de Londres rapidamente estabeleceu uma nova companhia, a Companhia de Assam, a fim de explorar essa oportunidade. Lamentando as "circunstâncias humilhantes" em que os britânicos eram forçados a negociar com os chineses – isto aconteceu no momento em que a Guerra do Ópio estava para eclodir –, eles vibraram com a oportunidade de se estabelecer uma nova fonte de produção na Índia, porque o chá era "uma grande fonte de lucros e um objeto de grande importância nacional". Um relatório preparado por Bruce especulava: "Quando tivermos um número suficiente de industriais ... como se tem na China, aí então podemos esperar que venhamos a ser comparáveis àquela nação no que se refere ao custo baixo de produção; pelo contrário, podemos e devemos vender até por preço inferior ao deles." O principal problema, segundo Bruce, seria encontrar pessoal suficiente para trabalhar nas plantações. Ele atribuía a falta de vontade da população local para fazer esse trabalho a uma dependência generalizada ao ópio, mas previu confiantemente que os trabalhadores desempregados da vizinha Bengala apareceriam em Assam logo que soubessem que os empregos estavam disponíveis.

A Companhia de Assam não teve problemas para levantar recursos. Sua oferta pública de ações inicial foi intensamente disputada, com muitos candidatos a investidores recusados. Em 1840, ela assumiu o controle da maioria dos jardins experimentais de chá da Companhia das Índias Orientais. Mas o novo empreendimento foi desastrosamente mal administrado. Contrataram todos os trabalhadores chineses que podiam encontrar, assumindo equivocadamente que sua nacionalidade seria o bastante para qualificá-los para o cultivo. Enquanto isso, funcionários da Companhia gastaram o dinheiro da empresa descontroladamente. O pouco chá que resultou era de baixa qualidade, e as ações da Companhia de Assam perderam 99,5% de seu valor. Somente em 1847, a maré começou a mudar depois que Bruce, então diretor de operações da companhia, foi demitido. Por volta de 1851, ela começou a ficar lucrativa, e naquele ano seus chás foram exibidos com grande aclamação na Grande Exposição em Londres, um mostruário para os poderosos e ricos do Império Britânico. Isso foi a demonstração mais pública possível de que não era preciso ser chinês para se fazer chá.

Um surto seguiu-se em conseqüência, quando dezenas de novas companhias de chá foram organizadas na Índia, embora muitas delas tenham fracassado por causa de especuladores desinformados que financiavam novos empreendimentos sem discriminação. Finalmente, nos últimos anos da década de 1860, a indústria recuperou-se desse entusiasmo excessivo, e a produção realmente deslanchou quando métodos e máquinas industriais foram utilizados. As plantas de chá foram distribuídas em linhas sistemáticas; os trabalhadores foram hospedados em filas de cabanas e foi exigido que trabalhassem, comessem e dormissem de acordo com um horário rígido. A colheita do chá não podia (e ainda não pode) ser automatizada, mas, a partir da década de 1870, seu processamento sim. Uma sucessão de máquinas cada vez mais elaboradas automatizou os processos de enrolar, secar, separar e embalar. A industrialização reduziu os custos consideravelmente: em 1872, o custo de produção de uma libra de chá era basicamente o mesmo na Índia e na China. Por volta de 1913, o custo de produção na Índia caíra em 75%. Enquanto isso, as estradas de ferro e os navios a vapor reduziram o custo de se transportar o chá para a Grã-Bretanha. Os produtores exportadores chineses estavam condenados.

No espaço de poucos anos, a China tinha sido destronada como principal fornecedor de chá para a Grã-Bretanha. Os números contam a história: a Grã-Bretanha importava 31 mil toneladas de chá da China em 1859, mas em 1899 o total caíra para sete mil ao passo que as importações da Índia tinham crescido para aproximadamente cem mil toneladas. O crescimento da indústria do chá da Índia teve um impacto devastador sobre os fazendeiros da China e contribuiu adicionalmente para a instabilidade do país, que declinou para um período caótico de rebeliões, revoluções e guerras durante a primeira metade do século XX. A Companhia das Índias Orientais não sobreviveu, porém, para testemunhar o sucesso do seu plano de desacostumar a Grã-Bretanha do chá chinês. A Revolta da Índia, um generalizado levante contra as regras da Companhia, que teve como gatilho a revolta do exército de Bengala em 1857, estimulou o governo britânico a assumir o controle direto da Índia, e a Companhia foi extinta em 1858.

A Índia permanece atualmente como o principal produtor de chá e o principal consumidor em termos de volume, consumindo 23% da produção mundial, seguida da China (16%) e da Grã-Bretanha (6%). Na classificação global de consumo de chá *per capita*, a influência imperial da Grã-Bretanha ainda é claramente visível nos padrões de consumo de suas antigas colônias. Grã-Bretanha, Irlanda, Austrália e Nova Zelândia são quatro dos 12 principais países consumidores de chá e, deles, os únicos ocidentais: além do Japão, o restante é composto por países do Oriente Médio, onde o chá, como o café, se beneficiou da proibição de bebidas alcoólicas. Estados Unidos, França e Alemanha estão muito mais abaixo na lista, cada um consumindo cerca de 10% de quantidade de chá *per capita* tomada na Grã-Bretanha ou na Irlanda, e preferindo, por sua vez, o café.

O entusiasmo dos Estados Unidos pelo café em lugar do chá é freqüentemente, porém de modo equivocado, atribuído à Lei do chá e à rejeição simbólica no Boston Tea Party. Todavia, enquanto o chá britânico foi evitado durante a guerra revolucionária, o entusiasmo dos colonos norte-americanos pela bebida não diminuiu, o que os estimulou a fazer os maiores esforços para encontrar alternativas locais. Alguns produziram "o chá da liberdade" a partir da salgueirinha de quatro folhas; outros tomaram o "chá de bálsamo", feito de tanchagem, folhas de groselha e salva. O consumo desses chás, a despeito de seu gosto desagradável, foi uma maneira de os apreciadores norte-americanos exibirem seu patriotismo. Uma pequena quantidade de chá verdadeiro era também comercializada veladamente, com freqüência rotulada como tabaco. Mas, logo que a guerra acabou, o fornecimento de chá legal começou a fluir de novo. Dez anos após o Boston Tea Party, o chá ainda era bem mais popular do que o café, que só se tornou a bebida mais popular em meados do século XIX. A popularidade do café cresceu depois que a tarifa sobre importações foi abolida em 1832, fazendo com que seu preço se tornasse mais acessível. A tarifa foi introduzida novamente por um breve período durante a Guerra Civil, mas abolida de novo em 1872. Naquele ano, foi registrado pelo *Illustrated London News*: "Os Estados Unidos agora recebem o café livre de impostos, e o aumento no consumo tem sido enorme." Enquanto isso, a popularidade do chá declinava à medida que os padrões de imigração mudavam e a proporção de imigrantes provenientes da Grã-Bretanha e apreciadores do chá diminuía.

A história do chá reflete o alcance e o poder – tanto de inovação como de destruição – do Império Britânico. O chá era a bebida preferida de uma nação que foi, por cerca de um século, uma superpotência global irrefreável. Os administradores britânicos tomavam chá onde quer que fossem, assim como o faziam os soldados britânicos nos campos de batalha da Europa e da Criméia, e os trabalhadores britânicos nas fábricas da região central do país. A Grã-Bretanha desde então permaneceu como uma nação de consumidores de chá. E, pelo mundo inteiro, o impacto histórico do Império e da bebida que lhe forneceu o combustível ainda pode ser notado hoje.

• A COCA-COLA •

E A ASCENSÃO DOS ESTADOS UNIDOS

• DA SODA PARA A COLA •

Mais fortes! Mais fortes!
Ficam todos os que pedem Coca-Cola.
Mais claro! Mais claro!
É como se pensa
quando se bebe Coca-Cola.
Slogan no anúncio da Coca-Cola (1896)

FORÇA INDUSTRIAL

O consumismo e o industrialismo primeiramente criaram raízes na Grã-Bretanha, mas foi nos Estados Unidos que eles realmente floresceram graças a um novo enfoque com relação à produção industrial. Na era pré-industrial, tudo era produzido por artesãos que seguiam o processo do começo ao fim. A técnica industrial britânica era dividir o processo manufatureiro em vários estágios, passando cada item de um estágio para o outro e usando máquinas poupadoras de mão-de-obra onde fosse possível. A técnica norte-americana foi mais longe ainda, ao separar a produção manufatureira da montagem. Máquinas especializadas eram usadas para produzir rapidamente grandes números de partes permutáveis, as quais eram então montadas em produtos acabados. Esse enfoque tornou-se conhecido como o sistema norte-americano de manufaturas, começando com revólveres e depois sendo aplicado a máquinas de costura, bicicletas, carros e outros produtos. Foi a base do poderio industrial norte-americano, já que tornou possível a produção e a comercialização em massa dos bens de consumo, que rapidamente se tornaram parte integral do modo de vida norte-americano.

As circunstâncias dos Estados Unidos no século XIX forneceram o ambiente ideal para esse novo consumismo de massas. Era um país de matérias-primas abundantes e onde os trabalhadores especializados cobravam sempre muito caro; mas as novas máquinas permitiam que até mesmo trabalhadores não especializados pudessem produzir partes tão boas como aquelas feitas por operadores com mais habilidade. Os Estados Unidos também eram basicamente desprovidos das preferências regionais e de classe dos países europeus – isso queria dizer que um produto podia ser produzido em massa e vendido em todo lugar, sem a necessidade de adaptá-lo a gostos locais. As redes nacionais de estradas de ferro e o telégrafo, que se espalharam pelo país após o final da Guerra Civil em 1865, fizeram com que o país como um todo se transformasse num único mercado. Em pouco tempo, até mesmo os britânicos estavam importando máquinas industriais norte-americanas, sinal seguro de que a liderança industrial tinha passado de um país para o outro. Por volta de 1900, a economia norte-americana tinha superado a da Grã-Bretanha, tornando-se a maior economia da Terra.

Durante o século XIX, os Estados Unidos concentravam seu poder econômico no mercado interno, mas durante o século XX a nação o direcionou para o mercado externo no intuito de intervir decisivamente nas duas guerras mundiais. Os Estados Unidos então iniciaram uma terceira guerra, a Guerra Fria com a União Soviética: os dois lados eram igualmente comparáveis em termos militares; portanto, a competição tornou-se uma disputa pelo poder econômico e, no fim, os soviéticos não podiam mais se dar ao luxo de competir. Ao final do justamente chamado "século norte-americano", os Estados Unidos permaneciam sem desafiantes como a única superpotência do globo, a força dominante militar e econômica num mundo onde as diferentes nações estão muito mais inter-relacionadas do que antes, numa escala global, pelo comércio e pelas comunicações.

A ascensão dos Estados Unidos e a globalização da guerra, da política, do comércio e das comunicações durante o século XX são espelhadas pela ascensão da Coca-Cola, a marca mundial mais valiosa e mais amplamente reconhecida, universalmente considerada a personificação dos Estados Unidos e de seus valores. Para aqueles que aprovam os Estados Unidos, significa liberdade econômica e política de escolha, consumismo e democracia, o sonho norte-americano; para os que os desaprovam, representa o capitalismo global cruel, a hegemonia das corporações e marcas globais, e a diluição das culturas e dos valores locais, na direção de uma mediocridade homogeneizada e americanizada. Assim como a história do Império Britânico pode ser vista numa xícara de chá, a ascensão dos Estados Unidos à superioridade global também tem seu paralelo na história da Coca-Cola – aquela bebida marrom, doce e efervescente.

A ÁGUA COM SODA BORBULHA

O antecessor direto da Coca-Cola e de todos os outros refrigerantes artificialmente gaseificados foi produzido, estranhamente, numa cervejaria em Leeds em torno de 1767 por Joseph Priestley, clérigo e cientista inglês. Priestley era em primeiro lugar e acima de tudo um clérigo, a despeito de suas opiniões religiosas pouco convencionais e uma pronunciada gagueira, mas ele ainda encontrou tempo para fazer pesquisa científica. Morando ao lado de uma cervejaria, ficou fascinado pelo gás que borbulhava dos tonéis de fermentação, conhecido na época simplesmente como "ar fixo". Usando a cervejaria como seu laboratório, Priestley dedicou-se a investigar as propriedades desse misterioso gás. Começou segurando uma vela logo acima da superfície da cerveja que fermentava e notou que a camada de gás apagava a chama. A fumaça da vela era então levada pelo gás, fazendo-o visível por um breve período e revelando que transbordava pelos lados do tonel e caía no chão. Isso queria dizer que o gás era mais pesado do que o ar. E, ao transferir água rapidamente entre dois copos mantidos acima do tonel, Priestley podia fazer com que o gás se dissolvesse na água, produzindo "uma água espumante sumamente agradável". Hoje, conhecemos o gás como dióxido de carbono e a água como água com soda ou água com gás.

Uma das teorias que circulava na época sobre o "ar fixo" era de que se tratava de algo antisséptico, o que sugeria que uma bebida que o contivesse podia ser útil como remédio. Isto também explicaria as propriedades benéficas para a saúde das águas minerais naturais, freqüentemente efervescentes. Priestley apresentou suas descobertas à Sociedade Real de Londres em 1772, e no mesmo ano publicou um livro com o título *Impregnando a água com o ar fixo*. Nesse momento, ele já tinha inventado uma maneira mais eficiente de fazer sua água espumante, gerando o gás em uma garrafa a partir de uma reação química e passando-o para uma segunda garrafa invertida e cheia de água. Quando uma quantidade suficiente de gás preenchia esse segundo recipiente, ele o agitava para misturar o gás com a água. Pelo potencial médico de seu trabalho, Priestley foi homenageado com a Medalha Copley, a mais alta honra da Sociedade Real. (Esperava-se, erroneamente, que a água gaseificada fosse particularmente útil no mar para uso contra escorbuto; isso foi antes de a eficácia do suco de limão ter sido amplamente compreendida.)

Joseph Priestley publicou um livro em 1772 explicando como produzir a água gaseificada.

O próprio Priestley não fez nenhuma tentativa para comercializar suas descobertas, e parece que Thomas Henry, um químico e farmacêutico que vivia em Manchester, foi o primeiro a oferecer água artificialmente gaseificada para venda como remédio em algum momento no início da década de 1770. Ele seguia os esforços para se fazer águas minerais artificiais bem de perto e estava convencido de seus benefícios para a saúde, particularmente em "febres pútridas, disenteria, vômitos relacionados à bile etc.". Usando uma máquina que ele mesmo inventou, Henry foi capaz de produzir até 48 litros de sua água espumante de uma só vez. Num panfleto publicado em 1781, explicou que ela tinha de ser "guardada em garrafas muito bem arrolhadas e fechadas". Ele também recomendou que fosse tomada em conjunto com limonada – uma mistura de açúcar, água e suco de limão –, de modo que ele pode ter sido o primeiro a vender uma bebida doce artificialmente efervescente.

Durante a década de 1790, cientistas e empresários por toda a Europa abriram negócios produzindo águas minerais artificiais para venda ao público, com graus variados de sucesso. Torbern Bergman, um cientista sueco, incentivou um de seus alunos a montar uma pequena fábrica, mas era tão ineficiente que a mulher empregada para fazer o engarrafamento só tinha três garrafas por hora para fechar. O empreendimento estabelecido por um mecânico chamado Nicholas Paul em Genebra, em conjunto com Jacob Schweppe, um financista, foi bem-sucedido. O método de Paul para carbonar a água foi considerado por médicos de Genebra, em 1797, melhor do que todos os outros, e em pouco tempo a firma estava fazendo um comércio próspero, chegando mesmo a exportar sua água engarrafada para outros países por volta de 1800. Paul e Schweppe separaram a companhia e montaram firmas rivais na Grã-Bretanha. A empresa de Schweppe produzia água mais moderadamente gaseificada, o que parece ter-se adequado melhor aos gostos britânicos. Acreditava-se em geral que a água com menos bolhas imitava mais exatamente a água mineral natural, e uma caricatura do período retrata os consumidores da bebida de Paul como balões demasiadamente inflados.

Algumas das novas águas minerais artificiais eram preparadas usando-se bicarbonato de sódio – ou soda –, de modo que a expressão "água com soda" tornou-se o termo genérico para tais bebidas. Elas eram estritamente bebidas medicinais até 1800. Médicos as prescreviam para várias doenças, e eram consideradas uma forma de remédio patenteado pelo governo britânico, que impôs uma taxa de três centavos por garrafa. Um autor de obras de medicina se referia, em 1798, à "água com soda" produzida e vendida por Schweppe, e um anúncio de Londres de 1802 declara que "a água gasosa comumente chamada água com soda tem sido usada há muito tempo neste país, com um impacto considerável".

Todavia, a soda veio a ser realmente mais popular nos Estados Unidos. Como na Europa, havia muito interesse científico nas propriedades das águas minerais naturais e na possibilidade de imitá-las. O eminente médico da Filadélfia Benjamin Rush investigou as águas minerais da Pensilvânia e relatou suas descobertas à Sociedade Filosófica Norte-Americana em 1773. Dois outros cientistas e estadistas, James Madison e Thomas Jefferson, também interessaram-se por essas propriedades medicinais. As fontes naturais de Saratoga, no norte do estado de Nova York, eram particularmente renomadas na época. George Washington visitou-as em 1783 e manifestou interesse suficiente para que no ano seguinte um amigo lhe escrevesse para descrever tentativas de engarrafar as águas: "O que distingue essas águas ... de todas as outras ... é a grande quantidade de ar fixo que elas contêm. ... A água ... não pode ser confinada de modo a impedir que o ar escape. Várias pessoas nos disseram que arrolharam apertadamente suas garrafas e que elas quebraram. Nós tentamos o mesmo com a única garrafa que tínhamos, que não quebrou, mas o ar descobriu seu caminho através da rolha de madeira e da cera com que estava selada."

Nos Estados Unidos, a água gasosa passou de curiosidade científica para produto comercial com a ajuda de Benjamin Silliman, o primeiro professor de química na Universidade de Yale. Ele foi à Europa em 1805 a fim de reunir livros e instrumentos para seu novo departamento e ficou impressionado com a popularidade da água gasosa engarrafada sendo vendida em Londres por Schweppe e por Paul. Ao voltar, começou a produzir e engarrafar água com soda para seus amigos e foi imediatamente assoberbado pela demanda. Ele escreveu a um companheiro de negócios: "Verificando que é praticamente impossível com meus recursos atuais atender aos muitos que me procuram por causa da soda, decidi responsabilizar-me pela produção dela em larga escala, como é feita em Londres." Ele começou a vender água engarrafada em 1807 em New Haven, Connecticut.

Outros logo surgiram em outras cidades, sobretudo Joseph Hawkins, na Filadélfia, que inventou uma nova maneira de distribuir soda: por meio de uma fonte. O objetivo de Hawkins era imitar as estações de águas e salas com bombas construídas em cima de fontes naturais na Europa, onde a água mineral podia ser distribuída diretamente para os copos. Segundo uma descrição de sua estação de águas de 1808: "A água mineral ... é trazida da fonte ou reservatório em que é preparada no subsolo por colunas perpendiculares de madeira que confinam tubos metálicos, e, ao se girar uma torneira no topo das colunas, a água pode ser retirada sem a necessidade de engarrafamento." Hawkins obteve uma patente de sua invenção em 1809. Mas a idéia de se vender água com soda em ambientes semelhantes a estações de águas não se mostrou popular. Pelo contrário, os farmacêuticos vieram a dominar o comércio. Próximo ao fim da década de 1820, a fonte de água gasosa tinha se tornado uma característica padrão da loja do farmacêutico: a água com soda era preparada e distribuída na hora, em vez de ser vendida em garrafas (embora águas engarrafadas fossem importadas da Europa e a água de Saratoga fosse engarrafada e vendida com sucesso a partir de 1826).

Como muitas outras bebidas antes dela, a soda começou como remédio de especialistas e acabou em uso generalizado como refresco, com suas origens médicas conferindo-lhe uma respeitabilidade implícita confortável. Ainda em 1809, um livro norte-americano de química registrou que "a soda é também muito refrescante e, para muitas pessoas, uma bebida muito agradável, especialmente após o calor e a fadiga". Assim como podia ser consumida por si própria, ela podia ser usada para fazer limonada efervescente, quase certamente a primeira bebida moderna espumante. Estava também sendo misturada com vinho em ambos os lados do Atlântico no início do século XIX. Um observador inglês registrou: "Quando a soda é misturada com vinho, descobre-se que uma quantidade menor deste já satisfaz o estômago e o paladar, até mais do que o vinho sozinho." Hoje em dia, chamamos a essa mistura de vinho frisante. Mas a partir da década de 1830, e particularmente nos Estados Unidos, a água com soda era aromatizada, principalmente com xaropes feitos especialmente para isso.

O *American Journal of Health* observou em 1830 que estes xaropes "são empregados para dar sabor a bebidas, e muito usados como adições agradáveis à água carbônica". Os xaropes eram originalmente feitos a mão a partir de amoras, morangos, framboesas, abacaxis ou salsaparrilhas. Mecanismos especiais eram acrescentados às fontes de água com soda, que começaram a ficar cada vez mais elaboradas. Blocos de gelo foram adicionados para esfriar tanto a água de soda como os xaropes. Na década de 1870, as maiores fontes de bebidas gasosas eram enormes dispositivos mecânicos. Na exposição do Centenário na Filadélfia em 1876, James Tufts, um magnata das fontes de soda e bebidas gasosas de Boston, exibiu seu "aparelho" de água gaseificada com gelo. Tinha dez metros de altura, como uma torre acima dos espectadores, e era decorado com mármore, acessórios de prata e vasos de plantas. Era controlado por garçons vestidos imaculadamente e tinha de ser colocado em um prédio próprio, especialmente projetado para isso. Um tributo à inventividade e ao talento no marketing, essa apresentação gerou muitas encomendas para a Companhia americana de Bebidas Gasosas de Tufts.

O negócio da água gaseificada também estava se tornando industrializado por trás das cenas, graças a homens de negócios como John Matthews, veterano britânico do comércio de água com soda que se mudou para Nova York. Inicialmente, ele se concentrou em produzir e vender sua própria água com soda e depois em vender fontes de água gasosa, mas quando seu filho (também chamado John) passou a participar do negócio, expandiu-o para uma nova direção. Sendo um inventor fecundo, o Matthews mais jovem desenvolveu um maquinário especializado para automatizar todos os aspectos do negócio da soda, desde a gaseificação até a lavagem das garrafas, e começou a vender essas máquinas para outras firmas. Por volta de 1877, a companhia tinha juntado mais de cem patentes e tinha vendido 20 mil máquinas. Seu catálogo oferecia "um estabelecimento completo para fazer e engarrafar água com soda, refrigerante de gengibre etc. usando rolhas" pelo valor de US$ 1.146,45. Isso incluía os aparelhos e as matérias-primas para gerar o gás, duas fontes para gaseificar a água, uma máquina de engarrafamento, 50 grosas de garrafas, extratos aromatizantes e corantes. As invenções de Matthews foram mostradas em exposições e receberam prêmios no mundo inteiro. Elas serviam de modelo do enfoque norte-americano para a produção em massa: máquinas especializadas cuidavam de cada etapa do processo, garrafas e tampas eram padronizadas, partes eram permutáveis, e a bebida que resultava, produzida com custos baixos e em grandes quantidades, era um atrativo para a massa.

De fato, a água com soda, sendo produzida numa escala industrial e consumida tanto por ricos como por pobres, parecia captar algo do espírito dos próprios Estados Unidos. Escrevendo no *Harper's Weekly* em 1891, a escritora e comentarista social Mary Gay Humphreys observou: "O mérito que premia a soda e aquilo que a enquadra para ser a bebida nacional é sua democracia. O milionário pode beber champanhe enquanto o pobre bebe cerveja, mas ambos bebem água gasosa." Sua sugestão de que a água gasosa era a bebida nacional dos Estados Unidos estava certa, porém apenas pela metade. Uma nova bebida nacional estava realmente emergindo naquela época – mas a água com soda era apenas a metade dela.

O MITO DA CRIAÇÃO DA COCA-COLA

Em maio de 1886, John Pemberton, um farmacêutico que vivia em Atlanta, Geórgia, inventou uma bebida. Segundo a versão oficial da história de acordo com a própria empresa Coca-Cola, ele era um curioso faz-tudo que tropeçou na combinação certa de ingredientes por acidente, ao tentar desenvolver uma cura para dores de cabeça. Numa tarde, ele misturou vários ingredientes num recipiente de três pernas de modo a criar um líquido de cor caramelo que ele então levou a uma farmácia próxima e combinou com água gasosa para criar a doce, efervescente e estimulante bebida – Coca-Cola – que viria finalmente a alcançar praticamente todos os cantos do mundo. A verdadeira história, porém, é bem mais complicada.

Pemberton era na verdade um experiente produtor de remédios patenteados, remédios falsos bastante populares nos Estados Unidos no final do século XIX. Essas pílulas, bálsamos, xaropes, cremes e óleos eram geralmente triunfos da propaganda sobre a farmacologia. Alguns eram inofensivos, porém muitos continham grandes quantidades de álcool, cafeína, ópio ou morfina. Eram vendidos por meio de anúncios em jornais, e sua produção tornou-se uma grande indústria depois da Guerra Civil, quando os veteranos decidiram se automedicar. A popularidade dos remédios patenteados refletia uma desconfiança generalizada nos remédios convencionais, que com freqüência eram caros e ineficientes. Os patenteados ofereciam uma alternativa sedutora pelo fato de ser comercializados com ênfase nos ingredientes exóticos ou no conhecimento médico dos índios nativos e com nomes que tinham conotações religiosas, patrióticas ou mitológicas: "As pílulas pata-pata de Munson para colocar seu fígado em ação", "as pílulas originárias dos índios do Dr. Morse", e assim por diante.

Não havia nada que impedisse os que manufaturavam tais remédios de fazer alegações ridículas sobre sua eficácia. O elixir da vida vendido por um certo Dr. Kidd, por exemplo, alegava ser capaz de curar "qualquer doença conhecida. ... Os mancos jogaram fora suas muletas e andaram depois de duas ou três experiências com o remédio. ... Reumatismo, nevralgia, doenças do estômago, do coração, do fígado, dos rins, do sangue e da pele desaparecem como se fosse mágica". Os jornais que publicavam esses anúncios não faziam perguntas. Consideravam bem-vinda a receita, proveniente deles que permitiu à indústria dos jornais expandir-se enormemente: ao final do século XIX, os remédios patenteados representavam a maior fonte de anúncios em jornais. Os produtores do óleo de Santo Jacó – que se dizia capaz de curar "músculos doloridos", gastaram 500 mil dólares em propaganda em 1881, e alguns anunciantes estavam gastando mais de um milhão de dólares por ano em 1895.

O negócio do remédio patenteado esteve entre os primeiros a reconhecer a importância das marcas comerciais e da propaganda, de *slogans*, logotipos e cartazes. Como os próprios remédios geralmente custavam muito pouco para serem produzidos, fazia sentido gastar dinheiro em marketing. Com tantos produtos competitivos no mercado, porém, apenas 2% deles eram lucrativos, de acordo com uma estimativa. Mas aqueles que tiveram sucesso fizeram fortunas para seus inventores. Um dos mais famosos foi o Composto Vegetal de Lydia E. Pinkham. Dizia-se que era "uma cura positiva para todas aquelas dolorosas queixas e fraquezas tão comuns em nossa melhor população feminina. ... Acaba com desmaios e flatulência, destrói todo o desejo por estimulantes e alivia a fraqueza do estômago". Os clientes eram incentivados a escrever para Pinkham a fim de receber conselho médico, até mesmo depois de sua morte em 1883, que foi mantida em segredo. Eles recebiam de volta cartas formais invariavelmente recomendando maior uso do composto vegetal. Quando foi analisado no início do século XX, descobriu-se que continha 15 a 20% de álcool. Ironicamente, as mulheres que faziam campanha pela abstenção de bebidas alcoólicas estavam entre as mais fervorosas usuárias do composto.

As próprias tentativas de Pemberton para produzir remédios patenteados tinham apresentado um sucesso variável. Em certos momentos, geraram uma renda sólida, mas durante a década de 1870 ele teve um período de má sorte. Sua falência foi declarada em 1872, e suas tentativas de ficar de pé novamente foram impedidas por dois incêndios que destruíram seu estoque. Mas ele continuou a desenvolver novos remédios patenteados, na esperança de que um deles o fizesse rico. Finalmente, em 1884, começou a obter algum retorno graças à popularidade de um novo ingrediente: a coca.

Em virtude de seu efeito estimulante, as folhas de coca já eram conhecidas há muito tempo pelos povos sul-americanos, que a chamavam de "a planta divina dos incas". A mastigação de um pequeno bolo das folhas libera pequenas quantidades de uma droga alcalóide, a cocaína. Em doses pequenas, ela aguça a mente, assim como a cafeína, e reprime o apetite, tornando possível fazer longas jornadas pelos Andes com muito pouca comida ou pouco descanso. A cocaína foi isolada das folhas de coca em 1855 e tornou-se então um tema de grande interesse entre cientistas e médicos ocidentais, que acharam que ela poderia curar os dependentes de ópio ao fornecer uma alternativa. (Eles não estavam cientes de que a própria cocaína causava tanta dependência quanto o ópio.) Pemberton acompanhava de perto o debate sobre a coca nas revistas de medicina, e na década de 1880 ele e outros produtores de remédios patenteados estavam-na incorporando em suas pílulas, elixires e pomadas. A contribuição de Pemberton a esse campo florescente foi uma bebida chamada vinho francês de coca.

Como o nome sugere, tratava-se de um vinho ao qual era acrescentada coca. Na verdade, não passava de mais uma tentativa de imitar um remédio patenteado particularmente bem-sucedido chamado Vinho Mariani, que consistia em um vinho francês no qual as folhas de coca tinham ficado em infusão por seis meses. O Vinho Mariani era popular na Europa e nos Estados Unidos, graças a seu alto conteúdo de cocaína e ao talento comercial de seu criador, um nativo da Córsega chamado Angelo Mariani. As cartas de endosso de celebridades e chefes de Estado para sua bebida, incluindo as de três papas, dois presidentes norte-americanos, a rainha Vitória e o inventor Thomas Edison, foram publicadas em um livro com 13 volumes. Pemberton copiou a fórmula do vinho com infusão de coca e acrescentou também extrato de cola. As nozes da planta cola da África ocidental eram mais uma daquelas supostas maravilhas curativas que haviam se tornado conhecidas no Ocidente, mais ou menos na mesma época da coca, e também tinham um efeito estimulante quando mastigadas, já que continham cerca de 2% de cafeína. Do mesmo modo que as folhas de coca na América do Sul, as frutas duras ou nozes-de-cola eram consideradas estimulantes pelos povos nativos na África ocidental, desde o Senegal, ao norte, até Angola, ao sul. Eram usadas em cerimônias religiosas dos Iorubá na Nigéria, e o povo de Serra Leoa acreditava, equivocadamente, que elas curavam a malária. Nos Estados Unidos do século XIX, a coca e a cola acabavam freqüentemente sendo agrupadas em remédios patenteados devido à semelhança de seus efeitos.

Um logotipo da Coca-Cola, numa das primeiras tampas da garrafa.

Assim como copiou e modificou ligeiramente a fórmula de Mariani para a bebida, Pemberton também pegou emprestadas certas idéias dos anúncios de Mariani, alegando vários endossos de celebridades como testemunhos para sua própria bebida. As vendas do seu vinho francês de coca começaram a aumentar. Mas exatamente quando parecia que Pemberton estava no caminho certo, a cidade de Atlanta e o condado de Fulton decidiram votar pela proibição da venda de álcool a partir de 1º de julho de 1886, por um período de experiência de dois anos. Com o movimento de abstenção de álcool ganhando terreno, Pemberton precisava produzir rapidamente um remédio não-alcóolico bem-sucedido. Ele voltou a seu elaborado laboratório doméstico e começou a trabalhar numa "bebida sóbria" contendo coca e cola, mascarando o amargor dos dois principais ingredientes com açúcar. Esse não seria, porém, um remédio patenteado comum: Pemberton pretendia que fosse distribuído como uma água gasosa medicinal com aromatizante. À medida que refinava sua fórmula, ele mandava lotes para a farmácia da vizinhança, onde eram oferecidos aos clientes juntamente com os outros aromatizantes. De vez em quando, ele pedia a seu sobrinho que passasse um tempo na farmácia a fim de ouvir o que as pessoas tinham a dizer sobre o gosto da nova bebida.

Em maio de 1886, Pemberton estava feliz com a fórmula; agora precisava de um nome. Um de seus associados nos negócios, um homem chamado Frank Robinson, fez a sugestão óbvia: Coca-Cola. O nome era derivado diretamente de seus dois principais ingredientes. Anos mais tarde, Robinson se lembraria de que achou que "os dois Cs causariam boa impressão na propaganda". Essa versão original da Coca-Cola continha uma pequena quantidade de extrato de coca e, por conseguinte, um traço de cocaína. (Isso foi eliminado no início do século XX, embora outros extratos derivados de folhas de coca permaneçam como parte da bebida até os dias de hoje.) Sua criação não foi uma invenção acidental de um amador fazendo experiências em seu jardim, mas o clímax deliberado e meticuloso de meses de trabalho de um experiente produtor de remédios baseados no charlatanismo.

Tendo inventado a Coca-Cola, Pemberton resolveu deixar Robinson, seu associado, cuidar da parte industrial e comercial. O primeiro anúncio da nova bebida que apareceu no *Atlanta Journal* de 29 de maio de 1886 era curto e direto: "Coca-Cola. Deliciosa! Refrescante! Revigorante! Estimulante! O novo e popular refrigerante das fontes de soda contendo as propriedades da maravilhosa planta de coca e da famosa noz-de-cola." A nova bebida tinha sido lançada exatamente a tempo de pegar a experiência de Atlanta com a proibição de álcool. Era não-alcoólica e tinha apelo tanto como uma água gasosa aromatizada quanto como na forma de um remédio patenteado. Isso era refletido nas palavras do rótulo de Pemberton, amarrado aos frascos de xarope fornecidos aos farmacêuticos: "Esta bebida intelectual e sóbria contém as propriedades tônicas e estimulantes dos nervos da planta de coca e das nozes-de-cola e corresponde não só a uma bebida deliciosa, refrescante, revigorante e estimulante (distribuída pelas fontes de água com soda ou em outras bebidas gasosas), mas também a um valioso tônico para o cérebro e uma cura para todas as doenças nervosas – dor de cabeça, nevralgia, histeria, melancolia etc. O sabor peculiar da Coca-Cola agrada a qualquer paladar."

Robinson promovia a bebida de diversas maneiras. Enviava bilhetes que conferiam a seus portadores o direito de obter amostras grátis, na esperança de que iriam gostar e voltar como clientes pagantes pedindo mais. Colocava cartazes em bondes elétricos e estandartes em locais que vendiam bebidas gasosas, com os dizeres: "Beba Coca-Cola, 5 centavos." Robinson também desenvolveu o logotipo diferente da Coca-Cola escrito com letra cursiva, que apareceu pela primeira vez num anúncio de jornal em 16 de junho de 1887. As vendas do xarope de Coca-Cola aos farmacêuticos estavam evoluindo a uma quantidade aproximada de 800 litros por mês no auge do verão das fontes com bebidas gasosas, o equivalente a cerca de 25 mil copos da bebida. No momento em que Atlanta votou a favor do fim da experimentação com a proibição de álcool em novembro de 1887, a Coca-Cola já se tinha estabelecido.

Apesar do início promissor da nova bebida, os sócios de Pemberton nos negócios estavam infelizes. Por vários meses, houve muita briga sobre quem possuía os direitos ao nome e à fórmula da Coca-Cola. As ações na Companhia

Química Pemberton, a entidade que formalmente possuía os direitos dos remédios patenteados, eram vendidas e recompradas, de modo que não era claro quem possuía o quê. Para complicar ainda mais as coisas, Pemberton tinha vendido 66% dos seus direitos na Coca-Cola para dois homens de negócios em julho de 1887, aparentemente porque ele não estava bem e queria levantar algum dinheiro rapidamente. (Ele estava nessa época morrendo de câncer de estômago.) Essa transação ocorreu pelas costas de Robinson e, quando ele soube dela, insistiu que ainda tinha o direito de também usar a fórmula. Pemberton então fundou uma nova companhia, que também reivindicou a propriedade sobre os direitos. Os homens de negócios a quem ele os tinha anteriormente vendido ficaram desiludidos e venderam-nos a outro grupo.

Essa grande bagunça foi finalmente ordenada por Asa Candler, outro produtor de remédios patenteados que residia em Atlanta e era irmão do advogado de Robinson. Tendo ouvido a respeito da confusão em torno da nova bebida, juntou-se a Robinson e começou a comprar as participações dos vários outros grupos. Não obstante, durante o verão de 1888 a propriedade da Coca-Cola era ainda tão confusa que três versões rivais estavam sendo oferecidas aos donos de drogarias de Atlanta: uma da nova companhia de Candler e Robinson, outra da nova companhia de Pemberton e uma terceira por Charley Pemberton, um filho rebelde de John Pemberton.

Ao final das contas, foi a morte de John Pemberton em decorrência do câncer, em 16 de agosto de 1888, que permitiu a Candler consolidar seu controle sobre a Coca-Cola. Ele chamou para uma reunião os donos de drogarias da cidade e apresentou um discurso comovente e completamente insincero. Declarou que Pemberton era não só um dos principais farmacêuticos de Atlanta, mas também um bom homem e grande amigo, e sugeriu que os farmacêuticos fechassem suas lojas no dia do funeral de Pemberton, como um sinal de respeito. Com esse discurso e carregando o caixão no funeral, Candler teve sucesso em convencer todo mundo de que estava trabalhando pelos melhores interesses de Pemberton, e que sua versão da Coca-Cola é que era na verdade "the real thing".* Agir como se Pemberton tivesse sido um grande amigo era pura mentira. Ainda assim, olhando-se para trás, de certo modo tornou-se verdade: é apenas graças a Candler que Pemberton é de algum modo lembrado hoje. Sem os esforços de Asa Candler, a Coca-Cola jamais teria se tornado o sucesso que de fato se tornou.

* The Real Thing: um dos *slogans* mais famosos da Coca-Cola, cem anos depois. Pode-se traduzir como "a verdadeira". (N.T.)

CAFEÍNA PARA TODOS

Quando inicialmente garantiu os direitos da Coca-Cola por apenas US$ 2.300, Asa Candler a considerava meramente um dos muitos remédios patenteados. Mas à medida que as vendas continuaram a crescer – elas quadruplicaram em 1890 para alcançar a marca de 35 mil litros –, Candler decidiu abandonar seus outros remédios, que não eram assim tão populares. A Coca-Cola estava vendendo bem até durante o inverno, fora da estação em que normalmente os bares vendiam bebidas gasosas. Assim, Candler contratou caixeiros-viajantes para vendê-la a farmacêuticos em estados vizinhos, distribuiu mais bilhetes grátis para atrair novos clientes e destinou mais recursos financeiros à propaganda. Ao final de 1895, as vendas anuais ultrapassavam 300 mil litros, e a Coca-Cola estava sendo vendida em todos os estados dos EUA. O informativo da companhia gabou-se de que "a Coca-Cola se tornara uma bebida nacional".

Esse rápido crescimento foi possível porque a Companhia Coca-Cola vendia apenas o xarope e não o produto final misturado com água gaseificada. Candler opunha-se fortemente à idéia de se vender a Coca-Cola em garrafas, porque se preocupava com o fato de que o gosto da bebida poderia ser alterado durante a armazenagem. A expansão para uma nova cidade ou estado significava então simplesmente fechar negócios com farmacêuticos locais e depois transportar o xarope e os materiais associados à propaganda: *banners*, calendários e outros itens que apresentavam o logotipo vermelho e branco da companhia. Como Atlanta era um importante centro da rede nacional de estradas de ferro, a distribuição não era um problema. E os farmacêuticos gostavam da bebida porque era lucrativa: cada Coca-Cola que eles vendiam por cinco centavos gastava apenas um centavo do xarope e a maior parte do restante era puro lucro. Já a Companhia Coca-Cola, por sua vez, podia produzir o xarope por um custo de cerca de 75% de um centavo por copo, e assim gerava lucro também em cada copo vendido.

A minimização dos supostos atributos medicinais da Coca-Cola, representando uma repentina mudança estratégica, também ajudou a incentivar as vendas. Até 1895, ela ainda estava sendo vendida principalmente como um produto medicinal, descrita como um "remédio poderoso para dor de cabeça" e assim por diante. Todavia, a venda da Coca-Cola como remédio era arriscada, pois limitava o mercado apenas àqueles que se identificavam com os sintomas das doenças que ela supostamente curava. Por outro lado, vendê-la simplesmente como bebida refrescante conferia-lhe apelo universal: nem todo mundo está doente, mas todos ficam com sede em um ou outro momento. Assim, foram deixados de lado os anúncios sombrios listando doenças e enfermidades e sobreveio um enfoque mais direto e alegre: "Beba Coca-Cola. Deliciosa e Refrescante." Enquanto os anúncios anteriores tinham direcionado a Coca-Cola para homens de negócios atormentados e exaustos buscando uma cura para a dor de cabeça ou um tônico revigorante, os novos anúncios recomendavam a bebida para mulheres e crianças. Esta mudança de ênfase ocorreu no momento certo, por motivos acidentais. Em 1898, uma taxa foi imposta sobre remédios patenteados, categoria em que inicialmente a Coca-Cola estava inserida. A companhia lutou contra a decisão e finalmente ganhou a isenção do imposto, mas só pôde fazer isso porque tinha reposicionado a Coca-Cola como bebida em vez de remédio.

Ironicamente, as vendas foram também ajudadas pelo lançamento da Coca-Cola engarrafada. Candler sempre se opusera à idéia, mas em julho de 1899 ele concedeu a dois homens de negócios, Benjamin Thomas e Joseph Whitehead, o direito de engarrafar e vender a bebida. Na época, Candler pensou que essa era uma transação pouco importante e nem fez os dois homens

A garrafa de vidro característica da Coca-Cola, lançada em 1916.

pagarem pelos direitos de engarrafamento; em vez disso, apenas concordou em vender para eles o xarope, assim como ele o vendia para os donos de bares que tinham fontes de água com soda. Se o engarrafamento deslanchasse, ele venderia mais xaropes; se fracassasse, como supunha, não perderia nada. De fato, o engarrafamento demonstrou ser enormemente bem-sucedido. A Coca-Cola na garrafa abriu mercados inteiramente novos, porque agora ela podia ser vendida em qualquer lugar – em mercearias e eventos esportivos, por exemplo –, e não apenas nas fontes de água com soda. Thomas e Whitehead logo perceberam que, em vez de processarem eles mesmos o engarrafamento, fazia muito mais sentido vender a terceiros direitos subsidiários de engarrafamento em troca de uma boa parcela dos lucros. Ao fazerem isso, eles criaram um lucrativo negócio de franquias e tornaram a Coca-Cola disponível em cada cidade e povoado rural nos Estados Unidos. A garrafa característica, com seu formato diferenciado, foi introduzida pela companhia em 1916.

A Coca-Cola em garrafa deslanchou exatamente no momento em que aumentava a preocupação pública com os perigos dos remédios patenteados e dos aditivos nocivos e agentes adulterantes na comida. Liderando o ataque estava Harvey Washington Wiley, um cientista do governo preocupado principalmente com o perigo apresentado pelos remédios feitos por charlatães para as crianças. Seus anos de campanha contra os remédios foram recompensados em 1906, com a aprovação da Lei das Comidas e Remédios Puros, geralmente conhecida como "a lei do Dr. Wiley". Inicialmente, parecia que as novas regras beneficiariam a Coca-Cola, que orgulhosamente anunciava estar "garantida pela Lei das Comidas e Remédios Puros", ao arruinarem alguns de seus rivais mais duvidosos. Mas, no ano seguinte, Wiley anunciou sua intenção de investigá-la com base no fato de que continha cafeína. Sua queixa era de que, ao contrário do chá e do café, a Coca-Cola – que então estava disponível em todos os Estados Unidos – era consumida por crianças. Ele argumentava que os pais não estavam, em geral, cientes da presença da cafeína, e não percebiam que suas crianças estavam tomando a droga.

Assim como Khair Beg tinha colocado o café sob julgamento em Meca em 1511, Wiley levou a Coca-Cola ao banco dos réus em 1911, num caso na justiça federal intitulado Estados Unidos *versus* Quarenta Barris e Vinte Caixas de Coca-Cola. No tribunal, fundamentalistas religiosos atacaram os malefícios da Coca-Cola, culpando seu conteúdo de cafeína pela promoção de transgressões sexuais; cientistas governamentais expuseram os efeitos da Coca-Cola sobre coelhos e sapos, e testemunhas especialistas trazidas pela Companhia Coca-Cola falaram a favor da bebida. O julgamento, que durou um mês, produziu um grande teatro com acusações de manipulação do júri e cobertura sensacionalista: "Oito Coca-Colas contêm cafeína suficiente para matar", alardeava uma manchete, inteiramente incorreta. O problema com o caso de Wiley é que estava baseado em objeções morais em vez de científicas. Ninguém questionava que havia cafeína na Coca-Cola – a questão era se ela era nociva, e sobretudo para crianças. A evidência científica indicava que não. Além disso, Wiley não estava tentando banir o chá ou o café.

Portanto, ao final, o caso encaminhou-se para uma questão específica: se a Companhia Coca-Cola apresentava de forma inapropriada seu produto e se ela poderia alegar que sua bebida era realmente "pura". A corte acabou decidindo a favor da Coca-Cola: seu nome refletia com precisão a presença da cola, que contém cafeína. E, como a cafeína sempre tinha sido parte de sua fórmula, não contava como um aditivo, e assim a bebida era realmente "pura". Essa segunda parte da sentença foi subseqüentemente derrubada numa apelação, e um acordo foi feito dos tribunais em que se concordou que a quantidade de cafeína na Coca-Cola fosse reduzida pela metade. A companhia também prometeu não retratar crianças em seus anúncios, política que manteve até 1986. Mas o importante era que as vendas da Coca-Cola – uma bebida contendo cafeína – para crianças estava então sancionada legalmente. Com a popularidade da bebida engarrafada, isso significou que a Coca-Cola tinha estendido o uso da cafeína, a droga mais popular do mundo, com sucesso, para esferas que o café e o chá tinham sido incapazes de atingir.

A Companhia Coca-Cola encontrou outras maneiras de vender seu produto para crianças sem as colocar diretamente nos anúncios. De longe, os mais famosos exemplos são os cartazes alegres, retratando Papai Noel tomando o refrigerante, que apareceram pela primeira vez em 1931. Existe uma crença generalizada, mas equivocada, de que com esses cartazes a Companhia Coca-Cola foi responsável pela criação da imagem moderna do Papai Noel como um homem barbado numa roupa vermelha enfeitada de branco, tendo escolhido as cores em função de seu próprio logotipo, vermelho e branco. Na verdade, a idéia de um Papai Noel vestido de vermelho já estava firmemente estabelecida. O *New York Times* relatou em 27 de novembro de 1927 que "um Papai Noel padronizado aparece para as crianças de Nova York. ... Altura, peso, estatura, tudo está quase precisamente padronizado, assim como o traje vermelho, o capuz e a barba branca. ... O saco cheio de brinquedos, bochechas e nariz avermelhados, sobrancelhas espessas e um jeito alegre e barrigudo são também itens inevitáveis do conjunto necessário". Contudo, a inclusão do Papai Noel em seus anúncios permitiu à companhia atrair diretamente as crianças e associar a bebida com brincadeira e felicidade.

A CELEBRADA ESSÊNCIA DOS ESTADOS UNIDOS

A década de 1930 trouxe três desafios ao poderio da Coca-Cola: o fim da proibição de bebidas alcoólicas, a Grande Depressão que se seguiu à queda violenta do mercado de ações em Wall Street em 1929 e a ascensão de um poderoso competidor, PepsiCo, com a bebida rival, Pepsi-Cola. Esperava-se que o reinício das vendas legais de bebidas alcoólicas, que tinham sido banidas desde 1920, tivesse um efeito particularmente devastador nas vendas de Coca-Cola. Uma reportagem da imprensa perguntava: "Quem iria beber refrigerante quando a cerveja de verdade e o uísque do homem puderem ser obtidos legalmente? Bem, o caso estava aberto e fechado: a Companhia Coca-Cola estava a ponto de sucumbir." Na prática, a revogação da proibição teve muito pouco efeito nas vendas: parecia que a Coca-Cola atendia a uma necessidade diferente do que faziam as bebidas alcoólicas. De fato, a lista de circunstâncias em que era consumida continuou a se expandir.

Para algumas pessoas, a Coca-Cola tomou o lugar do café como bebida social. Ao contrário de bebidas alcoólicas, era considerada adequada para consumo em todas as horas do dia – até mesmo no café da manhã – e, naturalmente, por pessoas de todas as idades. Durante a fase da proibição de álcool, o brilhante publicitário da companhia, Archie Lee, estimulou cuidadosamente o consumo de Coca-Cola nos locais com fontes de soda, como um substituto alegre e familiar ao consumo de cerveja ou outras formas de álcool em bares, e como uma maneira de escapar da realidade sombria do clima econômico. Lee também foi pioneiro no uso da nova tecnologia do rádio para vender o produto, bem como em sua inserção com destaque em vários filmes, outra maneira de associá-la ao glamour e ao divertimento. Os anúncios da Coca-Cola descreviam um mundo livre de preocupações e encantadoramente feliz. Em conseqüência, ela prosperou durante a Depressão.

Segundo registrou um analista de investimentos na época, "independentemente da Depressão, do tempo e da competição intensa, a Coca-Cola continua com demanda sempre crescente". Era uma bebida para temperaturas quentes que vendia bem no inverno, uma bebida não-alcoólica que podia concorrer com bebidas alcoólicas, uma bebida que fez com que o consumo de cafeína se tornasse universal e um deleite de preço acessível, que manteve sua atratividade mesmo durante um período de declínio econômico. Como disse Harrison Jones, um executivo da companhia, em discurso excitante que marcou o encerramento das celebrações em 1936 do qüinquagésimo aniversário da companhia: "Os quatro cavaleiros do apocalipse podem atacar a Terra e voltar de novo – e a Coca-Cola vai permanecer!"

Alguns desses fatores também ajudaram a rival da Coca-Cola, a Pepsi-Cola. Suas origens remontam a 1894, mas depois de enfrentar duas falências ela só se tornou um concorrente sério da Coca-Cola na década de 1930, nas mãos de um homem de negócios de Nova York chamado Charles Guth, proprietário de uma cadeia de confeitarias e de locais com fontes de bebidas com soda. Em vez de comprar a Coca-Cola para suas lojas, ele assumiu o controle da companhia da Pepsi-Cola, que enfrentava problemas, e passou a oferecer a bebida. As vendas deslancharam quando ele começou a oferecer garrafas de pouco menos de meio litro ao mesmo preço (cinco centavos) que a Coca-Cola cobrava por uma garrafa de um quarto de litro. A bebida em maior quantidade custava apenas um pouco mais para ser produzida, já que a maior parte do custo estava no engarrafamento e na distribuição, e a diferença exercia grande atração sobre consumidores com pouco dinheiro. Uma enorme batalha legal se desenrolou quando a Coca-Cola acusou sua rival de violação da marca registrada. O caso arrastou-se por anos, não fazendo bem a nenhuma das duas companhias e estimulando um acordo fora dos tribunais em 1942. A Coca-Cola concordou em parar de contestar a marca registrada da Pepsi-Cola e esta adotou um logotipo vermelho, branco e azul que nitidamente a diferenciava da Coca-Cola. Outra conseqüência foi que a palavra *cola* se tornou um termo genérico para bebidas refrigerantes marrons, carbonadas e com cafeína. No fim das contas, as duas empresas se beneficiaram da presença uma da outra: a existência de uma rival manteve a Coca-Cola em alerta constante, e a promoção de vendas da Pepsi-Cola – que oferecia, pelo mesmo preço, duas vezes mais – só fora possível porque a Coca-Cola tinha estabelecido o mercado em primeiro lugar. Essa rivalidade foi um exemplo clássico de como a competição vigorosa pode beneficiar os consumidores e aumentar a demanda.

Ao final da década de 1930, a Coca-Cola estava mais forte do que nunca. Sem nenhuma dúvida era uma instituição nacional, representando aproximadamente a metade de todas as vendas de refrigerantes efervescentes nos Estados Unidos. Era produzida em larga escala, distribuída para as massas e consumida tanto por ricos como por pobres. Em 1938, o veterano jornalista William Allen White, famoso e respeitado comentarista social, declarou que a Coca-Cola era "uma essência celebrada de tudo o que os Estados Unidos representam, uma coisa decente feita honestamente, distribuída universalmente e melhorada conscienciosamente ao longo dos anos". A Coca-Cola dominara os Estados Unidos e agora estava pronta para dominar o mundo, indo aonde a influência norte-americana se estendesse.

• A GLOBALIZAÇÃO NUMA GARRAFA •

Há um bilhão de horas, a vida humana apareceu na Terra.
Há um bilhão de minutos, surgiu o Cristianismo.
Há um bilhão de segundos, os Beatles mudaram a música.
Há um bilhão de Coca-Colas, era ontem de manhã.
Robert Goizueta, CEO da Coca-Cola, abril de 1997

O SÉCULO AMERICANO

O século XX foi definido pela luta por liberdade individual, política, econômica e pessoal contra várias formas de opressão, e marcado pela guerra, pelo genocídio e pela ameaça de destruição nuclear. Mas terminou com um notável grau de consenso de que as pessoas são mais felizes quando obtêm liberdade de escolha nas esferas política, econômica e pessoal, na forma de democracia, proteção ao consumidor e rejeição de muitas formas antiquadas de discriminação. A idéia de que uma simples bebida pudesse vir a incorporar esses valores parece absurda. E mesmo assim foi o que aconteceu durante a segunda metade do século. Os Estados Unidos são a nação que mais fortemente se identificou com a luta pela liberdade individual, e seus valores tornaram-se inteiramente associados à sua bebida nacional, a Coca-Cola.

Embora estivesse sendo vendida em vários países no momento da eclosão da Segunda Guerra Mundial, a Coca-Cola só se tornou uma marca verdadeiramente global como conseqüência do surgimento dos EUA como superpotência mundial, com o abandono de sua política de isolacionismo que prevalecia há muito tempo. Ao longo do século XIX, o país seguira a linha defendida por George Washington, que declarou em seu discurso de despedida em 1796: "É nossa verdadeira política ficar afastado de alianças permanentes com qualquer parte do mundo exterior." A intervenção dos EUA na Primeira Guerra Mundial, que ajudou a mudar o equilíbrio do conflito europeu contra alemães e austríacos, foi uma exceção a essa regra, sendo considerada um erro por muitos norte-americanos. Esses isolacionistas argumentaram durante a década de 1930 que seu país deveria ficar fora de quaisquer conflitos europeus no futuro. Mas o ataque do Japão a Pearl Harbor em dezembro de 1941 levou os Estados Unidos à Segunda Guerra Mundial e pôs fim a seu isolacionismo – e para sempre. Os EUA mandaram suas forças armadas pelo mundo, mais de 16 milhões de soldados no total – e a Coca-Cola os acompanhou.

À medida que o país se mobilizava, Robert Woodruff, presidente da Coca-Cola, divulgou uma determinação de que "todo homem de uniforme possa obter uma garrafa de Coca-Cola por cinco centavos onde quer que ele esteja e quaisquer que sejam os custos para a companhia". A bebida já era popular entre os soldados, sendo-lhes fornecida durante os exercícios como uma bebida sóbria e refrescante. Os esforços bem divulgados da companhia de manter o fornecimento iriam naturalmente ter o benefício valioso de vincular a Coca-Cola ao patriotismo e ao apoio ao esforço de guerra. Mas era também genuinamente bem-vinda pelos soldados, nas bases militares espalhadas pelo mundo: a Coca-Cola fazia-os lembrarem-se de casa e ajudava a manter o moral elevado.

"Nós sinceramente esperamos que sua companhia seja capaz de continuar nos abastecendo durante esta emergência", escreveu um oficial à empresa. "Em nossa opinião, a Coca-Cola poderia ser classificada como um dos produtos essenciais de elevação do moral para os rapazes no serviço militar." Usando dezenas de cartas semelhantes como evidência, e depois de muito trabalho de *lobby* em Washington com o apoio explícito do Exército, a companhia foi até mesmo isenta do racionamento de açúcar em 1942, com base no fato de que seu produto era essencial para o esforço de guerra. Isso assegurou que a produção de Coca-Cola pudesse continuar, mesmo quando o racionamento forçava os produtores dos refrigerantes rivais a reduzir a produção à metade.

Todavia, levar garrafas de Coca-Cola até quase o outro lado do mundo, para quaisquer lugares onde as tropas estivessem, era muito ineficiente, no mínimo porque ocupava uma valiosa capacidade de transporte por navio. Assim, fábricas especiais de engarrafamento e fontes de bebidas gasosas foram estabelecidas onde possível dentro de bases militares – o que significava que apenas o xarope da Coca-Cola tinha de ser enviado. Para muitos militares, os empregados da Coca-Cola que instalavam e operavam esse maquinário não eram menos importantes do que os mecânicos que mantinham os aviões e tanques em funcionamento. Eles obtiveram uma situação favorecida de "observadores técnicos" e receberam posições militares de tal modo que se tornaram conhecidos como "Coronéis Coca-Cola". Durante a guerra, estabeleceram não menos do que 64 fábricas militares de engarrafamento pelo mundo e serviram em torno de dez bilhões de copos. Os observadores técnicos inventaram um distribuidor portátil de Coca-Cola para uso na selva e outro bem delgado que podia encaixar-se na entrada de um submarino. A Coca-Cola também foi disponibilizada para os civis nas proximidades das bases norte-americanas no exterior, e muitos deles também desenvolveram o gosto pela bebida. Pessoas do mundo inteiro, dos polinésios aos Zulu, experimentaram a Coca-Cola pela primeira vez.

Centenas de cartas, atualmente preservadas nos arquivos da Coca-Cola, mostram como os soldados norte-americanos identificavam fortemente a bebida com seu país e o que isso representava. "Na minha cabeça, estou nesta bagunça danada tanto para ajudar a manter o hábito de beber Coca-Cola como para ajudar a preservar os milhões de outros benefícios com que nosso país abençoa seus cidadãos... Possamos todos brindar à vitória em breve, com uma Coca", escreveu um soldado. "Se alguém nos perguntasse para que estamos lutando", escreveu outro soldado numa carta para casa, "achamos que a metade responderia: o direito de comprar Coca-Cola de novo". Mesmo quando a bebida estava disponível em palcos de guerra espalhados pelo mundo, ela era tão prestigiada que as garrafas eram guardadas para ocasiões especiais, ou então vendidas por preços bastante inflacionados. Uma garrafa foi vendida por cinco dólares nas ilhas Salomão, outra por dez dólares em Casablanca, e no Alasca uma chegou a custar quarenta dólares. Robert Scott, um piloto na arena do Pacífico, ganhou uma garrafa depois de derrubar seu quinto avião japonês e tornar-se um "ás". Mas ele a considerou demasiado valiosa para ser bebida e, em vez disso, doou-a a um cirurgião que o tinha operado quando foi ferido.

O entusiasmo militar pela Coca-Cola não estava limitado aos postos mais baixos, indo até o topo: os generais Douglas MacArthur, Omar Bradley e George Patton também gostavam de tomá-la. O maior entusiasta era o general Dwight D. Eisenhower, comandante supremo das forças aliadas na Europa. Em junho de 1943, enquanto supervisionava a campanha aliada no norte da África, enviou um telegrama detalhado pedindo "três milhões de garrafas de Coca-Cola (cheias) e equipamento completo para engarrafar, lavar e tampar a mesma quantidade duas vezes por mês. A preferência quanto ao equipamento seria de dez máquinas separadas para instalação em localidades diferentes, cada uma completa para engarrafar 20 mil garrafas por dia. E também xarope suficiente e tampas para seis milhões de recargas". Seis meses depois, as linhas de produção já estavam operando no norte da África. No ano seguinte, à medida que as tropas aliadas avançavam na Europa ocidental após os desembarques na Normandia no Dia D, a Coca-Cola tomava o mesmo rumo. Até mesmo a senha usada pelas tropas americanas durante a batalha para atravessar o Reno era *Coca-Cola*.

A Companhia Coca-Cola não perdeu oportunidades de enfatizar a natureza mística da bebida para os soldados norte-americanos que estavam distantes. Um anúncio de 1942, quando a luta transcorria com violência no norte da África, retratava um soldado em uniforme cáqui em meio a um deserto hostil encontrando uma placa de Coca-Cola com o *slogan* "Como vai, amigo?". Outro anúncio mostrava marinheiros tomando Coca-Cola a bordo de um navio. A legenda abaixo vangloriava-se: "Onde quer que esteja um navio de guerra dos

Um anúncio de Coca-Cola da época da Segunda Guerra Mundial. (Você trabalha mais se estiver bem refrescado.)

Estados Unidos, a maneira norte-americana de viver estará lá. ... Assim, naturalmente, a Coca-Cola está lá também." Parece exagerado, mas não era.

Inversamente, as forças do Eixo, Alemanha e Japão, denunciavam a Coca-Cola como um exemplo de tudo o que estava errado com os Estados Unidos – a despeito do fato de que ela tivesse sido vendida em ambos os países antes da guerra, com especial popularidade na Alemanha. Ignorando esse fato inconveniente, a propaganda nazista desdenhava que "os Estados Unidos nunca contribuíram com nada para a civilização mundial, exceto a goma de mascar e a Coca-Cola", enquanto seus equivalentes japoneses declaravam: "Com a Coca-Cola, nós importamos os germes da doença da sociedade norte-americana."

Depois da vitória final dos Aliados em 1945, as operações militares de engarrafamento foram mantidas em seus lugares por três anos, durante o período de reconstrução. A produção então foi revertida para a esfera civil. Mas, nessa época, à exceção da Antártida, a Coca-Cola já tinha se estabelecido em todos os continentes da Terra, acompanhando os militares norte-americanos. Como observou um funcionário da companhia, a guerra assegurou "a aceitação quase universal da excelência da Coca-Cola".

GUERRA FRIA, GUERRA DAS COLAS

Talvez a pessoa mais improvável de se converter a uma bebida como a Coca-Cola tenha sido o general Georgy Konstantinovich Zhukov, o maior líder militar da União Soviética, que defendeu a Rússia com sucesso do ataque germânico e depois liderou suas forças para dentro de Berlim com o propósito de acabar com a guerra na Europa. Zhukov era uma das poucas pessoas que ousavam discordar de Joseph Stalin, o brutal líder soviético, que não podia livrar-se dele por causa de sua popularidade e estatura heróica. Durante as negociações do pós-guerra a respeito da divisão da Alemanha, Zhukov foi introduzido à Coca-Cola por Eisenhower e passou a gostar muito da bebida. Mas ficava relutante em ser visto desfrutando de algo tão intimamente identificado com valores norte-americanos, principalmente porque a rivalidade entre as duas superpotências estava se intensificando. Assim, Zhukov fez um pedido incomum: seria possível fazer Coca-Cola sem corante, de modo que ela se parecesse com a vodca, bebida tradicional russa? Seu pedido foi passado para a Companhia Coca-Cola, que agradeceu devidamente e, com o endosso do presidente Harry Truman, desenvolveu uma versão incolor. Foi enviada para Zhukov em garrafas cilíndricas especiais, lacradas, com uma tampa branca e rotulada com uma estrela vermelha soviética.

Em 1948, a euforia do pós-guerra que acompanhara a fundação das Nações Unidas tinha evaporado, e a União Soviética desafiou diretamente os Estados Unidos ao bloquear Berlim Ocidental, na verdade uma espécie de pequeno posto avançado ocidental em pleno lado soviético de uma Europa dividida. As potências ocidentais responderam com constantes fornecimentos aéreos para Berlim Ocidental por mais de um ano até que os soviéticos suspenderam o bloqueio. Com o estabelecimento, em 1949, da Organização do Tratado do Atlântico Norte (Otan), uma aliança entre os Estados Unidos e seus aliados europeus, e a criação pela União Soviética da rival Organização do Pacto de Varsóvia, o palco estava pronto para o impasse militar da Guerra Fria, que veio a durar décadas. Durante esse período em que os dois blocos competiram por maior influência e travaram guerras alheias em muitas regiões do mundo, mas nunca chegaram a ter um conflito direto, a Coca-Cola veio a ser associada não somente aos Estados Unidos, mas também aos valores ocidentais mais amplos de liberdade, democracia e capitalismo de livre-mercado. Inversamente, entre os comunistas, a Coca-Cola passou a representar tudo aquilo considerado errado com o capitalismo, particularmente a noção de que a satisfação de demandas freqüentemente fúteis de consumidores deveria ser o princípio organizador da economia. Como foi colocado num cartaz da convenção da Companhia Coca-Cola de 1948: "Quando pensamos em comunistas, pensamos na Cortina de Ferro. Mas quando eles pensam na democracia, pensam na Coca-Cola."

A Companhia Coca-Cola expandiu rapidamente suas operações no exterior durante o final da década de 1940, de modo que por volta de 1950 um terço de seus lucros já vinham de fora dos Estados Unidos. Isso coincidiu com a crescente influência política dos EUA como a principal nação capitalista na luta mundial contra o comunismo e com a iniciativa de reconstrução da Europa financiada pelos norte-americanos, o Plano Marshall. Para aqueles que se opunham à crescente influência dos EUA e que consideravam o Plano Marshall o imperialismo feito por outros meios, a Coca-Cola era um alvo óbvio de sua raiva. A expressão "coca-colonização" foi usada primeiramente por simpatizantes comunistas na França, que organizaram uma vigorosa campanha contra o estabelecimento de novas fábricas de engarrafamento em seu país. Eles assinalavam que isso prejudicaria as indústrias nacionais de vinho e de água mineral, e até tentaram tornar a Coca-Cola fora da lei, sob o argumento de que era venenosa. Isso causou um clamor nos Estados Unidos, onde os editoriais dos jornais pediam o fim da ajuda do

Plano Marshall aos franceses ingratos. Os funcionários da companhia destacavam que a bebida não tinha provocado efeitos adversos na saúde dos soldados norte-americanos que tinham libertado a França. Os jornais franceses responderam da mesma maneira: o *Le Monde* preveniu que "o panorama moral da França está em risco". Caminhões da Coca-Cola foram derrubados por opositores franceses e garrafas foram quebradas. Ao final, porém, a campanha francesa contra a Coca-Cola fez pouca diferença. Na verdade, gerou uma enorme quantidade de publicidade grátis e proporcionou à bebida um cunho especialmente exótico e ilícito.

Campanhas semelhantes foram organizadas em outros países. Ativistas comunistas sugeriam que a Coca-Cola tinha efeitos negativos sobre a saúde e que sua disseminação poluía as nações européias com valores culturais norte-americanos. Eram freqüentemente apoiados por cervejeiros, engarrafadores de água mineral e produtores de refrigerantes, contentes com a histeria estimulada pelos comunistas. Os comunistas austríacos alegavam que a fábrica de engarrafamento da Coca-Cola em seu país poderia ser convertida numa fábrica de bomba atômica de um momento para outro. Os italianos afirmavam que a bebida fazia com que os cabelos das crianças ficassem brancos do dia para noite. A Companhia Coca-Cola perseverou calmamente, recusando-se a entrar na briga e organizando novas franquias de engarrafamento no exterior, com base na crença de que o contato direto com a bebida convenceria os consumidores de seus méritos. Robert Woodruff, principal executivo da Companhia Coca-Cola, interpretou claramente o antagonismo do comunismo para com a Coca-Cola, ao observar que a bebida era "a essência do capitalismo". Mas à medida que a bebida se tornava mais popular, as alegações ridículas contra ela – de que causava impotência nos homens e levava ao câncer ou à infertilidade – foram desaparecendo lentamente.

Em 1959, o vice-presidente americano Richard Nixon visitou Moscou, onde trocou insultos com o primeiro-ministro soviético Nikita Khrushchev numa feira comercial especial para exibição de produtos norte-americanos. Num golpe de relações públicas para a Pepsi, Nixon e Khrushchev foram fotografados bebendo esse refrigerante juntos num estande da companhia. Mas em 1965, quando a Companhia Coca-Cola começou a considerar a instalação de operações na Rússia por trás da Cortina de Ferro, onde um vasto mercado potencial existia, houve um retrocesso imediato. Como companhias privadas não eram aceitas em países comunistas, o próprio governo soviético seria o sócio da companhia, e quaisquer lucros acabariam fluindo para os cofres do Estado russo. Com a Guerra do Vietnã em andamento, os críticos argumentaram que a Coca-Cola estaria de fato ajudando a subsidiar os inimigos comunistas. E, assim, ela rapidamente abandonou seus planos.

Isso deixou o caminho livre para a Pepsi. Tendo sido derrotado nas eleições para o governo da Califórnia em 1962, Nixon associou-se à firma de advocacia da Pepsi e tornou-se o embaixador do refrigerante no exterior. Como não estava manchada pela propaganda anticomunista, a Pepsi estava mais bem capacitada para expandir-se por trás da Cortina de Ferro. Ela estabeleceu operações na Romênia em 1965 e, com a ajuda de Nixon, começou a vender sua bebida na Rússia, onde recebeu uma licença exclusiva em 1972. Parecia que a Coca-Cola tinha conseguido colocar um pé na porta em 1980, com um acordo de que seria o refrigerante oficial das Olimpíadas a serem realizadas naquele ano em Moscou. Mas o presidente Jimmy Carter anunciou então um boicote norte-americano aos Jogos, em resposta à invasão soviética ao Afeganistão e, em conseqüência, a Coca-Cola foi rejeitada mais uma vez.

No fim das contas, porém, o fracasso da Coca-Cola em se estabelecer nos países do bloco soviético acabou provando ser uma vantagem. O Muro de Berlim sucumbiu em 1989, anunciando o colapso dos regimes comunistas por toda a Europa oriental e a dissolução da União Soviética em 1991. Quan-

O vice-presidente dos Estados Unidos Richard Nixon e o primeiro-ministro soviético Nikita Khrushchev no estande da Pepsi, na Feira Cultural e Comercial dos Estados Unidos em Moscou, em 1959.

do os alemães orientais passaram em grande número através das fendas do Muro, foram recebidos com Coca-Cola. Uma testemunha recordou: "Nós nos descobrimos dando boas-vindas aos novos que chegavam com bananas, Coca-Cola, flores e qualquer outra coisa que cheirasse ao consumismo ocidental." Alemães orientais formaram filas para comprar a bebida diretamente em caixotes da fábrica de engarrafamento da Coca-Cola em Berlim Ocidental. Junto com equipamentos de som de alta-fidelidade, televisores, refrigeradores e outros produtos de consumo, caixotes de Coca-Cola estiveram entre os itens de consumo mais avidamente procurados pelas pessoas de Berlim Oriental. O sucesso maior da Pepsi por trás da Cortina de Ferro passou a contar contra ela quando os comunistas foram expulsos. Ela foi considerada por muitos consumidores, uma marca local associada aos velhos regimes, ao passo que a Coca-Cola foi vista como exótica e estrangeira. O ato de beber Coca-Cola tornou-se um símbolo de liberdade. Em meados da década de 1990, a Coca-Cola já tinha ultrapassado a Pepsi como a cola mais popular nos países do antigo bloco soviético.

A COCA-COLA NO ORIENTE MÉDIO

A forte associação da Coca-Cola com os valores norte-americanos agiu contra ela em outra região do mundo: o Oriente Médio. Os problemas começaram em 1966, quando um executivo de Israel acusou a Companhia Coca-Cola de ficar fora do mercado de refrigerantes de Israel a fim de proteger seu negócio num mercado muito maior, o árabe. O mundo árabe, com sua proibição de bebidas alcoólicas e seu clima quente, era certamente um mercado promissor para a Coca-Cola, e seus lucros na região já alcançavam cifras de cerca de 20 milhões de dólares. A companhia argumentou que suas tentativas de abrir uma fábrica de engarrafamento em Israel em 1949 tinham sido bloqueadas pelo governo israelense e também alegou que o mercado daquele país era muito pequeno para ser economicamente viável. Mas se esse era o caso, perguntavam seus críticos – por que ela estava fazendo negócios em Chipre, um mercado ainda menor? Surgiram acusações de anti-semitismo, e organizações judaicas nos Estados Unidos começaram a boicotar a Coca-Cola, inclusive o hospital Monte Sinai em Manhattan e o conhecido Nathan's Famous Hot Dog Emporium,* em Coney Island, ambos no estado de Nova York.

---

* Comércio judaico em Nova York: famosa loja de cachorros-quentes e outros sanduíches e refrigerantes. (N.T.)

A companhia respondeu, anunciando que ia licenciar uma franquia israelense em Tel-Aviv para engarrafamento. Isso por sua vez, provocou a Liga Árabe, que pediu a seus membros para boicotar a Coca-Cola. A companhia recusou-se a recuar, e o boicote árabe entrou em vigor em agosto de 1968. A decisão da companhia fora inteiramente pragmática: desistira do mercado árabe, a fim de evitar um boicote interno pela comunidade judaica, o que lhe teria custado muito mais. O resultado foi que a Coca-Cola novamente viu-se alinhada e identificada com a política externa norte-americana. A Pepsi, enquanto isso, aproveitou-se desta oportunidade para movimentar-se na direção dos mercados árabes e ficar fora de Israel, muito embora isso tenha lhe custado a perda de alguns clientes nos Estados Unidos, que consideraram suas ações anti-semitas.

Foi somente no final da década de 1980, quando o boicote árabe à Coca-Cola finalmente desmoronou, que ela começou a fazer incursões nesses mercados, principalmente Egito, Líbano e Jordânia. Mas o prêmio maior era a Arábia Saudita, que tinha se transformado no terceiro maior mercado estrangeiro da Pepsi, depois do Canadá e do México. Durante a Guerra do Golfo de 1991, a Coca-Cola mandou caminhões refrigerados para suprir as tropas norte-americanas situadas na Arábia Saudita, mas não podia competir com a Pepsi, que possuía cinco fábricas no país. Telespectadores no mundo inteiro viram o general Norman Schwarzkopf, o comandante norte-americano da coalizão que expulsou do Kuwait as forças do Iraque, assinando o cessar-fogo com uma lata de Pepsi a seu lado. A Coca-Cola respondeu com uma grande ofensiva no mercado saudita, a fim de colocar a Pepsi na defensiva e enfraquecer sua habilidade de competir em outros mercados.

Na época da Guerra do Iraque, em 2003, a idéia de se expressar o antiamericanismo por meio de ataques a seus refrigerantes tinha tomado várias novas formas. Jovens muçulmanos na Tailândia atiraram Coca-Cola no chão, em protesto contra a invasão liderada pelos norte-americanos, e as vendas foram suspensas em meio a crescentes protestos antiamericanos. Enquanto isto, colas feitas localmente começaram a ficar populares no Oriente Médio. A Zam Zam Cola, uma cola "islâmica" feita no Irã por uma companhia sócia da Pepsi no país, tornou-se popular no Iraque, no Catar, em Bahrein e na Arábia Saudita, onde vendeu quatro milhões de latas em sua primeira semana de vendas. A Star Cola, feita na margem ocidental do rio Jordão, tornou-se popular nos Emirados Árabes Unidos. A equação entre Coca-Cola e Estados Unidos persistiu tanto para os críticos como para seus defensores. Quando as tropas norte-americanas ocuparam o palácio de Saddam Hussein em Bagdá em abril de 2003, fizeram um churrasco em que consumiram hambúrgueres, cachorros-quentes e, inevitavelmente, Coca-Cola.

A GLOBALIZAÇÃO PELA GARRAFA

Assim como está associada aos Estados Unidos, a Coca-Cola também engloba a tendência na direção de um único mercado global: numa palavra, a globalização. Os que acreditam nesse processo argumentam que a abolição de barreiras comerciais, leis tarifárias e outros obstáculos ao comércio internacional livre e sem amarras é a melhor maneira de aprimorar o futuro tanto dos países ricos como dos pobres. Com a organização de fábricas no mundo em desenvolvimento, por exemplo, companhias dos países ricos podem reduzir seus custos e, ao mesmo tempo, criar empregos e estimular a economia nos países mais pobres onde abrem negócio. Os opositores da globalização queixam-se de que tais práticas são exploradoras porque criam empregos de salários baixos e posições menos valorizadas e também porque as companhias multinacionais são capazes de explorar regulamentações menos rígidas no que tange à mão-de-obra e a problemas ambientais, ao transferir empregos para o exterior. O debate prossegue. Mas uma queixa freqüentemente ouvida, à medida que as companhias ampliam seus tentáculos pelo mundo e competem num campo de concorrência global, é que a globalização é meramente uma nova forma de imperialismo. Os ativistas antiglobalização argumentam que a única superpotência do mundo, os Estados Unidos, tem a intenção de invadir todo o resto não com soldados e bombas, mas com sua cultura, suas empresas e marcas, com destaque para a Microsoft, o McDonald's e a Coca-Cola.

Certamente, nenhum outro produto único é mais representativo da globalização do que a Coca-Cola. A luta global com a Pepsi continua no mundo inteiro, sendo que o novo grande campo de batalha é a China. Mas é apenas um dos mais de 200 territórios onde a Companhia Coca-Cola opera – mais do que o número de membros das Nações Unidas. A bebida é hoje o produto mais amplamente conhecido no mundo, e afirma-se que "Coca-Cola" é a segunda expressão mais comumente compreendida no mundo, depois de "OK". Nenhuma outra companhia pode se comparar a ela em alcance global, visibilidade ou reconhecimento. A Coca-Cola regularmente encabeça a lista das marcas mais valiosas do mundo, publicada a cada ano na revista *BusinessWeek*.

Contudo, mesmo a marca mais poderosa do mundo não pode fazer lavagem cerebral nas pessoas a fim de fazê-las comprar algo que não queiram, a despeito das alegações contrárias dos antiglobalistas. A New Coke, uma bebida mais doce e mais semelhante à Pepsi, introduzida pela Companhia Coca-Cola em 1985, foi um desastre. Os consumidores rejeitaram a nova bebida, e as vendas despencaram, forçando a companhia a introduzir novamente a bebida original como Coca-Cola Classic em semanas e selando o destino de sua tentativa de mexer em um ícone norte-americano.

A Coca-Cola também mostra como marcas globais fortes podem funcionar a favor dos interesses dos consumidores, e não contra eles. No mundo inteiro, o nome Coca-Cola e seu logotipo são garantia de qualidade consistente. Com uma marca que vale aproximadamente 70 bilhões de dólares, a companhia tem um enorme incentivo para manter a reputação e a qualidade de seus produtos, ou arriscaria perder seus clientes. O desejo de proteger sua marca global torna a Companhia Coca-Cola – assim como outras grandes empresas, extremamente cautelosa no que se refere à má publicidade e muito mais responsável do que seria não fosse isso. Empresas com marcas nacionais não têm de se preocupar com o que as pessoas em outros países pensam a seu respeito, mas aquelas com marcas globais se preocupam.

Uma análise da revista *The Economist* de 1997 verificou que o consumo de Coca-Cola em diferentes países – uma boa maneira de se medir seu grau de globalização – tinha correlação muito próxima com o nível de riqueza, a qualidade de vida (medida usando-se uma escala desenvolvida pelas Nações Unidas) e a liberdade social e política. A revista concluiu: "Bens de consumo borbulhantes – isto é, capitalismo – são bons para você." Obviamente, não é a Coca-Cola que torna as pessoas mais ricas, mais felizes ou mais livres, porém, à medida que o consumismo e a democracia se disseminam, a bebida marrom efervescente nunca fica muito atrás.

Hoje, os refrigerantes gaseificados correspondem às bebidas mais amplamente consumidas nos Estados Unidos, representando cerca de 30% de todo o consumo de líquidos, e a Companhia Coca-Cola é o maior fornecedor deles. Globalmente, a companhia fornece 3% do total de líquidos consumidos pela humanidade. A Coca-Cola é inquestionavelmente a bebida do século XX e de tudo que o acompanha: a ascensão dos Estados Unidos, o triunfo do capitalismo sobre o comunismo e o avanço da globalização. Aprovando ou não essa mistura, não há como negar a amplitude de seu apelo.

• EPÍLOGO •
DE VOLTA À FONTE ORIGINAL

A água é um recurso natural limitado e um bem público fundamental para a vida e para a saúde. O direito do homem à água é indispensável para se levar uma vida saudável, com dignidade humana.
É um pré-requisito para a concretização dos outros direitos humanos.
Comitê das Nações Unidas para os Direitos Econômicos, Culturais e Sociais, 2002

Seis bebidas definiram o passado da humanidade, mas qual será a que personifica o futuro? Uma já surgiu como candidata mais provável. Como muitas das bebidas definitivas da história, é altamente elegante, está sujeita a alegações médicas conflitantes e tem significância geopolítica ainda não percebida, mas de longo alcance. Sua disponibilidade irá determinar o caminho futuro da raça humana na Terra, e potencialmente até mais além. Ironicamente, é também a bebida que em primeiro lugar direcionou o curso do desenvolvimento do homem: a água. A história das bebidas retorna diretamente à sua fonte original.

À primeira vista, isso pode parecer um acontecimento bem-vindo. Boa parte do apelo das outras bebidas, começando pela cerveja no período neolítico, era o fato de que tinham menor probabilidade de serem contaminadas que a água. Apenas quando a base microbiológica da contaminação da água começou a ser desvendada no século XIX é que se tornou possível atacar um problema que tinha atormentado os seres humanos por séculos: manter um fornecimento adequado de água fresca. Enquanto as gerações anteriores voltaram-se para outras bebidas como substitutos, agora podemos concentrar o foco diretamente no problema da contaminação, por meio da purificação da água e outras melhorias em saneamento básico. A crescente popularidade da água, em outras palavras, indica que o perigo da contaminação está finalmente retrocedendo. Mas a realidade é bem mais complicada. Na verdade, em nenhuma outra área o abismo entre países desenvolvidos e países em desenvolvimento é mais aparente do que em suas atitudes em relação à água.

As vendas de água engarrafada estão explodindo, com os mais altos níveis de consumo, no mundo desenvolvido, onde a água da torneira é abundante e segura para ser consumida. Os italianos são os consumidores mais entusiastas do mundo, bebendo uma média de 180 litros por ano cada um, e são seguidos de perto por franceses, belgas, alemães e espanhóis. A indústria global de água em garrafa teve receitas em torno de 46 bilhões de dólares em 2003, e o consumo está crescendo 11% ao ano, mais rapidamente do que o de qualquer outra bebida. Os restaurantes servem água cara em garrafas com *designs* especiais, e o hábito de se carregar uma pequena garrafa plástica de água potável o tempo todo, que teve como pioneiras as supermodelos, difundiu-se pelo mundo. Pare num posto de gasolina nos Estados Unidos e você vai descobrir que a água em garrafa, litro por litro, custa mais do que a gasolina. Águas minerais de fontes específicas, desde a França até as ilhas Fiji, são enviadas a consumidores no mundo inteiro.

A popularidade da água engarrafada deriva da crença generalizada de que é mais saudável e mais segura que água de torneira. Mas esta, pelo menos nos países desenvolvidos, é tão segura quanto a outra. Embora haja surtos ocasionais de contaminação, eles afetam a água engarrafada também. Em um estudo publicado nos *Archives of Family Medicine*, pesquisadores compararam água engarrafada com água de torneira em Cleveland, Ohio, e verificaram que 25% das amostras da primeira continham níveis de bactéria significativamente maiores. Os cientistas concluíram que "o uso da água engarrafada com base na suposição de maior pureza pode ser um engano". Outro estudo conduzido na Universidade de Genebra chegou à mesma conclusão, assim como um relatório da Organização de Alimentos e Agricultura (FAO) das Nações Unidas, que verificou que a água engarrafada não era melhor do que a água comum de torneira, do o ponto de vista nutricional.

Isso não chega a ser surpreendente, já que até 40% da água engarrafada vendida nos Estados Unidos vem de fato da torneira, embora seja normalmente filtrada e possa ter minerais extras acrescentados. Duas marcas principais de água engarrafada dos EUA, Aquafina e Dasani, vêm de fontes municipais. E, embora muitos rótulos apresentem geleiras, correntes de cristal e montanhas cobertas de gelo, essas imagens nem sempre refletem as verdadeiras origens do que está dentro da garrafa. Um estudo do Conselho de Defesa dos Recursos Naturais, grupo norte-americano que faz *lobby* na área ambiental, descobriu que uma marca rotulada como sendo "água pura glacial" vinha de fato de um fornecimento municipal. Outra marca, que alegava ser "água de fonte corrente" com o rótulo mostrando lagos e montanhas, realmente vinha de um poço no estacionamento de uma fábrica próximo a um perigoso depósito de lixo e dejetos. O estudo também notou que, tanto na Europa como nos Estados Unidos, a qualidade da água de torneira é controlada com muito mais rigor que a da água engarrafada.

Não há evidências de que a água engarrafada seja mais segura ou mais saudável do que a disponível nas torneiras das nações desenvolvidas, e, em testes cegos experimentais de sabores, muitas pessoas não conseguiram estabelecer a diferença entre as duas. As diferenças de gosto entre águas engarrafadas excedem a diferença em gosto entre a água engarrafada e a de torneira. Mesmo assim, as pessoas continuam a comprar a primeira, muito embora custe entre 250 e dez mil vezes mais por litro do que a segunda. Em resumo, a água segura tornou-se tão abundante no mundo desenvolvido que as pessoas podem se dar ao luxo de afastar-se da água de torneira, que está debaixo de seus narizes, e beber em vez disso a água de garrafa. Como os dois tipos são seguros, a espécie de água que se bebe tornou-se uma escolha de estilo de vida.

Em comparação, para muitas pessoas no mundo em desenvolvimento o acesso à água permanece uma questão de vida ou morte. Cerca de 20% da população mundial, aproximadamente 1,2 bilhão de pessoas, não tem atualmente acesso confiável à água potável segura. A Organização Mundial da Saúde estima que 80% de todas as enfermidades do mundo sejam relacionadas à água, e que aproximadamente a metade das pessoas dos países em desenvolvimento sofra de doenças associadas à água inadequada ou à falta de saneamento básico, tais como diarréia, parasita intestinal ou tracoma. Há cerca de quatro bilhões de casos de diarréia por ano, resultando em mortes de 1,8 milhão de pessoas, sendo 90% delas crianças com menos de cinco anos. A doença e a morte não são as únicas conseqüências da falta de acesso à água, pois isso também afeta a educação e o desenvolvimento econômico. Enfermidades generalizadas tornam os países menos produtivos, mais dependentes de ajuda externa e menos capazes de vencerem eles mesmos a pobreza. De acordo com as Nações Unidas, uma das principais razões por que as meninas não vão à escola na região saariana da África é que elas precisam usar muito do seu tempo apanhando água de poços distantes e carregando-a para casa.

A Organização das Nações Unidas fixou uma meta de reduzir pela metade a proporção de pessoas sem acesso à água fresca e ao saneamento adequado em 2015. Mas, embora um bom progresso tenha sido feito durante as décadas de 1980 e 1990, o ritmo com que as pessoas têm sido aproximadas dos suprimentos de água segura desde então vem declinando. Um problema é que, embora o acesso à água ainda esteja melhorando nas áreas rurais, sua disponibilidade nas cidades declinou em muitas regiões do mundo em desenvolvimento. Esse declínio é preocupante, tendo em vista a tendência, impossível de ser neutralizada, na direção da urbanização. Demógrafos calculam que, por volta de 2007, mais da metade da população mundial vai estar pela primeira vez vivendo em cidades: a raça humana terá completado a transição de seis mil anos, passando de uma espécie predominantemente rural para uma predominantemente urbana. De acordo com números do Instituto Internacional de Administração da Água, para se atingir a melhoria desejada pelas Nações Unidas no que diz respeito ao acesso à água, seria necessário um custo adicional de 1,7 bilhão de dólares por ano em relação ao que já é gasto, enquanto a melhoria no saneamento custaria algo como nove bilhões de dólares a mais por ano – uma pequena fração do montante gasto com água engarrafada nas nações ricas. Mas é necessário mais do que dinheiro para se resolver o problema. Em muitos casos, há obstáculos políticos a superar. Recentemente, as disputas sobre os direitos à água, sobretudo no Oriente Médio e na África, vêm causando tensão política e até mesmo conflitos militares.

A água foi, por exemplo, um fator importante mas pouco percebido por trás da Guerra dos Seis Dias em 1967, quando Israel ocupou o Sinai, as colinas de Golan, a margem ocidental do rio Jordão e Gaza. Ariel Sharon, que era general na época e depois tornou-se primeiro-ministro de Israel, escreveu em sua autobiografia que, embora as pessoas normalmente considerem o dia 5 de junho de 1967 o início da Guerra dos Seis Dias, "na realidade ela começou dois anos e meio antes, no dia em que Israel decidiu agir contra o desvio do rio Jordão". Em 1964, a Síria tinha começado a construir um canal para desviar dois dos principais afluentes do rio Jordão para longe de Israel. Usando uma combinação de artilharia e ataques aéreos, Israel conseguiu suspender o trabalho no canal. Sharon escreveu: "Embora as disputas de fronteira entre nós e a Síria fossem de grande importância, a questão do desvio da água era um assunto extremo de vida ou morte." Israel dá valor aos territórios que ocupou em 1967 – os quais lhe deram o controle das fontes de água do Jordão – tanto pelo fornecimento de água como por qualquer vantagem militar. Os palestinos que moram na margem ocidental do rio são alocados com apenas 18% da água do território, sendo que o restante vai para Israel.

Desde então, os políticos no Oriente Médio têm citado a água como causa possível de um futuro conflito na região. Em 1978, o Egito ameaçou uma ação militar contra a Etiópia se esta interferisse no fluxo do Nilo, sua principal fonte supridora de água. Quando o Egito assinou um tratado de paz com Israel em 1979, seu presidente Anwar Sadat declarou que "o único assunto que poderia levar o Egito à guerra de novo é a água". E em 1985, Boutros Boutros-Ghali, então ministro das Relações Exteriores do Egito e depois secretário-geral das Nações Unidas, previu que "a próxima guerra no Oriente Médio vai acontecer em torno da água e não da política".

Não é de surpreender que a água deva ser assim um assunto tão controverso. Rios e lagos determinam fronteiras internacionais, e pelo menos dez rios correm através de meia dúzia de fronteiras ou até mais, de modo que as ações de um país afetam um rio que prossegue corrente abaixo em direção a outros países. A Etiópia controla 85% das águas do Nilo, que segue para o Egito; a barragem na Turquia sobre o Eufrates lhe dá o controle sobre o fluxo para a Síria. Enchentes levaram Bangladesh a pedir à Índia e ao Nepal que construíssem barragens perto das fontes no intuito de controlar o fluxo dos rios Ganges e Bramaputra.

Na região árida da Ásia central, há temores de que uma crescente escassez de água possa estimular um conflito entre as antigas repúblicas soviéticas do Cazaquistão, Quirguistão, Tadjiquistão, Turcomenistão e Uzbequistão. Outra preocupação é que as mudanças no clima possam alterar a distribuição de água, provocando enchentes em algumas áreas e secas em outras, afetando a produção agrícola e causando instabilidade política. Muitos observadores, portanto, vêm indicando que a água possa vir a substituir o petróleo como a mercadoria escassa com maior probabilidade de desencadear um conflito internacional.

Por outro lado, a água também pode promover a cooperação internacional. O acesso a ela é tão fundamental que sua gestão tem freqüentemente forçado alguns Estados geralmente hostis a trabalhar em conjunto. O Tratado da bacia do Indo, de 1960, determina como a Índia e o Paquistão devem partilhar a água desse rio e de seus afluentes e permaneceu em vigor a despeito de repetidos confrontos militares entre as duas nações. De modo semelhante, Camboja, Laos, Tailândia e Vietnã têm cooperado na administração do rio Mekong, muito embora a região pela qual ele flui tenha sido atormentada pela guerra. E, no final da década de 1990, os dez países que viviam brigando na bacia do Nilo assinaram um acordo de gestão cooperativa da água apoiado pelas Nações Unidas e pelo Banco Mundial. Parece que a água tem o potencial tanto para ser a causa de uma guerra como o elemento catalisador da paz.

A longo prazo – e supondo que a humanidade consiga evitar a autodestruição nuclear –, o estabelecimento de colônias em outros mundos, começando em Marte, também irá depender da disponibilidade de água adequada. Os habitantes de uma tal colônia precisarão de água para beber e se lavar, cultivar safras e converter em combustível de foguete, o que pode ser feito dividindo-a nos elementos que a compõem, hidrogênio e oxigênio. Isso, junto com a busca pela vida extraterrestre (o que também se supõe que dependa de água), explica por que tanto esforço está sendo dedicado a localizar e compreender a distribuição da água em outros corpos celestes no sistema solar. Alguns cientistas acreditam que a colonização de Marte é até mesmo necessária para assegurar a sobrevivência continuada da humanidade. Somente se nos tornarmos uma "espécie multiplanetária", segundo argumentam alguns cientistas, poderemos de fato nos proteger contra a possibilidade de sermos exterminados pela guerra, por doenças ou por uma extinção em massa causada por um asteróide ou cometa indo de encontro à Terra. Mas isso vai depender de se encontrar fornecimentos de água em outros mundos.

A água foi a primeira bebida a direcionar o curso da história humana. Agora, depois de dez mil anos, parece estar de volta ao comando. Falar em colonizar outros planetas parece estranho, mas a idéia é certamente mais fácil de ser compreendida por nós do que seria o mundo moderno para uma pessoa transportada através do tempo a partir de uma aldeia neolítica do ano 5000 a.C. Ela não reconheceria nenhuma língua moderna e sem dúvida teria dificuldades de compreender aspectos da vida atual, como a escrita, os plásticos, os aviões e os computadores. Mas, embora muito tenha mudado nos milênios que nos separam, algumas coisas permaneceram iguais. O viajante do passado certamente apreciaria um copo de cerveja e reconheceria o brinde comunitário para boa sorte e a atmosfera de sociabilidade e companheirismo.

Para o nosso viajante neolítico, um gole de cerveja poderia fazer a conexão com o futuro; para nós, a cerveja é uma das bebidas que pode abrir uma janela para o passado. Da próxima vez que você aproximar a cerveja, o vinho, os destilados, o café, o chá ou a Coca-Cola de seus lábios, pense em como essa bebida chegou a você através do tempo e do espaço, e lembre-se de que ela contém algo mais do que álcool ou cafeína. Há também história em meio a suas líquidas profundezas.

• AGRADECIMENTOS •

A pesquisa para este livro incluiu uma boa quantidade de bebidas e não seria sincero fingir que isso não foi algo agradável. Por sua ajuda em minha pesquisa sobre a cerveja, gostaria de agradecer a Fritz Maytag da cervejaria Anchor em São Francisco, Mary Voigt do College of William and Mary em Williamsburg, Stephan Somogyi e Iolande Bolxsom, Michael Jackson, Clint Ballinger e Merryn Dineley. No caso do vinho, sou grato a Patrick McGovern, do museu da Universidade da Pensilvânia, e a Hervé Durand e sua família, da vinícola Mas des Tourelles em Beaucaire, França. Lance Winters, da destilaria Saint George, em Alameda, me explicou o processo de destilação e forneceu muitos exemplos práticos. Pela assistência com a história do café, sou grato a Jeremy Torz, do Sindicato de Torrefadores de Café, e a Peter Hingley, da Sociedade Real de Astronomia. Endymion Wilkinson, da Universidade de Harvard, forneceu conselhos inestimáveis sobre a história do chá.

Outras pessoas ajudaram trazendo inspiração, dando opiniões ou me orientando para direções inesperadas durante minha pesquisa, inclusive: George Dyson, Neal Stephenson, meus colegas Ann Wroe, Robert Guest, Anthony Gottlieb e Geoffrey Carr no *The Economist*, Philippe Legrain, Paul Abrahams, Phil Milo, Vasa Babic e Henry Hobhouse. Auxílio de várias formas foi também fornecido por Virginia Benz e Joe Anderer, Cristiana Marti, Oliver Morton e Nancy Hines, Tom Moultrie e Kathryn Stinson, Daniel Illsley e Jonathan Warren no Teatro do Vinho em Greenwich, Carolyn Bosworth-Davies, Roger Highfield, Maureen Stapleton e Tim Coulter, Ward van Damme, Annika e Lee McKee. George Gibson e Jackie Johnson, da Walker & Company, não falharam em seu apoio ao longo de todo o trabalho, assim como Katinka Matson da Brockman Inc. Por fim, sou particularmente grato à minha mulher, Kirstin, e à minha filha, Ella, pelo incentivo enquanto eu escrevia este livro.

• APÊNDICE •

À PROCURA DE BEBIDAS ANTIGAS

Você está interessado em provar alguma dessas bebidas antigas? Muitas delas sobreviveram, de uma forma ou de outra. Mas esteja avisado de que poderá achar que algumas delas não são muito palatáveis.

CERVEJA DO ORIENTE PRÓXIMO

A mais importante diferença entre a cerveja antiga e a moderna está no uso do lúpulo, que é uma inovação relativamente moderna. O lúpulo acrescenta um amargor refrescante ao gosto da cerveja, com a finalidade de equilibrar a doçura do malte, e também age como conservante, fazendo com que a cerveja fique menos propensa a estragar. Mas, pela perspectiva dos antigos cervejeiros, as folhas de lúpulo são inautênticas. O lúpulo tornou-se um ingrediente padronizado da cerveja entre os séculos XII e XV, e no início palavras diferentes eram usadas para se fazer distinção entre bebidas com e sem lúpulo: em inglês, *beer* referia-se a uma bebida que continha lúpulo, ao passo que a variação *ale* não continha. Subseqüentemente, *ale* veio a se referir a cervejas fortes fermentadas, em oposição a *lager* menos forte, na qual a levedura se deposita no fundo do barril. Eu usei simplesmente o termo genérico *beer* (cerveja) ao longo deste livro com o intuito de me referir a bebidas feitas a partir de grãos de cereais fermentados.

As cervejas tradicionais populares que ainda existem em muitas partes da região saariana na África são provavelmente a bebida mais próxima da cerveja neolítica. São espessas e opacas, em geral feitas a partir de uma mistura de sorgo e milho ou milho miúdo. Uma receita típica recomenda que se encharque o sorgo na água até começar a brotar e depois que ele seja espalhado para secar ao sol, com movimentos freqüentes, para se garantir que seque inteiramente e não comece a apodrecer. Enquanto isso, o outro grão desmaltado é colocado na água quente para produzir um mingau fino. Este é deixado como está por um dia ou até que azede. O sorgo maltado, que terá sido moído com uma pedra, é então adicionado ao mingau, que é deixado num grande pote até que se torne efervescente e alcoólico. Por fim, a bebida é filtrada através de um saco ou coador antes de ser consumida. (Na África do Sul, tomei um pouco de *umqomboti*, bebida tradicional dos Banto africanos feita da mistura de sorgo maltado e desmaltado. Espessa, cremosa, com uma cor leitosa, tinha um gosto azedo que lembrava o do iogurte. Era como se estivesse bebendo pão líquido.)

Os egípcios e mesopotâmicos bebiam uma cerveja mais parecida com a moderna. Era clara ou turva, em vez de opaca, já que o mosto – a mistura açucarada criada pela cozedura dos grãos na água – era filtrado antes da fermentação. Durante o final da década de 1980 e o início da de 1990, Fritz Maytag, da cervejaria Anchor, em São Francisco, recriou cuidadosamente a cerveja da Mesopotâmia, usando uma antiga receita que data de aproximadamente 1800 a.C., a Ode a Ninkasi. (Ninkasi era a deusa mesopotâmica da cerveja.) Maytag e sua equipe chegaram a preparar o *bappir*, a tradicional "cerveja em forma pão", feita com cevada maltada para ser armazenada por longos períodos. Quando provei um gole de *bappir* de 15 anos de idade, o gosto foi muito bom, embora contivesse resíduos de cereais. Aqueles que beberam essa cerveja disseram que ela tinha um gosto doce para os padrões modernos, devido à falta de lúpulo.

Há também várias tentativas de se recriar a cerveja egípcia, sobretudo a cerveja Tutancâmon, produzida pela cervejaria Scotish and Newcastle, com base na pesquisa de Delwen Samuel, da Universidade de Cambridge. A análise de resíduos de cerveja ao microscópio eletrônico levou-a a concluir que a cerveja egípcia era feita de uma mistura de cevada maltada e trigo de amido desmaltado, o que faz sentido, já que a preparação do malte é um processo intensivo em mão-de-obra. A cevada era maltada e triturada e depois misturada com água fria para liberar enzimas, e o trigo era triturado e misturado com água quente, para liberar os amidos. Quando os dois eram misturados, as enzimas quebravam os amidos, transformando-os em açúcar. O mosto era então peneirado para se remover os resíduos antes da fermentação. As descrições dessa etapa foram equivocadamente interpretadas, segundo Samuel, como se fossem bolos de pão sendo esfarelados para dentro do barril. Seguindo essa receita, uma cerveja doce com gosto de fruta foi produzida, com cor dourada e ligeiramente turva. As mil garrafas produzidas foram vendidas na loja de departamentos Harrods, em Londres.

É difícil encontrar algo similar às cervejas do Egito e da Mesopotâmia hoje, já que muito poucas cervejas sem o lúpulo são feitas comercialmente. Uma exceção rara é a cerveja King Cnut produzida pela cervejaria britânica Saint Peter's, com base numa receita do primeiro milênio depois do nascimento de Cristo, que tem esse nome por conta do rei Canute, governante do século XI da Dinamarca, Noruega e Inglaterra. É feita de cevada, junípero, casca de laranja e limão, urtiga e condimentos. Parece com cerveja, mas, sem o amargor do lúpulo, tem um gosto doce e pegajoso, sendo de fato mais similar ao vinho. Beba-a e você vai entender por que Nabonido, o último rei do império neobabilônio, referia-se ao vinho como a "excelente 'cerveja' das montanhas". Outro exemplo de uma bebida sem lúpulo ainda produzida atualmente é a Sahti, cerveja popular finlandesa. Michael Jackson, um especialista em cervejas, a considera "a última cerveja primitiva a sobreviver na Europa". Tradicionalmente, é sazonal, mas fica disponível o ano inteiro em Zetor, um bar no centro de Helsinque, onde é mantida em pequenos barris de plástico numa geladeira. Tem um aroma de chicória cozida e o gosto de uma cerveja de trigo, mas naturalmente sem o lúpulo. Em vez dele, assim como se faz com a King Cnut, frutas de junípero são utilizadas para equilibrar o gosto dos grãos.

VINHO GREGO E VINHO ROMANO

Os melhores vinhos da Antigüidade – como as pessoas na época já haviam notado – eram aqueles que não precisavam de adulteração ou aditivos para esconder defeitos. Assim, eles provavelmente tiveram gosto semelhante ao dos vinhos modernos (embora, é claro, os gregos e romanos quase sempre bebessem seu vinho diluído em água). De modo geral, porém, a prática de se adicionar ingredientes ao vinho em cada estágio, desde a fermentação até ser servido à mesa, era bem mais comum. A maioria dos vinhos era provavelmente de qualidade bem inferior até mesmo à dos vinhos modernos mais baratos, devido aos padrões menos rígidos de higiene e à dificuldade de armazená-los por longos períodos. Em conseqüência, os vinhos eram normalmente misturados e aromatizados a fim de se obter um produto mais palatável ou mais uniforme. Muito poucas dessas práticas continuam sendo utilizadas no processo moderno de produção, sendo notável exceção o uso da resina de pinheiro no vinho grego *retsina*. O uso da resina como aromatizante e conservante tem origens antigas e não ficou restrito à Grécia na época da Antigüidade. Pode ter surgido pelo costume de se revestir com ela as partes internas das ânforas, a fim de evitar que o vinho vazasse. A *retsina* misturada com água, portanto, representa uma aproximação razoável de um estilo de vinho antigo.

Outros estilos, porém, incorporam a adição de ervas, mel ou mesmo água do mar em vários estágios de produção. Vários vinhos romanos foram recriados usando-se receitas, técnicas e equipamentos da época por Hervé Durand e sua família na vinícola Mas des Tourelles, no sul da França, no local de um vinhedo romano. Um vinho chamado Mulso é um tinto que contém ervas e mel; é doce, mas não em excesso, com toques apimentados. Se diluído em água, seu gosto assemelha-se ao Ribena. Outro vinho, o Turriculae, é baseado numa receita registrada pelo escritor romano Columela. É um vinho branco, feito com pequena quantidade de água do mar e de ervas, sobretudo feno-grego. Tem cor de palha e sabor notavelmente parecido com um xerez seco com gosto de nozes; a água salgada do mar é bem integrada e não fica tão conspícua, de modo que parece uma parte natural do próprio vinho, em vez de um aditivo. O terceiro dos vinhos romanos de Durand, Carenum, é um vinho de sobremesa, feito com um tinto misturado com *defrutum* (vinho fervido e temperado usado como ingrediente de cozinha pelos romanos) e ervas. A adição do *defrutum* aumenta o conteúdo de álcool e a doçura; o resultado final tem gosto bem semelhante a um Zinfandel de safra recente. Todos esses podem ser comprados na vinícola na França.

Muitos produtores de vinho o preparam usando variedades de uvas que supostamente remontam aos tempos gregos e romanos. Particularmente notável é a vinícola Mastroberardino, perto de Nápoles, que produz vinhos com as uvas Greco di Tufo, Fiano di Avellino e Aglianico. A primeira é uma uva branca que se acredita ter sido introduzida na Itália pelos gregos; a segunda é outra uva branca adorada pelos romanos, que a chamavam Vitis Apiana ou "a videira adorada pelas abelhas"; a terceira é uma uva vermelha utilizada no vinho que é a bandeira da Mastroberardino, o Taurasi. É tanta a devoção da família Mastroberardino às uvas antigas que lhes foi solicitado recentemente que replantassem as vinhas de Pompéia. Por outro lado, eles são igualmente devotados às tecnologias modernas de produção, tais como tanques refrigerados de aço inoxidável e fermentadores giratórios. Isto garante que os vinhos Mastroberardino sejam limpos, vívidos e poderosos, mas também completamente inautênticos – eles não incluem, por exemplo, ervas ou água do mar.

Para servir um vinho moderno da maneira grega ou romana, a principal coisa a ser lembrada é diluí-lo em água. Faça isso e você vai notar algo surpreendente: como o perfume e o paladar de um vinho sobrevivem à diluição. André Tchernia, especialista em vinhos antigos, relata o encontro, em uma conferência em Saint Emilion, com um eminente produtor cuja mãe sempre bebia vinho misturado com água, mas que ainda assim podia distinguir as diferentes safras. Em suma, embora os gregos e romanos diluíssem seus vinhos na água, isso não afetou sua habilidade em reconhecer e apreciar vários estilos e safras.

DESTILADOS DA ERA COLONIAL

O processo de preparo de bebidas destiladas não mudou significativamente desde a época colonial, e algumas destilarias que remontam àquele período ainda estão operando hoje, produzindo conhaque, rum e uísque. Os destilados atraíam menos por seu gosto que por seu poder de embriagar, razão pela qual eram com freqüência consumidos em misturas semelhantes a coquetéis, como ponche ou grogue, precursores dos coquetéis modernos. É uma questão simples recriar o grogue, com a mistura de rum escuro, água e açúcar mascavo e mais um pouco de limão ou suco de lima, embora os consumidores modernos possam querer partir rapidamente para um *mojito*, um descendente mais palatável.

CAFÉ DO SÉCULO XVII

O método tradicional árabe de se preparar o café requer que uma mistura dos grãos moídos e de água seja levada a ferver três vezes, em rápida sucessão. Isso agita a borra de café e extrai muito sabor, resultando num café preto e forte. Quando a bebida foi levada para a Europa, porém, sua preparação foi bem mais aleatória. Na Inglaterra, o café foi inicialmente tributado como uma espécie de cerveja, com base no galão ou litro, o que significava que os cafés públicos de Londres tinham de prepará-lo antecipadamente, a fim de pagar o imposto. O café frio era então esquentado novamente para consumo. Para garantir o fornecimento rápido, um recipiente era mantido perto do ponto de fervura, o que deveria resultar em uma bebida amarga e forte, a ser tomada com açúcar. Talvez o equivalente moderno mais próximo, segundo sugere Jeremy Torz, especialista em café que reside em Londres, seja o de uma cafeteira de escritório que tenha ficado ligada por um ou dois dias. Ele observa que o café do século XVII deve ter sido torrado bem levemente numa panela ou bandeja, pois torrefações mais completas e mais escuras tiveram de esperar o desenvolvimento de máquinas mais elaboradas. O fato de ser transportado num navio úmido, possivelmente junto com condimentos poderosos, pode também ter afetado o seu gosto. Tudo isso sugere que havia amplas variações no gosto do café de um estabelecimento para outro, e de uma semana para a seguinte. A presença da cafeína e o ambiente em que o café era servido parecem ter sido mais importantes que o sabor. (O filtro de café foi uma invenção do século XX.)

CHÁ DA VELHA INGLATERRA

O primeiro chá a ser trazido para a Europa, no século XVII, foi o chá verde feito a partir de folhas não oxidadas, que era consumido sem leite ou açúcar. O chá verde da China pode ser facilmente comprado hoje em dia, com sabor provavelmente bem semelhante ao original. O chá preto tornou-se popular no século XVIII, em parte porque tinha menor probabilidade de conter adulterantes tóxicos, mas seu maior amargor exigiu a adição do açúcar. Era feito de folhas semi-oxidadas, sendo conhecido na época como chá preto *bohea*. Esse estilo ficou conhecido como chá preto *oolong* na década de 1850, época em que mesmo os chás mais fortes, feitos de folhas completamente oxidadas, estavam também ficando populares (e que podem também, de forma confusa, ser chamados de *oolongs*). Assim, um *oolong* leve e semi-oxidado transmite uma impressão de chá do século XVIII, mas que é inexata em dois aspectos: não é adulterado com outros ingredientes nem misturado com outros chás. Os equivalentes mais próximos das combinações duvidosas do século XVIII são provavelmente os saquinhos de chá mais baratos. Muitas misturas e estilos sobreviveram sem modificações desde o século XIX, tais como o Earl Grey (chá preto aromatizado com bergamota) e o English Breakfast Tea (chá preto da Índia e da China).

COLA DO SÉCULO XIX

A Coca-Cola atual ainda é feita usando a receita secreta original. Mas esta foi alterada algumas vezes, sobretudo para reduzir o nível de cafeína e substituir o traço original de cocaína por aromatizantes extraídos das folhas de coca. Para tomar uma cola que contenha estimulantes extras inteiramente legais, você pode tentar a Jolt Cola: tem mais cafeína do que a Coca-Cola e foi a preferida dos programadores durante o *boom* recente das empresas "pontocom" de Internet. Muitas fábricas também produzem colas especiais usando receitas antigas. Eu sou um tanto tendencioso a favor da Curiosity Cola, de Fentiman, uma cola de estilo antigo que contém extratos de grãos de guaraná e de casca de catuaba, ambos estimulantes naturais, além da cafeína.

• FONTES •

UMA BEBIDA FERMENTADA DA IDADE DA PEDRA

O relato da adoção dos cereais e do surgimento da agricultura no Oriente Próximo baseia-se em Roaf, *Cultural Atlas of Mesopotamia and the Ancient Near East*; Bober, *Art, Culture and Cuisine*; e Diamond, *Guns, Germs and Steel.*

A discussão das prováveis origens da cerveja baseia-se em Katz e Voigt, "Bread and Beer"; Kavanagh, "Archaeological Parameters for the Beginnings of Beer"; Katz e Maytag, "Brewing an Ancient Beer"; Forbes, *Studies in Ancient Technology*; Hartman e Oppenheim, "On Beer and Brewing Techniques in Ancient Mesopotamia"; Ballinger, "Beer Production in the Ancient Near East"; e Braidwood et al., "Did Men Once Live by Beer Alone?".

A importância social da cerveja e seu possível papel no surgimento de sociedades complexas são discutidos em Katz e Voigt, "Bread and Beer"; Sherratt, "Alcohol and Its Alternatives"; Schivelbusch, *Tastes of Paradise*; e Joffe, "Alcohol and Social Complexity in Ancient Western Asia".

A CERVEJA CIVILIZADA

As origens das primeiras cidades na Mesopotâmia e no Egito são discutidas em Trigger, *Understanding Early Civilizations*; Hawkes, *The First Great Civilizations*; Leick, *Mesopotamia*; e Kramer, *History Begins at Sumer.*

O relato do uso e da importância da cerveja dentro das civilizações da Mesopotâmia e do Egito baseia-se em Darby, Ghalioungui e Grivetti, *Food: Gift of Osiris*; Heath, *Drinking Occasions*; Michalowski, *The Drinking Gods*; Samuel, "Brewing and Baking"; Bober, *Art, Culture and Cuisine*; e Ellison, "Diet in Mesopotamia".

O relato das origens da escrita baseia-se em Schmandt-Besserat, *Before Writing.*

O PRAZER DO VINHO

A ascensão do vinho à custa da cerveja está analisada em McGovern, Fleming e Kats (orgs.), *The Origins and Ancient History of Wine*; Sherrat, "Alcohol and Its Alternatives"; McGovern, *Ancient Wine*; e Younger, *Gods, Men and Wine.*

Para atitudes gregas em relação ao vinho e a modos de beber, incluindo detalhes do *symposion*, ver Murray, *Sympotica*; Dalby, *Siren Feasts*; e Unwin, *Wine and the Vine.*

Para os estilos de vinho grego, ver Younger, *Gods, Men and Wine.*

A VIDEIRA IMPERIAL

Para a substituição do vinho grego pelo vinho romano, ver Fleming, *Vinum*; Unwin, *Wine and the Vine*; e Dalby, *Siren Feasts.*

As atitudes romanas em relação ao vinho e a história de Marco Antônio são baseadas em Tchernia e Brun, *Le vin romain antique*, e Tchernia, *Le vin de l'Italie romaine.*

O relato da hierarquia de vinhos romanos baseia-se em Fleming, *Vinum*; Allen, *A History of Wine*; e Younger, *Gods, Men and Wine.*

A medicina galênica e o uso do vinho por Galeno são discutidos em Porter, *The Greatest Benefit to Mankind*, e Allen, *A History of Wine.*

Quanto à rejeição do vinho pelos muçulmanos e sua importância para os cristãos, ver Sherratt, "Alcohol and Its Alternatives", e Unwin, *Wine and the Vine.*

O lamento de Alcuin é citado em Younger, *Gods, Men and Wine.*

Para as antigas origens dos hábitos europeus de bebidas, ver Engs, "Do Traditional Western European Practices Have Origins in Antiquity?".

ALTAS BEBIDAS, ALTOS-MARES

Com relação às origens árabes da destilação, ver al-Hassan e Hill, *Islamic Technology*; Forbes, *A Short History of the Art of Distillation*; Lichine, *New Encyclopedia of Wines and Spirits*; e Kiple e Ornelas (orgs.), *The Cambridge World History of Food.*

A história de Carlos o Mau é tirada de Froissart, *Chronicles of England, France, Spain and the Adjoining Countries.*

O relato da difusão das bebidas destiladas na Europa ocidental segue Forbes, *A Short History of the Art of Distillation*; Lichine, *New Encyclopedia of Wines and Spirits*; Braudel, *Civilization and Capitalism*; e Roueché, *Alcohol in Human Culture.*

Sobre as origens do comércio de escravos no Atlântico e sua relação com o cultivo do açúcar, ver Mintz, *Sweetness and Power*; Thomas, *The Slave Trade*; Hobhouse, *Seeds of Change*; e Landes, *The Wealth and Poverty of Nations.*

O papel dos destilados no comércio de escravos é discutido em Thomas, *The Slave Trade*; Mintz, *Sweetness and Power*; Harms, *The Diligent*; e Smith, *Spirits and Spirituality.*

O relato das origens do rum segue Ligon, *A True and Exact History of the Island of Barbadoes*; Lichine, *New Encyclopedia of Wines and Spirits*; Mintz, *Sweetness and Power*; e Kiple e Ornelas (orgs.), *The Cambridge World History of Food.*

A importância da adoção do rum pela marinha real é analisada em Pack, *Nelson's Blood*, e Watt, "The Influence of Nutrition upon Achievement in Maritime History".

AS BEBIDAS QUE FIZERAM OS ESTADOS UNIDOS

A crença equivocada de que a Virgínia teria um clima mediterrâneo é discutida em James, *The Rise and Fall of the British Empire.*

O relato das dificuldades enfrentadas pelos colonos norte-americanos para fazer cerveja e vinho e da adoção do rum como alternativa baseia-se em Unwin, *Wine and the Vine*; Baron, *Brewed in America*; e Brown, *Early American Beverages.*

O papel do melaço e do rum na revolução de independência dos EUA é discutido em Mintz, *Sweetness and Power*; Tanahill, *Food in History*; e Thompson, *Rum Punch and Revolution.*

A importância do uísque no início dos Estados Unidos e a Rebelião do Uísque são tratados em Carson, *The Social History of Bourbon*, e Barr, *Drink.*

Quanto ao uso dos destilados para subjugar povos indígenas, ver Braudel, *Civilization and Capitalism.*

O GRANDE INCENTIVADOR DA SOBRIEDADE

O efeito da sobriedade do café sobre os europeus é discutido em Schivelbusch, *Tastes of Paradise.*

Sobre as origens árabes do café e da cultura do café público e também sobre o debate a respeito dos efeitos dessa bebida, ver Hattox, *Coffee and Coffeehouses;* Schapira, Schapira e Schapira, *The Book of Coffee and Tea*; e Weinberg e Bealer, *The World of Caffeine.*

O relato da difusão do café na Europa e do desenvolvimento dos cafés públicos em Londres baseia-se em Ellis, *The Penny Universities*, e Jacob, *Coffee.*

Sobre o cultivo do café nas colônias européias, ver Ukers, *All About Coffee*, e Weinberg e Bealer, *The World of Caffeine.*

O CAFÉ PÚBLICO COMO REDE DE COMUNICAÇÃO

Sobre o papel dos cafés públicos como uma rede de comunicação semelhante à Internet, ver Sommerville, *Surfing the Coffeehouse*, e Darnton, *An Early Information Society.*

Quanto ao uso dos cafés públicos por cientistas e financistas, ver Stewart, *Other Centres of Calculation*; Stewart, *The Rise of Public Science*; Ellis, *The Penny Universities*; Inwood, *The Man who Knew Too Much*; Jacob, *Coffee*; e Waller, *1700.*

Sobre os cafés públicos na Paris pré-revolucionária, ver Darnton, *An Early Information Society*; Kors (org.), *The Encyclopedia of the Enlightenment;* e Weinberg e Bealer, *The World of Caffeine.*

OS IMPÉRIOS DO CHÁ

A adoção do chá na China – fato menos antigo do que se imagina – é abordada em Wilkinson, *Chinese History.*

O relato da história do chá na China baseia-se em Wilkinson, *Chinese History*; MacFarlane e MacFarlane, *Green Gold*; Lu Yu, *The Classic of Tea;* e Weinberg e Bealer, *The World of Caffeine.*

O início do comércio europeu com a China e as primeiras importações de chá para a Europa são tratados por Landes, *The Wealth and Poverty of Nations*; Hobhouse, *Seeds of Change*; e Moxham, *Tea.*

O relato da adoção britânica do chá baseia-se em Hobhouse, *Seeds of Change;* Ukers, *All About Tea*; Weinberg e Bealer, *The World of Caffeine*; Pettigrew, *A Social History of Tea*; e Forrest, *Tea for the British.*

O PODER DO CHÁ

A Revolução Industrial e a ajuda do chá para a sua concretização são analisadas em Landes, *The Wealth and Poverty of Nations*, e MacFarlane e MacFarlane, *Green Gold.*

Sobre a influência do chá na política externa britânica nos Estados Unidos e na China, ver Scott, *The Tea Story*; Forrest, *Tea for the British*; Ukers, *All About Tea*; Bowen, "400 Years of the East India Company"; Ferguson, *Empire;* Hobhouse, *Seeds of Change*; Farrington, *Trading Places*; e Wild, *The East India Company.*

O relato da introdução do chá na Índia baseia-se em MacFarlane e MacFarlane, *Green Gold*, e Moxham, *Tea.*

DA SODA PARA A COLA

Sobre as origens da água com soda, ver Riley, *A History of the American Soft Drink Industry*; Gribbin, *Science*; e Hays, *Pop.*

O relato das origens e da história da Coca-Cola baseia-se em Weinberg e Bealer, *The World of Caffeine*; e Pendergrast, *For God, Country and Coca-Cola,* que é o trabalho definitivo sobre o tema.

A GLOBALIZAÇÃO NUMA GARRAFA

A marcha da Coca-Cola a caminho do domínio global durante o século XX é descrita em Pendergrast, *For God, Country and Coca-Cola*; Hays, *Pop*; Kahn, *The Big Drink*; Tedlow, *New and Improved*; e reportagens da UPI, Reuters e *The Economist.*

• REFERÊNCIAS BIBLIOGRÁFICAS •

Allen, H. Warner. *A History of Wine*. Londres: Faber, 1961.

_______. *Rum*. Londres: Faber, 1931.

Andrews, Tamra. *Nectar and Ambrosia: An Encyclopedia of Food in World Mithology*. Santa Barbara: ABC-Clio, 2000.

Austin, Gregory. *Alcohol in Western Society from Antiquity to 1800: A Chronology*. Santa Barbara: ABC-Clio, 1985.

Ballinger, Clint. "Beer Production in the Ancient Near East." Documento não publicado, comunicação pessoal.

Baron, Stanley. *Brewed in America: A History of Beer and Ale in the United States*. Boston: Little Brown, 1962.

Barr, Andrew. *Drink: A Social History of America*. Nova York: Carroll & Graf, 1999.

Blackburn, Robin. *The Making of New World Slavery*. Londres: Verso, 1997.

Bober, Phyllis Pray. *Art, Culture and Cuisine: Ancient and Medieval Gastronomy*. Chicago: University of Chicago Press, 1999.

Bowen, Huw V. "400 Years of the East India Company", *History Today*, julho de 2000.

Braidwood, Robert et al. "Did Man Once Live by Beer Alone?", *American Anthropologist* 55, 1953, p.515-26.

Braudel, Fernand. *Civilization and Capitalism: 15th-18th Century*. Londres: Collins, 1981.

Brillat-Savarin, Jean Anthelme. *The Phisiology of Taste*. Londres: Peter Davies, 1925.

Brown, John Hull. *Early American Beverages*. Nova York: Bonanza Books, 1966.

"Burger-Cola Treat at Saddam Palace." Notícia da Reuters, 25 de abril de 2003.

Carson, Gerald. *The Social History of Bourbon*. Nova York: Dood Mead, 1963.

Cohen, Mark Nathan. *Health and the Rise of Civilization*. New Haven: Yale University Press, 1989.

Counihan, Carole e Penny Van Esterik (orgs.). *Food and Culture: A Reader*. Nova York e Londres: Routledge, 1997.

Courtwright, David T. *Forces of Habit: Drugs and the Making of the Modern World*. Cambridge: Harvard University Press, 2001.

Dalby, Andrew. *Siren Feasts: A History of Food and Gastronomy in Greece.* Londres: Routledge, 1996.

Darby, William J., Paul Ghalioungui e Louis Grivetti. *Food: Gift of Osiris.* Londres e Nova York: Academic Press, 1977.

Darnton, Robert. "An Early Information Society: News and Media in Eighteenth-Century Paris", *American Historical Review* 105, nº 1, fevereiro de 2000, p.1-35.

Diamond, Jared. *Guns, Germs and Steel.* Londres: Jonathan Cape, 1997.

Dunkling, Leslie. *The Guiness Drinking Companion.* Middlesex: Guiness, 1982.

Ellis, Aytoun. *The Penny Universities: A History of the Coffeehouses.* Londres: Secker & Warburg, 1956.

Ellison, Rosemary. "Diet in Mesopotamia: The Evidence of the Barley Ration Texts (c. 3000-1400 b.C.)", *Iraq* 43, 1981, p.35-45.

Engs, Ruth C. "Do Traditional Western European Practices Have Origins in Antiquity?", *Addiction Research* 2, nº 3, 1995, p.227-39.

Farrington, Anthony. *Trading Places: The East India Company and Asia, 1600-1834.* Londres: British Library, 2002.

Ferguson, Niall. *Empire: How Britain Made the Modern World.* Londres: Allen Lane, 2003.

Fernandez-Armesto, Felipe. *Food: A History.* Londres: Macmillan, 2001.

Fleming, Stuart J. *Vinum: The Story of Roman Wine.* Glenn Mills: Art Flair, 2001.

Forbes, R.J. *A Short History of the Art of Distillation.* Leiden: E.J. Brill, 1970.

________. *Studies in Ancient Technology.* vol.3. Leiden: E.J. Brill, 1955.

Forrest, Denys. *Tea for the British: The Social and Economic History of a Famous Trade.* Londres: Chatto & Windus, 1973.

Froissart, Sir John de. *Chronicles of England, France, Spain and the Adjoining Countries.* Nova York: Colonial Press, 1901.

Gaiter, Mary K. e W.A. Speck. *Colonial America.* Basingstoke: Palgrave, 2002.

Gleick, James. *Isaac Newton.* Londres: Fourth Estate, 2003.

Gribbin, John. *Science: A History, 1543-2001.* Londres: Allen Lane, 2001.

Harms, Robert. *The Diligent: A Voyage through the Worlds of the Slave Trade.* Reading: Perseus Press, 2002.

Hartman, Louis F. e A.L. Oppenheim. "On Beer and Brewing Techniques in Ancient Mesopotamia", suplemento do *Journal of the American Oriental Society*, 10, dezembro de 1950.

al-Hassan, Ahmad Y. e Donald R. Hill. *Islamic Technology: An Illustrated History.* Cambridge: Cambridge University Press, 1986.

Hattox, Ralph S. *Coffee and Coffeehouses: The Origins of a Social Beverage in the Medieval Near East.* Seattle: University of Washington Press, 1985.

Hawkes, Jacquetta. *The First Great Civilizations: Life in Mesopotamia, the Indus Valley and Egypt.* Londres: Hutchinson, 1973.

Hays, Constance. *Pop: Truth and Power at the Coca-Cola Company.* Londres: Hutchinson, 2004.

Heath, Dwight B. *Drinking Occasions: Comparative Perspectives on Alcohol and Culture.* Filadélfia: Brunner/Mazel, 2000.

Hobhouse, Henry. *Seeds of Change: Six Plants that Transformed Mankind*. Nova York: Harper & Row, 1986.

Inwood, Stephen. *The Man Who Knew Too Much: The Strange and Inventive Life of Robert Hooke, 1635-1703*. Londres: Macmillan, 2002.

Jacob, Heinrich Eduard. *Coffee: The Epic of a Commodity*. Nova York: Viking Press, 1935.

James, Lawrence. *The Rise and Fall of the British Empire*. Londres: Little Brown, 1998.

Joffe, Alexander. "Alcohol and Social Complexity in Ancient Western Asia", *Current Anthropology* 39, parte 3, 1998, p.297-322.

Kahn, E.J. *The Big Drink*. Nova York: Random House, 1960.

Katz, Solomon e Fritz Maytag. "Brewing an Ancient Beer", *Archaeology* 44, nº 4, julho-agosto de 1991, p.24-33.

Katz, Solomon e Mary Voigt. "Bread and Beer: The Early Use of Cereals in the Human Diet", *Expedition* 28, parte 2, 1986, p.23-34.

Kavanagh, Thomas W. "Archaeological Parameters for the Beginnings of Beer", *Brewing Techniques*, setembro-outubro de 1994.

Kinder, Hermann e Werner Hilgemann. *The Penguin Atlas of World History*. Londres: Penguin, 1978.

Kiple, Kenneth F. e Kriemhild Conee Ornelas (orgs.). *The Cambridge World History of Food*. Cambridge: Cambridge University Press, 2000.

Kors, Alan Charles (org.). *The Encyclopedia of the Enlightenment*. Nova York: Oxford University Press, 2003.

Kramer, Samuel Noah. *History Begins at Sumer*. Londres: Thames & Hudson, 1961.

Landes, David. *The Wealth and Poverty of Nations*. Londres: Little Brown, 1998.

Leick, Gwendolyn. *Mesopotamia: The Invention of the City*. Londres: Allen Lane, 2001.

Lichine, Alexis. *New Encyclopedia of Wines and Spirits*. Londres: Cassell, 1982.

Ligon, Richard. *A True and Exact History of the Island of Barbadoes*. Londres, 1673.

Lu Yu. *The Classic of Tea*. Nova Jersey: Ecco Press, 1974.

Lucia, Salvatore Pablo (org.) *Alcohol and Civilization*. Nova York: McGraw Hill, 1963.

MacFarlane, Alan e Iris MacFarlane. *Green Gold: The Empire of Tea*. Londres: Ebury Press, 2003.

McGovern, Patrick E. *Ancient Wine: The Search for the Origins of Viticulture*. Princeton: Princeton University Press, 2003.

McGovern, Patrick E., Stuart J. Fleming e Solomon H. Katz (orgs.). *The Origins and Ancient History of Wine*. Amsterdã: Gordon & Bearch, 1996.

Michalowski, P. "The Drinking Gods", in *Drinking in Ancient Societies: History and Culture of Drinks in the Ancient Near East*, Lucio Milano (org.), Pádova: Sargon, 1994.

Mintz, Sidney. *Sweetness and Power: The Place of Sugar in Modern History*. York: Viking, 1985.

Moxham, Roy. *Tea: Addiction, Exploitation and Empire*. Londres: Constable, 2003.

Murray, Oswyn (org.). *Sympotica: A Symposium on the Symposium*. Oxford: Clarendon Press, 1994.

"Muslims Prepare for the Coca-Cola War". Noticiário da UPI – United Press International, 12 de outubro de 2002.

Needham, Joseph. *Science and Civilization in China*, vol.5, *Chemistry and Chemical Technology*. Cambridge: Cambridge University Press, 1999.

Needham, Joseph e H. T. Huang. *Science and Civilization in China*, vol.6, *Biology and Biological Technology*. Cambridge: Cambridge University Press, 2000.

Pack, James. *Nelson's Blood: The Story of Naval Rum*. Annapolis, Maryland: Naval Institute Press, 1982.

Pendergrast, Mark. *For God, Country and Coca-Cola: The Unauthorized History of the Great American Soft Drink and the Company that Makes It*. Londres: Weidenfeld & Nicolson, 1993.

Pettigrew, Jane. *A Social History of Tea*. Londres: National Trust, 2001.

Phillips, Rod. *A Short History of Wine*. Londres: Allen Lane, 2000.

Porter, Roy. *Enlightenment: Britain and the Creation of the Modern World*. Londres: Allen Lane, 2000.

_______. *The Greatest Benefit to Mankind: A Medical History of Humanity from Antiquity to the Present*. Londres: HarperCollins, 1997.

"A Red Line in the Sand", *The Economist*, 1º de outubro de 1994.

"Regime Change", *The Economist*, 31 de outubro de 2002.

Repplier, Agnes. *To Think of Tea!* Londres: Cape, 1933.

Riley, John J. *A History of the American Soft Drink Industry*. Washington: Engarrafadores americanos de bebidas gaseificadas, 1958.

Roaf, Michael. *Cultural Atlas of Mesopotamia and the Ancient Near East*. Nova York: Facts on File, 1990.

Roueché, Berton. "Alcohol in Human Culture", in *Alcohol and Civilization*, Salvatore Pablo Lucia (org.), Nova York: McGraw Hill, 1963.

Ruscillo, Deborah. "When Gluttony Ruled!", *Archaeology*, novembro-dezembro de 2001, p.20-5.

Samuel, Delwen. "Brewing and Baking", in *Ancient Egyptian Materials and Technology*, Paul T. Nicholson e Ian Shaw (orgs.), Cambridge: Cambridge University Press, 2000.

Schapira, Joel, David Schapira e Karl Schapira. *The Book of Coffee and Tea*. Nova York: St. Martin's Griffin, 1982.

Schivelbusch, Wolfgang. *Tastes of Paradise: A Social History of Spices, Stimulants and Intoxicants*. Nova York: Vintage Books, 1992.

Schmandt-Besserat, Denise. *Before Writing*. Austin: University of Texas Press, 1992.

Scott, James Maurice. *The Tea Story*. Londres: Heinemann, 1964.

Sherratt, Andrew. "Alcohol and Its Alternatives: Symbol and Substance in Pre-industrial Cultures", in *Consuming Habits: Drugs in History and Anthropology*, Jordan Goodman, Paul E. Lovejoy e Andrew Sherratt (orgs.). Nova York: Routledge, 1995.

_______. *Economy and Society in Prehistoric Europe*. Edimburgo: Edinburgh University Press, 1998.

Smith, Frederic H. "Spirits and Spirituality: Alcohol in Caribbean Slave Societies." Manuscrito não publicado, University of Florida, 2001.

Social and Cultural Aspects of Drinking. Oxford: Social Issues Research Centre, 2000.

Sommerville, C. John. "Surfing the Coffeehouse", *History Today* 47, nº 6, junho de 1997, p.8-10.

Stewart, Larry. "Other Centres of Calculation, or, Where the Royal Society Didn't Count: Commerce, Coffeehouses and Natural Philosophy in Early Modern London", *British Journal for the History of Science* 32, 1999, p.133-53.

______. *The Rise of Public Science: Rhetoric, Technology and Natural Philosophy in Newtonian Britain.* Cambridge: Cambridge University Press, 1992.

Tannahill, Reay. *Food in History*. Nova York: Crown, 1989.

Tchernia, André. *Le vin de l'Italie romaine*. Roma: École Française de Rome, 1986.

Tchernia, André e Jean-Pierre Brun. *Le vin romain antique*. Grenoble: Glenat, 1999.

Tedlow, Robert. *New and Improved: The Story of Mass Marketing in America*. Nova York: Basic Books, 1990.

Thomas, Hugh. *The Slave Trade: The Story of the Atlantic Slave Trade, 1440-1870*. Nova York: Simon & Schuster, 1997.

Thompson, Peter. *Rum Punch and Revolution*. Filadélfia: University of Pennsylvania Press, 1999.

Toussaint-Samat, Maguellone. *A History of Food*. Cambridge: Blackwell, 1992.

Trager, James. *The Food Chronology*. Nova York: Owl Books, 1997.

Trigger, Bruce G. *Understanding Early Civilizations: A Comparative Study*. Cambridge: Cambridge University Press, 2003.

Ukers, William H. *All About Coffee*. Nova York: Tea and Coffee Trade Journal, 1922.

________. *All About Tea*. Nova York: Tea and Coffee Trade Journal, 1935.

Unwin, Tim. *Wine and the Vine: an Historical Geography of Viticulture and the Wine Trade*. Londres: Routledge, 1996.

Waller, Maureen. *1700: Scenes from London Life*. Londres: Hodder & Stoughton, 2000.

Watt, James. "The Influence of Nutrition upon Achievement in Maritime History", in *Food, Diet and Economic Change Past and Present*, Catherine Geissler e Derek J. Oddy (orgs.). Londres: Leicester University Press, 1993.

Weinberg, Alan e Bonnie K. Bealer. *The World of Caffeine: The Science and Culture of the World's Most Popular Drug*. Nova York e Londres: Routledge, 2001.

Wells, Spencer. *The Journey of Man: A Genetic Odyssey*. Londres: Allen Lane, 2002.

Wild, Antony. *The East India Company: Trade and Conquest from 1600*. Londres: HarperCollins, 1999.

Wilkinson, Endymion. *Chinese History: a Manual*. Cambridge: Harvard University Press, 2004.

Wilson, C. Anne (org.). *Liquid Nourishment: Potable Foods and Stimulating Drinks*. Edimburgo: Edinburgh University Press, 1993.

Younger, William. *Gods, Men and Wine*. Londres: Michael Joseph, 1966.

• ÍNDICE REMISSIVO •

Nota: Os números de páginas em *itálico* correspondem às ilustrações.

A

B

C

D

E

F

G

H

I

J

R

S

T